THE ANSWER

デーヴィッド・アイク David Icke

渡辺亜矢訳

答え

第4巻

［世界の考え方編］

心を開き、
トランスジェンダーも
AIも無効に

「物理的」な世界は、波動場の世界を解読して投影したものだ。

私たちはつねに波動場の現実と相互作用している。それが「物理的」な相互作用のように見えている。

集合的波動場を通じて、私たちはみな、**ひとつ**である。他の人たちや、自然界と一体の存在なのだ。

私たちは「物理的な」食物を食べるという体験をするが、実際には私たちというエネルギー場が他のエネルギー場を吸収しているのである。健康的な食物は活気に満ちた波動をもち、「ファストフード」や加工された「食品」はエネルギー的に死んでいる。その影響が身体（からだ）におよぶのだ。

（図左舌の絵の文字）味〈中央〉　苦い〈上〉　すっぱい〈左・右〉　甘い〈下〉　しょっぱい〈最下〉　（図左下の文字）飲食物はエネルギー場

人間の波動場は、波動のからみあいによって他の場とつながる。私たちはこれを、あらゆる種類の人間関係として体験する。
（図左上の文字）波動場　波動のからみあい

私たちが死と呼んでいるのは、ボディ（肉体）とマインド（精神）の波動のからみあいが解消されることだ。それに続いて、私たちの永遠の意識はボディの近視眼的な情報処理から解放される。臨死体験をした人が、肉体を離れると意識が劇的に拡大したというのはこのことだ。
（図下中央の文字）死－命のからみあい

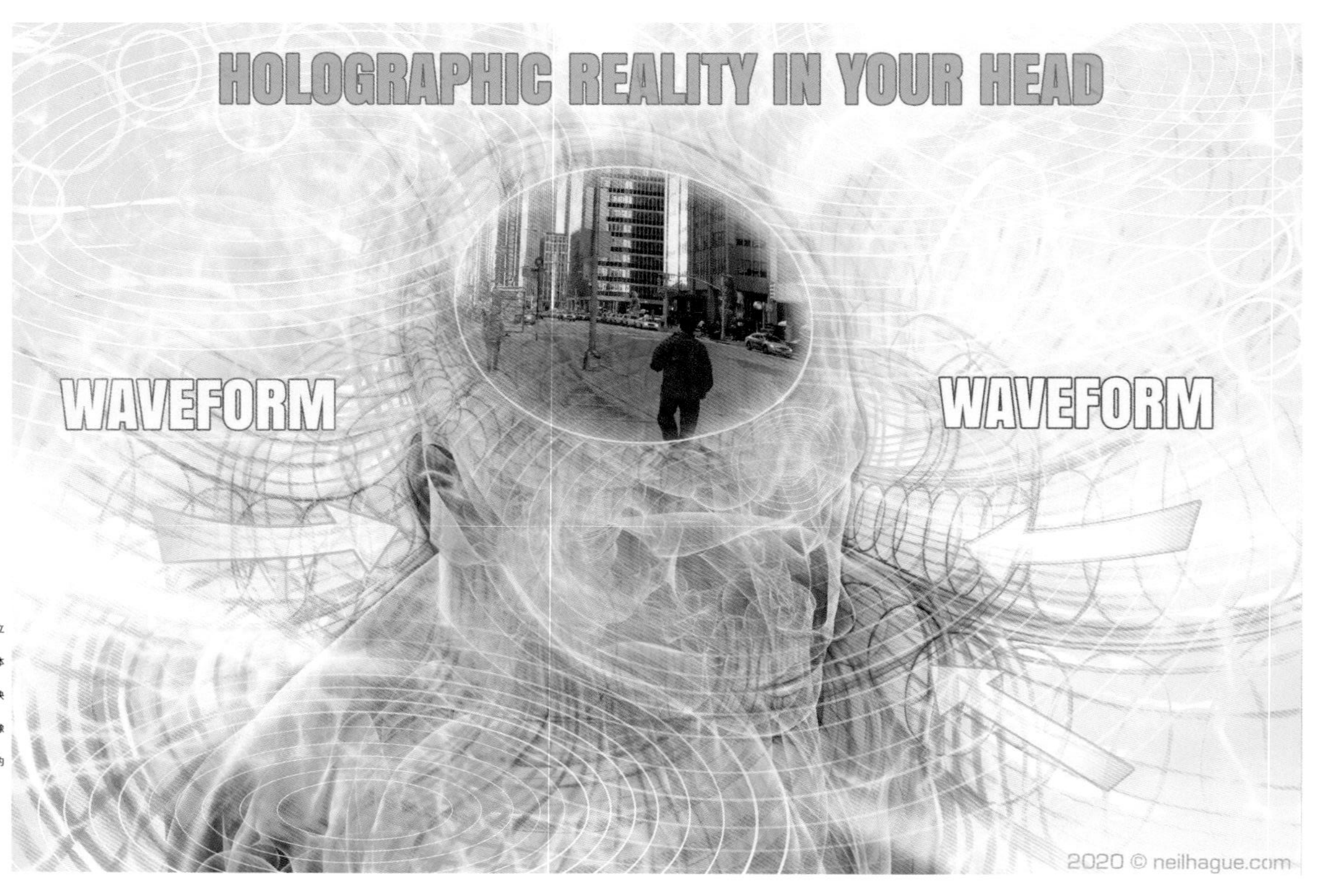

私たちが「物理的」に体験している世界は、波動場の情報をホログラフィックな情報に解読したときにだけ、そのかたちで存在する。世界は私たちの外にあるのではない。内にあるのだ。

（図中の文字）〈上〉あなたの頭のなかのホログラフィックな三次元的現実　〈左・右〉波形

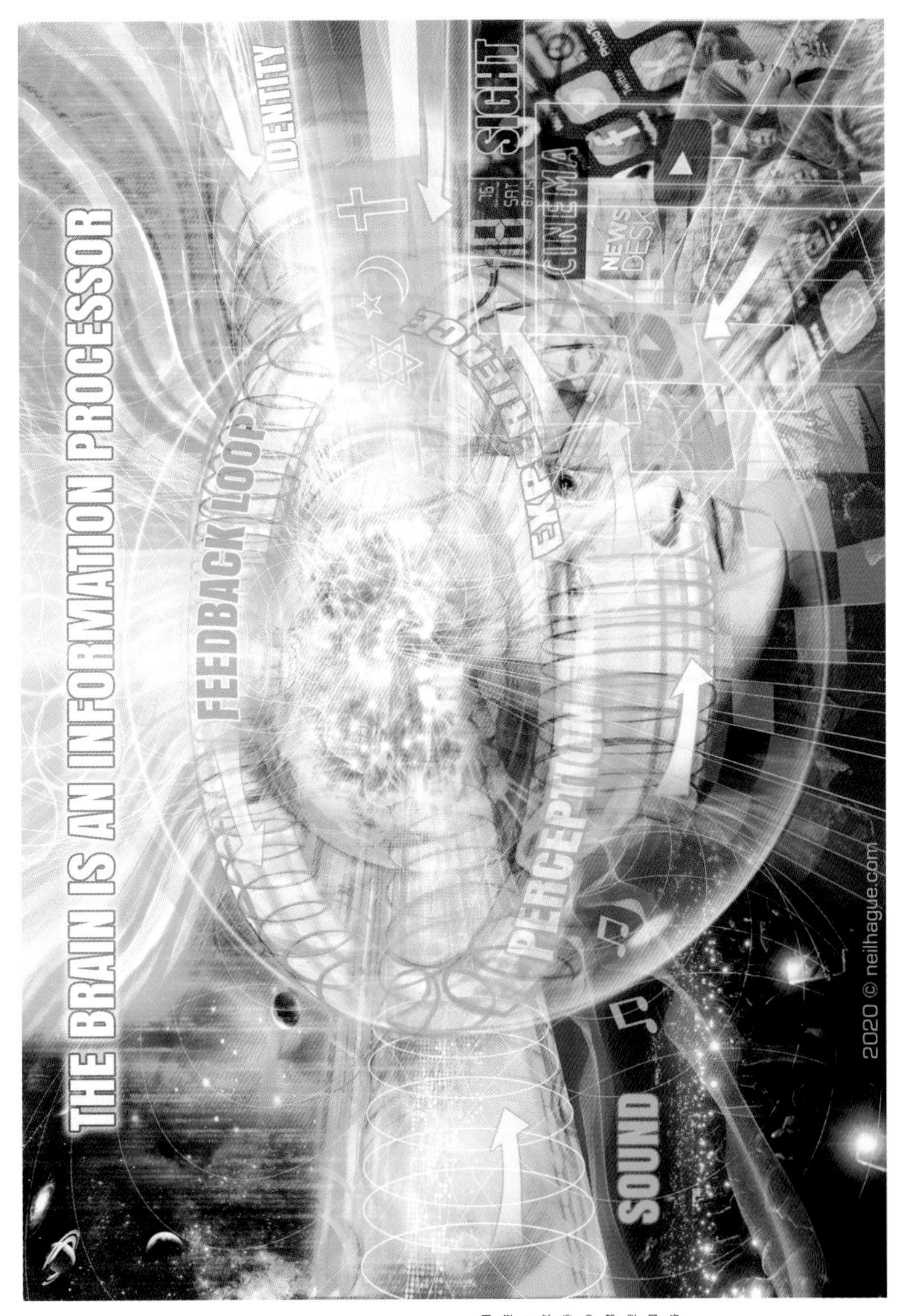

知覚は、自己達成的な顕在意識と潜在意識のフィードバックループ（調整・改善の螺旋回路）をつくる。私たちは知覚が描きだす周波数帯域内でのみ、可能性のフィールドと相互作用する。

（図中の文字）〈上〉脳は情報処理装置　〈やや上・中央〉フィードバックループ　〈やや上・右〉アイデンティティ　〈やや下・中央左右〉知覚　体験　〈やや下・右〉視覚　〈下・左〉聴覚

「過去」や「現在」「未来」は知覚にすぎない。すべては同じ今、起きている。
（図中の文字）〈左上〉時間は幻想　〈中段左〉過去　「今に在れ」〈下段右〉未来

ワンネスは、無数の注意を向けた点によって、すべての現実を創造している。私たちもその点のひとつだ。

ボディーマインドがより大きな自己（「ソウル」や「ハイアーセルフ（高次元の自己）」）の影響から切り離されると、私たちは五感のみからくる知覚に翻弄（ほんろう）される。

（図中の文字）〈右上から〉霊（スピリット）　魂（ソウル）　精神（マインド）　肉体（ボディ）　〈左中上〉乗っ取られた知覚

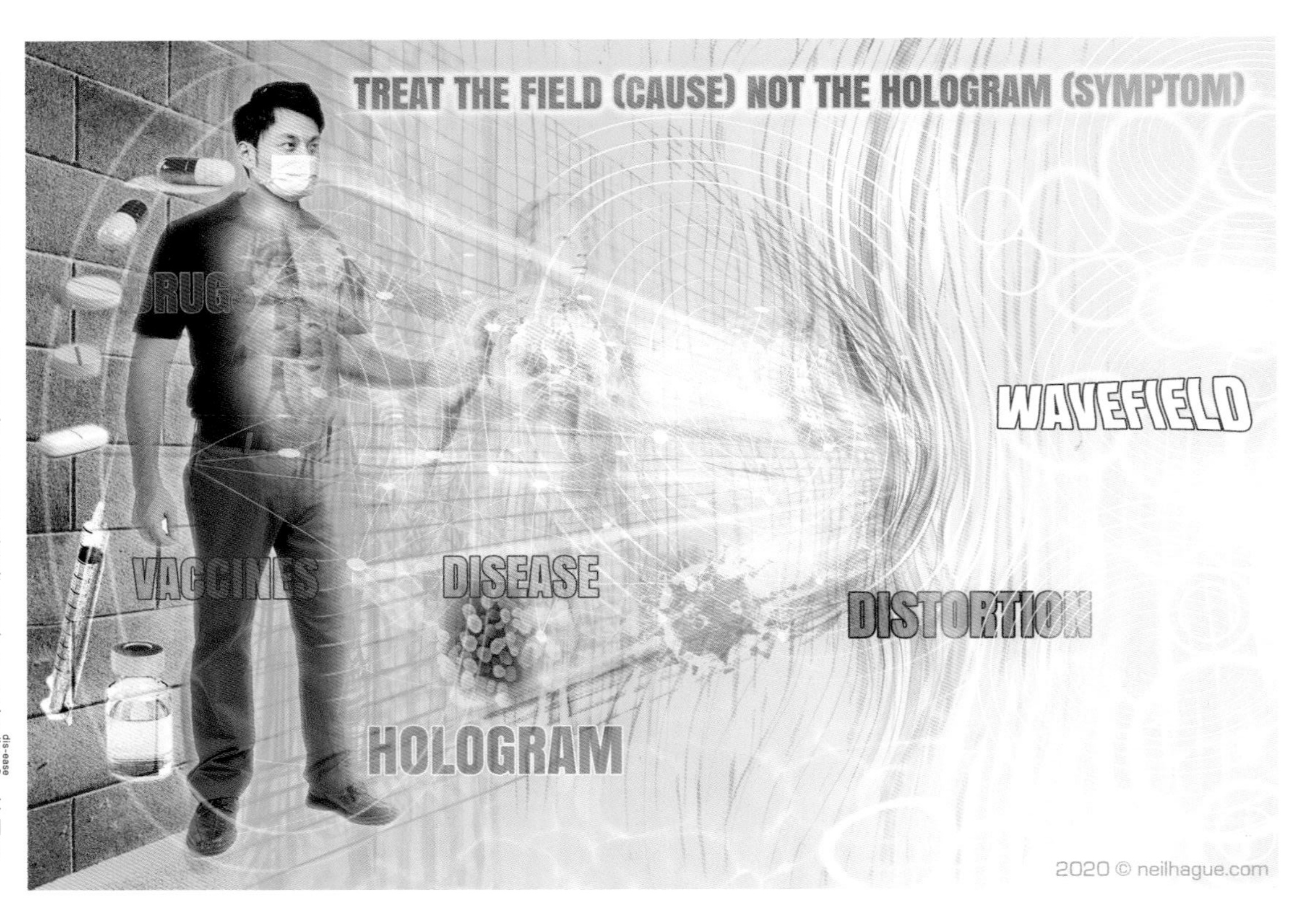

肉体の波動場におけるバランスの崩れ、または不具合がホログラム上の病気（dis-ease）―不調和となる。波動場のバランス＝ホログラフィックな「健康」である。なぜなら、ホログラムは波動場の映し鏡だからだ。

（図中の文字）ホログラム（症状）ではなく、場（原因）を治療せよ 〈文字左上から〉医薬品 ワクチン 病気 ホログラム ゆがみ 波動場

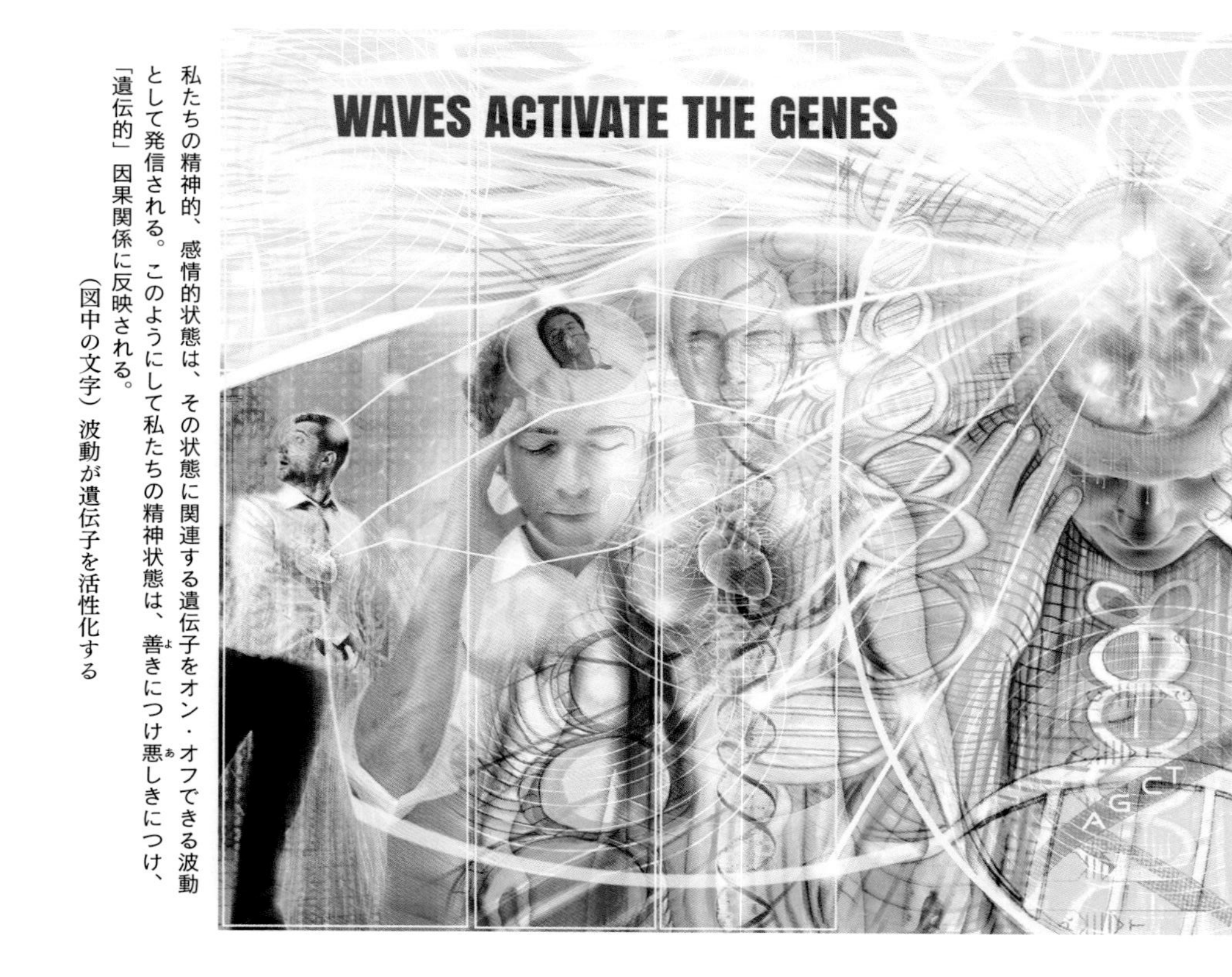

私たちの精神的、感情的状態は、その状態に関連する遺伝子をオン・オフできる波動として発信される。このようにして私たちの精神状態は、善きにつけ悪しきにつけ、「遺伝的」因果関係に反映される。

（図中の文字）波動が遺伝子を活性化する

あらゆる関係性は、波動のからみあいと「バイブス（空気）」の引きよせあるいは反発にもとづいている。

（図中の文字）人間関係の波動のからみあい

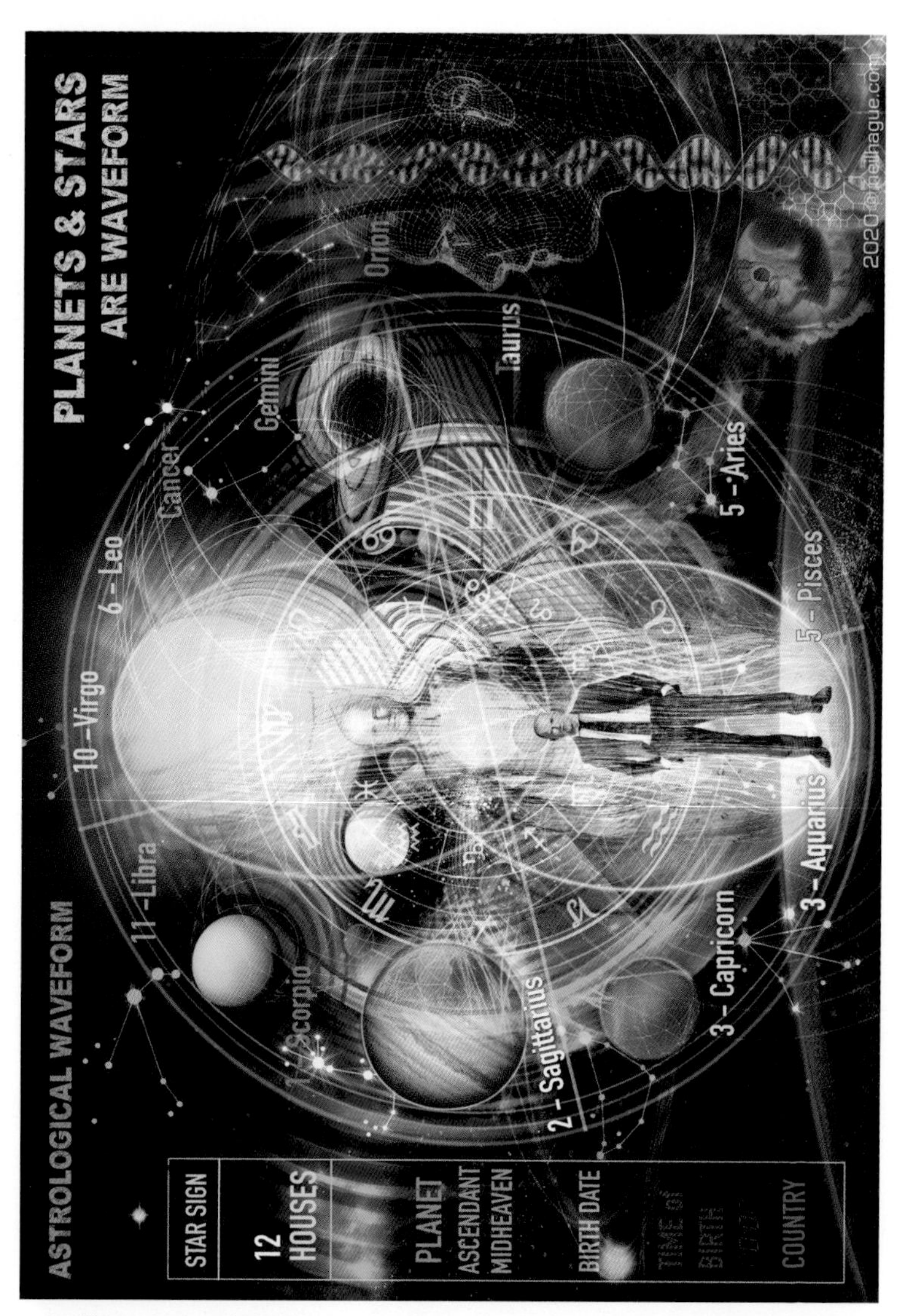

占星術は、天体の波動周波数と人間、動物その他すべての生命体の波動周波数との波動のからみあいの影響にもとづくものだ。

(図中の文字)〈図左上〉占星術的波形　〈右上〉惑星や星は波形である　〈左下表〉星座　12ハウス　惑星　アセンダント　ミッドヘブン　生年月日　誕生時刻　生まれた国　〈中央表〉10ーおとめ座　6ーしし座　かに座　ふたご座　おうし座　5ーおひつじ座　5ーうお座　3ーみずがめ座　3ーやぎ座　2ーいて座　1ーさそり座　11ーてんびん座　〈右表外〉オリオン座

閉じた心(ハート)は私たちをここ(三次元)にとどめる。開いた心(ハート)は「ふるさと(超次元)」へといざなう。
（図中の文字）〈左上から〉ワンネス　よろこび　オープン　しあわせ　平和〈中央上から〉心　愛またはおそれ〈レンガの文字　右上から〉無知　おそれ　おそれ　不満　傲慢(ごうまん)　おそれ　無知　不安　おそれ　ストレス　不安　おそれ　不満　ストレス　おそれ　無知　クローズ

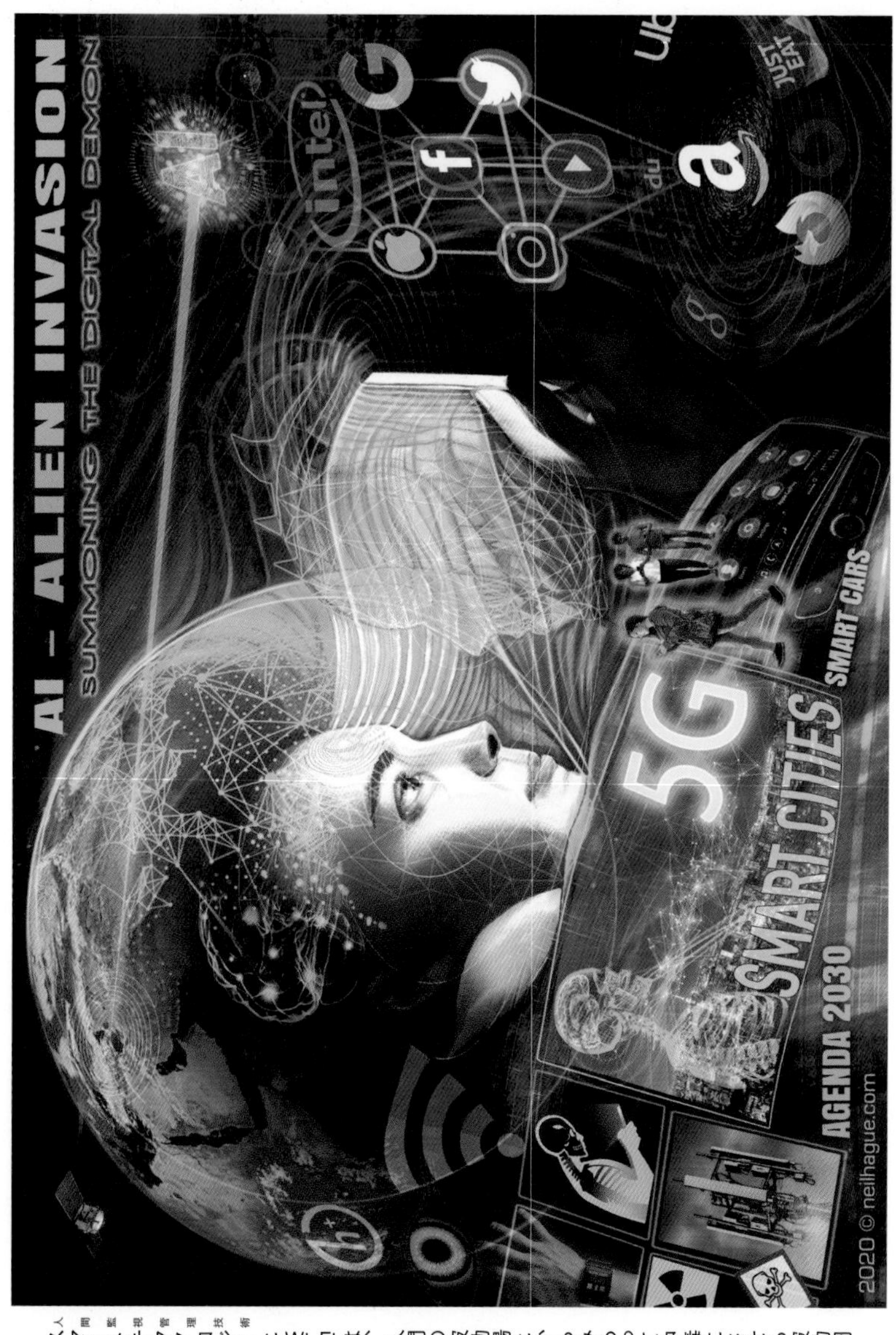

スマートテクノロジー（人間監視管理技術）とWi-Fiは、人間の波動場とからみあって中毒にさせる波動周波数を発している。これによって人間の周波数は、AIや機械の周波数と同化してしまう。テクノロジー中毒になった人間は、どんどん機械化され、最後には本当に機械**になってしまう。**

（図中の文字）〈上〉AI－エイリアンの侵略　デジタル悪魔召喚　〈下〉5G　スマートシティズ（高層密集監視都市たち）　スマートカーズ　アジェンダ2030

再三、正しいと証明された男――デーヴィッド・アイク［著］
渡辺亜矢［訳］

答え

第4巻

心を開き、
トランスジェンダーもAIも
無効に
【世界の考え方編】

★本書は、人生や世界についてのあなたの知覚を変えるだろう。そして、人間社会を操っている幻想から、あなたを解き放つ。
★私たち共通の自由にとって、人類が本書の内容に気づくより重要なことはない。

Originally published in the UK by Ickonic Enterprises Limited
Japanese translation published by arrangement with Ickonic Enterprises Limited
through The English Agency (Japan) Ltd.

カバーデザイン　重原隆
校正　広瀬泉
編集協力　守屋汎
本文仮名書体　蒼穹仮名（キャップス）

答え　第4巻［世界の考え方編］目次

第12章　私たちはどこへ向かっているのか？　――流れにまかせた場合

第13章　トランスジェンダー（性別超越者）・ヒステリーの真相

第14章　新世界交響曲とは何か？

【編集部注記】本文中〔　〕内は訳者註

第11章

なぜ白人、キリスト教徒、男性か？

肌の色を理由に人を憎むのはまちがいだ。ヘイトをおこなうのが何色の者であろうと関係ない。

とにかくあきらかなまちがいだ

——モハメド・アリ

ニューウォーク（エセ覚醒）とポリティカル・コレクトネス（偏狭［狂］な政治的正義）が電撃的にあらわれ定着したのは、カルト［人間社会の内側でクモの巣を制御している核心部。クモは非人間の権力で、五感が知覚する周波数帯を超えて人間を操っている。クモの巣は、隠れたクモが目に見えるできごとを指示できるようにする、相互につながった秘密結社の構造。カルトの背景は、アイクの『The Trigger』（未邦訳）や『今知っておくべき重大なはかりごと』（ヒカルランド）で詳しく紹介されている。第2巻11ページ「はじめに」参照］の対人類アジェンダ（実現目標）だということを念頭におかなければ理解できない。

カルト／ニューウォークの共生関係は見え透いている。カルトがニューウォークをつくったのだから。ニューウォークとカルトをつなげてみれば、すべて説明がつく。彼らの共通目標をいくつかあげてみよう。

- ●世界的な中央集権（気候変動から世界を守るためとしてニューウォークが要求）
- ●カルトやその対人類アジェンダについてのあらゆる批判や暴露の検閲（ポリティカル・コレクトネスの観点からニューウォークが要求）
- ●知覚をより狭い自己認識に閉じこめる（アイデンティティ・ポリティクス（社会的少数者による偏狭な政治目標）によってニューウォークが推進）
- ●分断統治（アイデンティティ・ポリティクスと「**私が正しい**」という精神構造によってニューウ

ォークが推進）

●西側社会の変容とその文化、生き方の解体（アイデンティティ・ポリティクスと異文化からの移民に門戸を開くことによってニューウォークが推進）

●このあと述べる理由によって、男性、白人、キリスト教徒を標的にする（アイデンティティ・ポリティクス、「有害な男らしさ」、白人に対するレイシズムには適用されない「反レイシズム」、他の宗教はポリコレで保護しながらキリスト教を非難することによって、ニューウォークが推進）

●ジェンダー（性別）がなく、生殖不要の人間をつくりだす（ニューウォークやトランスジェンダー（性別超越）活動家の過激派が、ほとんど無自覚のまま、世界をノンジェンダー（無性別）社会に変え、子どもたちに自分の性別に疑問をもつよう洗脳している。なにも言われなければなんの疑問もなかったのに）

●完全武装したＡＩ法執行機関と軍隊によるクーデターの前に、米国民の武装を解除する（ニューウォークが推進。彼らは銃の禁止と没収を要求するが、これは政府の武装エージェントによる国民の完全支配と、特にカルトが人口減少を望む地方の無法地帯化に道を開くものだ）

ほかにも、ニューウォークが堂々と推進するカルトのアジェンダにおける側面がいくつもある。

そのひとつが、ＡＩテクノロジーの最終局面だ。どこをみても、ニューウォークのものの見方とカルトのアジェンダは一体だ。ニューウォークのすべての側面、すべての部門はカルトのアジェンダだ。気候変動、人種部門、性部門、トランスジェンダー、そしてポリティカル・コレクトネス。
カルトに仕えるニューウォークは、「インターセクショナリティ（交差性）」とかいうものによって、脆弱（ぜいじゃく）なマイノリティグループ連合の分裂や矛盾を覆（おお）い隠そうとしている。インターセクショナリティとは、「個人や集団に適用される人種、階級、ジェンダーなどの社会的分類の相互関連性。差別や不利益の重複した相互依存のシステムをうみだすとみなされる」ものだ。このオーウェル語［全体／管理主義を正当化した言いまわし。ジョージ・オーウェル『1984年』より］を訳すと、マイノリティグループを社会と白人特権からの抑圧によって団結させ、同意していないすべてのことについて互いに競っているグループが、白人を倒すために団結すべき、という意味だ。インターセクショナリティは、異質な集団をひとつの勢力に統合し、社会を自分たちのイメージどおりに変革しようとするカルトである。

　ニューウォークの活動家は、こうしたさまざまな「部門」を行き来する傾向がある。しかしカルトからすれば、どれも同じひとつのアジェンダだ。ドイツのニューウォーク活動家カローラ・ラケット（まさに！）［「ラケット」は騒ぎ、詐欺の意］はその典型だ。ラケットは、リビアからイタリアへと移民を「救うため」に移送したとして逮捕された「船長」である。船を運航していたオランダ政府は、彼女は「救助ではなく、フェリー輸送」をおこなっていたと説明している。次にラケットは、エクスティンクション・リベリオン（絶滅への反逆）を支持する気候変動活動家として登場した。あらゆる気候変動のレトリック（屁理屈）をまくしたて、世界を守るために社会を破壊すべきと要求している。彼女は

「覚醒」商売人プロウォーカーだとも言えるだろう。そのような者はごまんといる。

ニューウォークやLGBT云々のもうひとつのポイントは、いまや**そこかしこにあふれる**レインボーカラーのロゴだ。カルトの手先サバタイ派フランキストは、長きにわたって偽りの作り話を通じて、人類全体に課そうとする一連の邪悪で強権的な法律を展開してきた。これは、法とは「神」が「ノア」に与えたものだとされることを根拠として正当化されている。ノアは「大洪水後の全人類の父」であるから、法は万人に課されるべきものであるというのだ。この法は、ノアの七つの戒めと呼ばれる。くわしくは付録2をご覧いただきたい。ここでこれに触れたのは、ニューウォークがあらわれるよりずっと前から彼らのロゴは、ノアの洪水物語に出てくる虹(にじ)を象徴したレインボーカラーだからだ［旧約聖書『創世記』におけるノアの方舟(はこぶね)物語では、水が引いたあとにヤハウェ(主)が二度と大洪水をおこさないと契約し、その証に空に虹をかける］。カルトのようにシンボリズムにすっかり取り憑(つ)かれている者にとっては、これは偶然ではない。

男の白い影

ニューウォークとカルトは、多くの欠点はあるものの、世界でもっとも自由な地域である**欧米**社会をターゲットにしている。本書第3巻第7章で取りあげた、ヘブライの「ラビ」ダヴィッド・トウイトゥーの言葉を思いだしてほしい。欧州とキリスト教社会は、彼らの「救世主(メシア)」が来るまえに破壊されなければならないというものだ。ＥＵもこの計画の一環だ。中国のような共産主義者／ファシストの国は、すでにカルトが地球全体を向かわせようともくろむ方向へ舵（かじ）を切っている。世界的なディストピア（暗黒郷）をうちたてるため、カルトは西洋を変えなければならない。気候過激派は、悪者にされているCO_2の最大の排出国である中国についてはなにも言わない。いっぽう、欧米の経済を破壊せよと激しく主張している。オーストラリアは、気候カルトの反発のため新規の石炭火力発電所を建設しない。だが中国やインド、日本その他のアジア諸国では、オーストラリアの石炭を発電所の燃料としている。オーストラリアの二酸化炭素年間排出量は、中国の排出量の年間増加分よりも少ない。欧米がターゲットなのは、カルトがそう決めたからだ。

これらすべては白人、特に白人男性に対する知覚的戦争につながる。欧米世界でもっとも多い人種は「白色人種」だ。白人**以外**の人種がみなポリティカル・コレクトネス検閲から守られるのは、そのためだ。ある人種に対する攻撃が許され、他の人種に対しては許されないならば、それは**レイシズム**だ。それをよしとする非白人のみなさんには、マルティン・ニーメラー牧師のナチスドイツに関する言葉を贈りたい。

ナチスが社会主義者を連れさったとき、私は声をあげなかった。社会主義者ではなかったから。

彼らが労働組合員らを連れさったとき、私は声をあげなかった。労働組合員ではなかったから。

彼らがユダヤ人を連れさったとき、私は声をあげなかった。ユダヤ人ではなかったから。

そして彼らが私を連れさったとき、私のために声をあげる者は誰も残っていなかった。

白人は、カルトが破壊しようともくろむ欧米社会でもっとも多い人種であるために、大いにターゲットとされている。他の人種がその位置にあったなら、その人種がターゲットとされ、白人はポリコレに守られていたことだろう。「個人的な恨みはないよ、ただのビジネスさ」

だが私は、カルトが白人を征服しようとするのには他の理由もあると思う。繰りかえしになるが、ニューウォーク（エセ覚醒）は逆転した偽善を公然と見せつける。この偽善は、ニューウォークの裏にいる者が**計算ずくで**提示しているものだ。

英国の国立公園の利用者に「もっと多様性をもたせるべきだ」という声まであがっている。「年配の白人の健常者に偏りすぎている」というのがその理由だ。公園は人種やセクシュアル（性的）なバックグラウンド（指向）にかかわらず、誰もが自由に歩ける場所だ。行こうとゆくまいと自由である。それが本当に、選択の問題であるならばの話だが。しかしながら、こうした選択肢はアジェンダにそぐわない。公園を運営している政府は、つくられた多様性に左右されるようになる。もし誰かが、ある場所が黒人やアジア人、ムスリム、あるいは若者に「偏りすぎている」と言ったら、どんな反応が返ってくるだろうか？　今日では、レイシズムや偽善の裏がえしがあふれている。そしてそれには理由がある。

黒人ラッパーのストームジーは、黒人を対象としたケンブリッジ大学への奨学金を設立した。素晴らしいことだ。しかしブライアン・スウェイツ卿が合計１００万ポンド［約１・７億円］をダリッジとウィンチェスターというふたつの名門校に遺贈しようとしたところ、いずれも受けとりを拒否した。スウェイツが対象を経済難の白人男性としたため、「インクルーシブ」でないと判断されたのだ。彼は、英国白人少年が他のほぼすべての民族よりも学校での成績が悪いことを考慮してこの申し出をおこなった。大学への進学率も低く、試験の成績も比較的悪いのだ。

平等人権委員会の元委員長で黒人のトレバー・フィリップスは、白人貧困層の少年は「今日、教育面で置き去りにされている者」だと述べた。フィリップスの人種的公正は、強制終了させられた。彼はのちに「イスラム嫌悪」を理由に、ニューウォークに乗っ取られた労働党により、党員資格を停止された。レイシズムを理由に労働党から除名されたり、党員資格を停止されたりすることは、昨今では現実をしっかりと把握しているという証左となっている。

ケヒンデ・アンドリューズは、バーミンガム市立大学社会科学部の黒人研究の教授で、クリティカル・ソーシャル・リサーチ・センターのディレクター、ブラックユニティの創設者であり、英国黒人研究学会の共同議長である（人種にこだわるわけだ）。アンドリューズはフィリップスのことを「元ブラックコミュニティの」と呼んだ。肌が黒くても、ニューウォークの横暴に従わなければ、実質的には白人だというのだ。

ブライアン・スウェイツ卿は当然こう訊ねた。「ケンブリッジ大学が黒人学生支援のために多額の寄付を受けいれられるのなら、なぜ私が同じことを恵まれない白人英国人に対してできないのか？」答えは、ニューウォークはすべての人が平等であること（私は**そうあってほしい**）など望んでいないからだ。ウォークとはカルトが動かすアジェンダであり、欧米社会を変容させるために白人をターゲットにしている。ニューウォークの典型的なレイシスト過激派の考えは、南アフリカとジンバブエの黒人を支配したのは恥ずべき行為（そのとおり）だが、黒人が主権を回復したそれらの国で黒人レイシストが白人農家を襲って殺すのは問題ないし、しかたない（ありえない）というものだ。

ある人種をその人種**である**ということで否定する、この差別的な侮蔑には当然反発があった。「白人でも大丈夫」というポスターだ。たとえばスコットランドのパースに貼られたものは、お決まりのニューウォークの憤激に遭った。ちなみに、ポスターには「白人は支配人種だ」などとは書いていない。「白人でも大丈夫」とあるだけだ。身体的特徴のことにしか触れていないが「人びとがこんなふうに思っているということにはうんざりするし、じつに不快だ」などという反応があった。

パースシャーノース選出のスコットランド議会員ジョン・スウィニーは、このポスターは「ひどいものだ」と言った。「私たちは、このような受けいれがたいものに立ち向かうべく、団結しなくてはならない」これは意識の高いことで、スウィニーさんよ。よく言った。ウォーカーが「黒人でも大丈夫」「アジア人でも大丈夫」「ムスリムでも大丈夫」というポスターに同じ反応をするなら、私は彼らの言葉に真摯（しんし）に耳を傾けよう。でなければありのまま、逆レイシストの偽善者として受けとめさせてもらう。

私はあらゆるかたちのレイシズムに反対だ。悪いが、ウォーク（カルト）のアジェンダにはまるものだけではない。重要なことだが、地元警察によれば、市民からの苦情は皆無だそうだ。ポスターについての通報があり（ニューウォークの活動家に違いない）、捜査をすることになったのだった。

スウェーデンとドイツの国境開放によって起こったことは、西側社会全体に向けての計画だ。過去数百年のようなスウェーデン社会は消え去り、もうかつてのような姿にはもどれなくなった。国を牛耳るニューウォークのおかげだ。

隣国フィンランドも、どっぷりウォークである。２０１９年末、34歳［当時］の社会民主党員サンナ・マリンが世界でもっとも若い首相となった。マリンは、女性が大半を占める組閣をおこなった（閣僚19人のうち12人が女性）。連立政権を構成する他の４つの政党のリーダーはすべて女性で、そのうち３人が40歳未満だ。アンバランスを逆手に取るのが、ウォークのテクニックだ。政権の採用基準は年齢や人種、性別ではなく、能力や経験であるべきなのに。フィンランドでも、異文化からの移民がフィンランドの生活様式におよぼす影響などに疑問を呈そうとすれば、ポリティカル・コレクトネスに冷や水を浴びせられる。口にできないこと、批判できないことというのは、きまってカルトのアジェンダなのだ。

イェール大学といえば、悪名高き米大統領育成機関であるカルトの秘密結社、スカル・アンド・ボーンズのおひざ元である。イェール・デイリー・ニュース［学生新聞］の記事によると、大学では美術史学科の「ルネサンスから現代まで」を扱う「西洋美術概説」コースを廃止したという。取りあげる芸術家が「圧倒的に」白人、男性、ストレート（異性愛）であることが理由だ。学部長のティム・バリンガーは同紙に、西洋の国で西洋美術に焦点を合わせることは「問題となる」と語った。これはニューウォークが好む言いまわしである。学生のマーロン・ソーレンセンは「この包括的なコースをひとつ廃止すれば、西洋美術の基礎を理解するために、学生は複数の美術史のコースを取らなければならなくなる」と言った。そうだ、それがこのカルトによる文化破壊の狙（ねら）いなんだよ。

オレゴン州リード大学の学生たちは、人文学のコースから欧州人の文献をすべて取り除き、欧州人以外の本に置き換えよと抗議活動をおこなった。「人文科学が有色人種、特に黒人の歴史を抹殺してきた歴史に対する」償いだというのだ。結果、人文学入門のコースは廃止された。なんたるウォークな主張か。黒人史を増やすためには、白人史を削除しなければならない。カルトも白人史を消去したがっているという事実は、純然たる偶然である。

米国の書店バーンズ・アンド・ノーブルは、黒人歴史月間［北米、英国におけるアフリカ系偉人や黒人史を回想する年間行事。米国では2月、英国では10月」に、古典小説の表紙に非白人をあしらうというキャンペーンを企画した。『ジキル博士とハイド氏』にはターバンを巻いた男性、『フランケンシュタイン』には褐色の肌の怪物、そしてシェークスピアの『ロミオとジュリエット』には、褐色の肌で髪をスカーフで覆ったジュリエットが描かれた。このキャンペーンは、カバーをかけかえただけで本の中身は変わっていない、との指摘を受けて中止された。

これらの本は、白人が当時の白人文化を描いたものである。白人文化に上書きすることで、黒人文化を促進することなどできるだろうか？　白人文化の古典作品を改変するのではなく、黒人作家が黒人文化を描いた作品を紹介すればいい。いや、でもそうすると、白人文化を消し去ることで黒人文化をもちあげることができなくなる。どちらも称（たた）えるということになる。それはカルトが望む結果ではない。

同じことが、超シオニスト「投資銀行」ゴールドマン・サックスのような、カルトが支配する企業でもみられる。同社は２０２０年、「白人ストレート男性」の重役しかいない企業の新規株式公開業務は引き受けないと発表した。偽善に新しい意味を加えるゴールドマン・サックスのＣＥＯ（最高経営責任者）を務めるのは、白人男性のデービッド・ソロモンである。ＣＦＯ（最高財務責任者）、ＣＯＯ（最高執行責任者）、そしてインターナショナル・ヘッドも同じく白人男性だ。

ソロモンは1パーセントの祭典、ダボスの世界経済会議で、役員全員男性を認めないのは北米と欧州で、ダイバーシティが浸透しきっていないアジアは対象外であるとした。こりゃたまげた。この会社が背後にある動機と主張するものがなんであれ、それは多様性のための「多様性」の追求ではないだろう。

ゴールドマン・サックスは１８６９年にユダヤ系白人によって創立された。以来、社員のほとんど、リーダーのほぼ全員がユダヤ系白人である。そんな連中に、ダイバーシティについて説教されるだなんて**ご免こうむりたい。**ゴールドマンのスタンスは、大企業が民主主義のプロセスを無視して公的・私的な政策に口を出す、あまたの例の典型だ。これが、ポスト民主主義のテクノクラシー（「専門家」支配体制）の土台となる。

ポリコレ禁止区域

白人、特に白人男性、なかでも年配の白人男性（若者と老人を分断する）はすべて「白人特権」をふりかざすレイシストである、というのがニューウォーク過激派の言い分だ。大都市の糞と病原菌まみれの路上で、寒さに震えて眠る白人も例外ではない。対照的に、本当の特権を享受している白人ビリオネア（京兆長者）は、ニューウォーカー（覚醒意識高い系）にとっては善である。彼らは「進歩的な」団体に資金提供し、「悪人」を検閲しているのだから。路上生活の白人ホームレスには、「白人特権」がある。いっぽう、民主党の政治家コリー・ブッカーのような、裕福な家庭に生まれ高い教育を受けた特権階級の黒人は、白人による迫害の犠牲者である。白人はすべてレイシストである。自分が生まれる前のできごとについて、同じくその当時生まれていなかった非白人に謝罪した者だけが除外される。

あるネット動画では、白人カップルが、超レイシストのブラック・ヒーブルー・イズレイライツ［古代イスラエル人の末裔（まつえい）と自称する米黒人グループ］のメンバーの靴に口づけする姿がみられる。自分たちの「先祖」がしたことの償いだというのだ。「彼らは、預言者と司祭に本当に敬意を表することがなにを意味するかを示している」と、ある哀れなメンバーは言う。「この白人カップルは、自分たちの父祖がしたことを申し訳なく思っているということを示しているのだ」問題は肌の色ではなく、ハート（心）とマインド（精神）の色だ。このように黒人にも、黒人を迫害し侮辱した白人サイコパス（精神病質者）と同じハートやマインドをもつ者がいる。

米国の「公民権」活動家（噴飯（ふんぱん）ものだ）アル・シャープトンは、白人に対する怒号とレトリック（屁理屈）で知られる、ニューウォークのヒーローである。しかしてその正体は、レイシストのペテン師で偽善者、多国籍企業の回し者、かつＦＢＩの情報提供者（コードネーム「ＣＩ－７」）である。超ウォークのVice.comでさえ、「ワールドクラスのクズ野郎で、マフィアとズブズブであると広く知られている」と呼ぶほどだ。人種間の火種が注目を集めているとみれば、シャープトンは手近なカメラを探しだし、火に油を注いでいる。「人種の放火魔」と呼ばれるのも、むべなるかなである。黒人の権利などどうでもいい。白人を攻撃することで、ニューウォーク的には十分なのだ。シャープトンは、超偽善者のオバマ元大統領のアドバイザーを務め、典型的なオバマ的ナンセンスで、「不公平と不平等と戦うコミットメント（約束）」を称賛した。民主党の大統領候補者は、シャープトン師

「彼は牧師でもある」の祝福を得るために舌鋒を鋭くする。黒人票を獲得するためだが、シャープトンを我慢ならないと感じている黒人も多い。

ニューウォークを受けいれない黒人（大多数）は、偽善者を見抜いている。多くの黒人はまやかしを見透かしていて、人を肌の色（白人も含め）で判断するのは人種差別だと気づいている。ばかばかしく、（意図的に）分断をうむとわかっているのだ。欧米生まれ、あるいは定住している黒人その他の非白人で、欧米文化を守ろうとする者は「革命の敵」とみなされる。見境ないエセ革命のヒステリーと押しつけを支持しない、ゲイやトランスジェンダーもそうだ。

ニューウォーカーの多くが白人で、金銭的に不自由ない、あるいは裕福な出自でありながら、抑圧された者（特権的な「犠牲者」）を装っている。個人的に体験したわけでも、本当に抑圧された人びとの許可もないのに、虐げられた者の心の声であると謳っていることには驚かされる（図305）。マイノリティが彼らに代弁してほしくなかったとしたら？　もしくは、ニューウォーカーが「怒れ」と押しつけてくるもののことを、なんとも思っていなかったとしたら？　おあいにくさま。私が正しい。私たちがいちばんよくわかっている（図306）。マイノリティの庇護者ぶるニューウォークの姿は尋常ではない。

図305：ぜんぶ私のこと。

気持ちを素直に表現せよ
きみのためにあるのだから
―デーヴィッド・アイク

図306：愛は言葉ではなく、おこないによって偽りなくあらわされる。もちろん意識高いポーズではあらわされない。

グループ・ダイナミックス

人種にかかわらず、個々の行動や状況（本当の非・人種差別）という概念はない。誰もが集団として判断されなければならない。この集団は**悪**で、ほかの集団はすべて**善**。これが、カルトが分断統治のために望むことだ。しかし、それもまた純然たる偶然にすぎず、まったく心配にはおよばない。カルトに操られたニューウォークは、白人による黒人奴隷制や男性による女性支配のような真の抑圧を、史上最悪に醜悪だったときよりも現在のほうがはるかにひどい、と触れこむ。そして生まれる前に少数によっておこなわれたことの責任を、今の世代の白人全体、男性全体に負わせる。

米民主党上院議員候補リチャード・フォクトマンが、白人男性の自殺が驚異的に増えていることを喜ぶ姿を携帯電話のカメラがとらえていた。「今日、私は多くの男性、白人男性が自殺を図っているという報道を見た。『いいね！』と反応しそうになったが、すこし考えて、公の場で言うべきではないかもと思った」聴衆からは笑い声もあがっていた。これを受けてドナルド・トランプはこう言った。「なんだこのケダモノは?・」フォクトマンは、ニューウォーク流の皮肉をこめ、自分のことはすっかり棚にあげて、トランプに「レイシスト」と言いかえした。フォクトマンがユダヤ人であることも関係している。誰かがユダヤ人の自殺を喜んだら、どうなっていただろうか？ その発言は「ヘイトスピーチ」とされ、刑務所にぶちこまれていた可能性もある。フォクトマンはどうなったか？　**おとがめなし**だ。

ユダヤ人作家でプロレイシスト（人種差別主義業者）のノエル・イグナティエフは、２０１９年に亡くなった。イグナティエフは、「ホワイトネスへの反逆は人類への忠誠」という信念のもとに創刊された『人種の反逆者』誌の共同編集者である。彼はこう言った。「まちがえてはいけない。私たちは過去の、そして現在の白人男性、さらに女性も叩く。『白人』という社会的構成概念が破壊されるまで。『解体』ではなく、破壊されなければならない」もう一度聞こう。誰かが同じことを、世界人口の０・２パーセントを占めるユダヤ人について言ったなら、どんな反応がかえってきただろうか？

イスラエルのラビは、パレスチナ人を虐殺することでユダヤ人は神に近づく、虐殺は「宗教的義務」だと言ってもなんの影響も受けない。非白人ならなんでもあり、超シオニズムの敵なら叩いてもかまわないということだ。白人をターゲットにするアジェンダがあることは、はっきりしている。証拠を前にしてそれを否定するのは、砂漠に穴を掘って頭を突っこむようなものだ。

「インド系米国人の活動家の第一世代」サイラ・ラオは、元コロラド州下院議員候補だ。ラオは「夕食に人種を（Race2Dinner）」とかいう会を主宰している。「日々の無意識な白人優越主義的ふるまいへの気づきの場」だそうだ。これは、白色人種を憎むようプログラムされた自己嫌悪する白人女性が、２５０ドル［約34万円］払って夕食会に参加し、ラオと友人のレジーナ・ジャクソン［アフリカ系］に「レイシスト！」と叱られるというものらしい。おしゃべりな出席者のひとりは、このような観点で謝罪したことを弁明した。

「私は有色人種を雇いたいの。白人の救世主［ハリウッド映画によくある、白人が非白人の人びとを窮地から救うというお約束］になりたいからじゃなくて……承認欲求から……なんとかしようとしてるけど……。うーん……苦戦中」これは再教育である。あらゆる「有色」女性は、このふたりのまぬけに向かってバーカと言い、自分の人生を歩めば幸せになれることだろう。Race2Dinnerのウェブサイトを訪れてみたら、どでかい見出しにこう書かれていた。「白人女性の皆さん、無意識のレイシズムについて話しあいましょう」サイラ・ラオはニューウォークすぎて笑えもしないが、ニューウォークの精神性と白人への蔑視（べっし）を窺（うかが）わせてくれる。

彼女の珠玉の言葉たちをご紹介しよう。「プライベートな応援メッセージも白人至上主義のうち」、「白人女性の『いい人である』ことへの強迫観念は、白人至上主義のもっとも危険な手段のひとつ」そしてラオは、黒人の元バスケットボール選手コービー・ブライアントと娘が亡くなったヘリコプター墜落事故を、なぜかドナルド・トランプやレイシズム、偏見と結びつけた。

さらに皮肉なことに、ラオの祖国インドは、いまだカースト制が残る深刻な人種差別国家である。カーストによる差別は憲法で禁止されているが、人びとのなかには深く根付いている。英国のデイリー・メール紙は、インド系の№1デートサイトを謳うShaadi.comが、登録時に自分のカースト、あるいは「サブコミュニティ」を入力させていると報じた。

カーストの最上位であるバラモン階級と設定したプロフィールには、社会区分の最下層、いわゆる不可触民（アンタッチャブル）（正式には「指定カースト」）のマッチング候補が提示されないことが判明した。

だがしかし、白人以外はレイシストにはなりえない。非白人過激派は、白人過激派と同じ精神状態で行動しながら、自分は道徳的に「優れている」と考えている。まったくもってありえない。

２０２０年、気候カルトは「白人が多すぎる」と言われるという、新たな局面を迎えた。ドイツ在住でフィリピンにルーツをもつ元・気候活動家カリン・ルイーズ・エルメスは、運動に参加しているのが白人ばかりで、インターセクショナリティに欠けているという理由で活動をやめたという。「反人種差別、反資本主義を組織に取りいれる必要があります……もし『グリーン』政策が反人種差別や移民の権利を考慮しないなら、有色人種は彼らに投票したり、共に組織をつくることをどう感じるでしょうか？」

地球を守る使命はどうなった？　滅亡の危機にあるんじゃなかったのか？　そんなことはどこ吹く風、エルメスは、気候カルトが「白人、資本主義、不平等が気候変動と関係している」（人間が原因**ではない**）ことに十分な注意を払っていない、とプンプンしながら夕暮れに消えていった。窓を開けてもらえないか？　ちょっと息抜きが必要だ。いや、やっぱり窓はいいや。でっかいグラスにジンをくれ。

ウォークはジョークではない

私たちはもうずいぶん前に、笑っているだけでは済まされないところまできてしまっている。こうしたばかげたことが、どんどん公共政策になっているのだ。映画監督で世界的なニューウォークの正義漢マイケル・ムーアは、白人男性は善人ではなく、「おそれるべきだ」と言った。なるほど、自分は勘定に入っているのかね？　ムーアは「役に立つばか」「プロパガンダに利用されている者をさす」というポッドキャスト（的を射た名前だ）で、「白人男性が3人こっちに向かってくるのが見えたら、避けて道を渡ったほうがいい。少なくともそのうちの2人はドナルド・トランプに投票しているんだから」と警告した。自称「伝説の男」の言葉はこうだ。

白人男性全体の3分の2はトランプに投票した。ということは、道を歩いていて、3人の白人男性がこちらに向かってきたなら、そのうちの2人はトランプに投票したということだ。反対側の道に移動すべきだよ、だってそいつらは善人ではないんだから。気をつけないといけない。

ムーアは、気の遠くなるようなくだらない話を、カルトの意図に絶妙に応(こた)える「反体制」映画という、芸術に仕立てあげてしまった。こうしたすべてが狙う心理的影響は、白人ニューウォーカー（覚醒意識高い系）に白人であるがゆえに自身を憎むようにさせること。自己嫌悪に浸り、抑圧されるマイノリティに生まれてくれればよかったと願うのだ。

民主党大統領候補エリザベス・ウォーレンは、迫害されるニューウォークマイノリティとして見られることに必死で、存在しないネイティブアメリカンの祖先や、女性であることによって差別されたという、噴飯ものの話を捏造した「先祖がチェロキー族であると聞かされて育ったというが、DNA鑑定の結果、平均的白人が微量にもつ先住民族のDNAよりも少ない量しかもっていなかった」。

実際、女性の数は男性とほぼ同じなのだから、マイノリティとはいえない。ニューウォークのルールは、白人は憎まれるだけでなく、自分自身を憎み、**やってもいないこと**を懺悔し、許しを請いながら生きるべきだというものだ。

肌の色や生まれがどうであろうと、肉体とは意識の乗りものにすぎない。私たちはみな、ひとつの同じ意識であり、さまざまな乗りものでさまざまな体験をしている。この視点から見れば、人種差別もニューウォークの逆差別も完全なる児戯だ。ニューウォークのなかには、カルトのアジェンダがいとも簡単に見てとれる。私たちはみな**ひとつ**である、という認識から人類を切り離すためのものだ。ニューウォークの偽「左翼」では、真の平等が完全に逆転してしまった。

公民権運動の指導者マーティン・ルーサー・キングは、１９６３年の「私には夢がある」という演説でこう言った。

私には夢がある。それは、いつの日か、私の4人の幼い子どもたちが、肌の色によってではなく、人格そのものによって評価される国に住むという夢である。［米大使館による日本語訳］

私も同感だ。しかし白人に対しては、ニューウォークはこう思っていない。このようなニューウォークの心理戦が白人に対してしかけられているさなか、欧州・北米・豪州・ニュージーランドでテストステロン［男性ホルモン］と精子数が急減しているのは、ただの偶然だろうか？ CNNでさえ、「北米、欧州、豪州、ニュージーランドでの総精子数は、1973年から2011年までの38年間で最大60パーセント減少」しており、現在もその傾向は続いている、という事実を強調して報道している。「もし精子が動物の一種だったなら、科学界は西洋諸国で精子が絶滅にむかっていると危惧していただろう」原因はあきらかになっていないが、加工食品、食品添加物、放射線、大気汚染、水などに起因するのではと言われている、と記事は続ける。これらはすべて、カルトにつながるものだ。ズボンのポケットにスマホを入れることや、ますます拡大する5Gもつながっている。

♬イエスの十字を外し♬

西洋文化はキリスト教を基盤としているが、もちろん全員がキリスト教徒というわけではない。私も違う。西洋社会の発展の背景にキリスト教の構造的、影響があったということだ。キリスト教の影響とその名残が、西洋の生活様式を織りなしてきた。

さて、カルトは西洋社会をターゲットにしている。なぜポリティカル・コレクトネスが、白人**以外**のあらゆる人種を守るように、キリスト教**以外**のあらゆる宗教を批判や暴露から守るのかがみえてきたのではないだろうか。ニューウォークは急速に浸透し、英国国教会カンタベリー大主教［英国国教会最上席聖職者］ジャスティン・ウェルビーのようなキリスト教の要人でさえ、自分たちの宗教をつぶそうとするウォーク／カルトのアジェンダの支持者となっている。

キリスト教の主要な祭典は、クリスマスだ（皮肉なことに、もともと12月25日は異教徒［ミトラ教］の冬至の祭だった）。しかし、クリスマスはキリスト教と関連しているのでカルトとウォークのターゲットとされた。「メリー・クリスマス」と言うことは、混乱したウォークのマインドにとっては「白人至上主義」の暗号になってしまっている（図３０７）。

米最高裁判所判事ニール・ゴーサッチは、２０１９年にテレビでうっかり「メリー・クリスマス」と言ってしまった。非常に不快だ、あきらかにナチの挨拶だと猛反発に遭い、はじめてこの暗

図307：キリスト教の祭典は消し去らなければならない。だが他の宗教の祭典を批判しようものなら、お前はナチだ。

号に気づかされたのだ。

ある英国の母親は「ファーザー・クリスマス」（サンタクロースは男性であるとほのめかしている）と言ったことで、「辱めを受けた」。「ジェンダー・ニュートラル」な「サンタ」（サタンのアナグラム）という語を使わなかったからだ。私が最後に見かけたとき、その神話の人物はひげを生やし、そりに乗った男性だった。つまり、「ファーザー」だ。赤いストッキングを穿いたジェラルディンなんて名の女性に姿を変えてはいなかった。「辱められた」母親は、新聞の取材に対し、批判を受けて「イラッとした」と話している。そんなときには、こう言ってやればいい。「ばかなこと言ってんじゃないよ」これで一件落着だ。「イラッとする」こともない。

キリスト教以外の宗教は、西洋諸国で自分たちの祭典や儀式をなんの抵抗や干渉もなくおこなうことができる。その国の価値観を反映した法を遵守しておこなうなら、当然のことだ。私が強調しているのは、あるものに対してのバイアス（偏見・色眼鏡）があること、そしてその理由だ。

キリスト教を国教とする国、あるいは世俗国家［政教分離を採用し政教一致を排する世俗政策をとる国］の子どもたちを非キリスト教に教化しようとする試みは、スウェーデンその他多くの国で見られる。学校で教師が生徒にメッカに向かって礼拝用敷物にひざまずくことを教えた、と怒り狂ったスウェーデンの親たちは訴えた。クラスは男女に分けられ、女の子は教室の後ろに集まるよう言われていた。もしムスリムの子どもが、両親の意志に反してキリスト教の儀式をおこなうよう言われたら、メディアは大騒ぎするだろう。学校は「ロールプレイ（役割演習）」だったと釈明した。**あほぬかせ。**

脳みそがあれば誰でもわかることだ。

キリスト教（長い目で見れば現存するすべての宗教）に対する攻撃のさらなる理由は、もっと深いところにある。私はどの宗教も支持しない。だが宗教は、多くの欠点や欠陥、誤った表現があるものの、人間を超えた力や現実の存在を受けいれている。「神」を光や愛と表現する宗教もあるが、そうしたシンプルな事実を、津波のように押し寄せる儀式や宗規、決め事がわかりにくくしてしまっている。多くの古代人は、現実をより拡大したかたちでとらえていた。

カルトの最終目標は、シャボン玉［孤立した自己認識］だけが存在すると認識される現実感のなかで、人類を孤立させるというものだ。宗教は、その間の過渡的なものとしてつくられた。主要な宗教ではシャボン玉の外の力が信じられているが、それは自分の外にある独断的、批判的な神として崇拝されている。私たちすべてのあらわれである、ジャッジしないワンネスとしてはとらえられていない。言い換えると、私たちは「神」ではなく、「神」が望むことだけをすべきであるということだ。神はなにを望むのか？　聖職者が教えてくれるだろう。いや、カルトか。

最終局面では、人間の現実を超えた力というあらゆる概念を消し去る。西洋諸国では、主要宗教であるキリスト教がターゲット（標的）とされ、ニューウォークがその目標を達成するために使われている。近年の世論調査で、その成果があきらかになっている。２００９年、米国ではキリスト教徒が77パーセントを占めていたが、２０１９年には65パーセントになった。ニューウォーク党である民主党支持者では、72パーセントが55パーセントと、さらに急落している。「無宗教」と称する人は17パーセントから26パーセントに増加している。

しかし、もっとも重要な数字は調査されていない。無宗教の人びとは、宗教の代わりになにを信じているのか？　私は昔ながらの宗教は信じていない。だが、私たちすべてがその一部である、無限の認識という現実があることは信じている。カルトは無宗教の人びとが、偶然の物理的宇宙を信じることを望んでいる。そこでは、「自然」が科学者やテクノクラシー(技術による支配)の専門家によって征服される。テクノクラシーについては後ほど触れるが、それを読めばこれがカルトにとってきわめて重要であることをおわかりいただけるだろう。

英国の君主制（君主は英国国教会の首長）という最終局面に向かって、ドミノ倒しがはじまっている。アンドルー王子は、児童買春狂のジェフリー・エプスタインと親交があった。ニューウォークで自分マニアのハリー王子とメーガン・マークルは、北米に移住してしまった。王族は、カルトに堂々と奉仕するためにある。それがなくなるのは喜ばしいことだ。けれども、エリザベス女王の晩年［本書英語版刊行後、２０２２年9月に女王は崩御］に、なぜ突然このような致命的な打撃があるのかを、私たちは見抜かなければならない。

王族とそれにかかわるあらゆる虚飾や歴史、儀式、建物、そして法への影響は、キリスト教同様、英国文化の根幹を成している。英国社会をグローバルな単一文化のテクノクラシーへと同化させるため、カルトが破壊したいと願っている文化だ。大義のためには、王族でさえお役御免(ごめん)となる可能性がある。そしてカルトのアジェンダは、まったく新しい段階を迎える。

有害な男らしさ

ニューウォークは、ウォークでない男性は悪魔で、「有害な男らしさ」をふりまく者だという。これも、カルトのアジェンダのプロモーションの一環だ。男性と女性は、#MeToo［セクハラなどの性犯罪被害の体験を告白・共有する際にSNSで使用されるハッシュタグ］運動によって分断されている。お決まりの、カルトが助長するニューウォークの極論を用いた運動だ。

超シオニストで元映画界の大者、ハーヴェイ・ワインスタイン［映画プロダクション「ミラマックス」を創立した映画プロデューサー。2017年に長年にわたる女性への暴行が報道され、現在収監中。これが#MeToo運動のきっかけとなった］のようなごく一部の悪行をあげつらい、すべての男性を糾弾する。**ワインスタイン**が女性を虐待したから、すべての男性が責めを負うべきだというのだ。いまや多くの男性が、女性といるときの言葉遣いにピリピリし、密室でふたりきりになることを避けている。非難されてはかなわないからだ。こうして男女の交流は、狙いどおり深刻なダメージを受けている（図308）。

ご多分にもれず、広告も「忌まわしい男性」という知覚の醸成に利用されている。たとえば米国最大の視聴者数を誇るテレビ番組、スーパーボウル［NFL（ナショナル・フットボール・リーグ）王者決定戦］で流れたジレット（エリート企業P&G傘下）のCMは、男性に対する攻撃であ

図308：ニューウォークは男女を分断させている。ジェンダーをなくし、男女による生殖を終わらせる方向へと向かっている。（ガレス・アイク画）

り、すべての男性に「有害な男らしさ」という汚名を着せるものだった［いじめやセクハラ、男の子同士の暴力が容認される姿が「変えていかなければならないもの」として描かれる。2019年発表］。広告界で増えつづけるジェンダーや人種というテーマは、知覚的な変化によって社会変化を促進するものだ。そして忘れてならないのは、「平等」や「インクルーシブ」など屁とも思っていないカルトが支配する大企業が、そのカネを出しているということだ。

子どもや若者の知覚をターゲットとするミュージックビデオも、同じ道をたどっている。テイラー・スウィフトの2020年のビデオ『The Man』は、それ自体有害としかいいようのない一例だ［監督も務めたスウィフト自身が特殊メイクで男性に扮し、性差別やダブルスタンダードを皮肉る内容となっている］。若者の知覚に訴えようと、有害な男らしさのあらゆるステレオタイプが登場する。広告にほんのわずかでも女性のステレオタイプを匂わせるような演出があれば、即刻排除されるというのに。あるコメンテーターはこう投げかけた。ご自分の娘に、すべての男性はテイラー・スウィフトがこのビデオで描いたように行動すると考えて育ってほしいのですか？　少女たちが男性を恨み、疑って育つことを望みますか？　怒れるニューウェーブフェミニストの気まぐれによって男性は恥をかかされ、服従させられるべきという強い女性に、ご自分の息子が非難されたりいじめられたりしていると感じてほしいのですか？　バランスのとれた思考ができる者なら、すべての質問に「ノー」と答えるだろう。だがカルトなら、**イエス！　イエス！　イエス！**　だ。

勅許マネジメント協会最高経営責任者のアン・フランケは、上司は職場でサッカーやクリケットの話をする男性を処分すべきだとまで言った。多くの女性は「その種のスポーツに関心がなく、無理に話の輪に入れられることも、かといって外されることも喜ばない」からだという。なにを話していいか、悪いかに口を出すとは、その傲慢さには理解に苦しむ。スポーツを好きな女性もたくさんいることを知らないこともそうだ。またもやニューウォークが、自分が代弁していると称する人たちを見下すような態度をとっている。男性が取り残されたと感じないように、女性好みの話題を話さないよう要求する人はいるだろうか？　私たちは、ナルシズムにどっぷり浸かった世界に生きている。自分の意思を他人に押しつけることは権利であり、たやすいことだとされている。

「有害な男らしさ」は、カルトが男性を女性化し、女性を男性化してジェンダーをなくすことを目指すための暗号にすぎない。堂々と胸を張って「断る」というような男を排除するためには、男性のテストステロン（男性ホルモン）を減らすことが重要だ。男性は「脱男性化」され、草食化している。世界中でテストステロン値が低下し、精子数も減っている。男性の女性化は、さまざまな分野でなされている。内分泌攪乱化学物質を含むもの、たとえばペットボトル飲料やレシート、プラスチック容器に入った飲食物に触れることなどだ（図３０９）。以下は英国エクセター大学の研究に関する報道である。

　英国の10代の５人に４人は、プラスチックに含まれる内分泌攪乱化学物質によってホルモン分泌が攪乱されていることが最新の研究であきらかになった。この化学物質はビスフェノールＡ（ＢＰＡ）と呼ばれ、食品容器などのプラスチックの製造に使われている。ＢＰＡはエストロゲン（女性

図309：人間の性別やセクシュアリティを変化させる大きな策略。

ホルモン）様作用を示し、男性の精子数減少を引きおこす。

この化学物質は、乳がんや前立腺がん（急増している）などのがんとも関連しているとみられる。エクセター大学の研究者は17〜19歳の94人の血液と尿を調査し、その80パーセントから内分泌攪乱化学物質が検出された。

内分泌攪乱化学物質があふれる現代、ゲイや「LGBT」とされる人びとが急増している。米国の研究では、2000年前後に生まれた人は、他世代の米国人成人より2倍近くLGBTであると認識する率が高いという。「ミレニアルズ［1981〜1990年代なかば生まれ世代］はもっともゲイな世代」という見出しで報じた記事もある。これは**偶然**だろうか？　リチャード・デイ博士は1969年に小児科医の会合で「男子も女子も同じにする」、そして人間は「中性になる」と語った。

化学物質の注入を後押しするのは、心理的な猛攻だ。ゲイであることがもてはやされ、ストレート（異性愛）であることは疎外されて、「時代遅れ」とされる。同じバイアス（偏見・色眼鏡）が白人であること、キリスト教徒であることについても存在している。

その最たる例が、英国のテレビ司会者フィリップ・スコフィールドが、2020年に結婚27年目にして「ゲイ」であることをカミングアウト（公表）したときのことだ。セレブたちは舞いあがった。荒れ狂う激流に飛びこみ、溺(おぼ)れる子どもたち十数人を助けだした英雄でも見ているかのようだった。スコフィールドは「とても勇気がある」と評された。体制は、ゲイであると宣言した者を称(たた)えるのだ。ツイッター［当時］で「私はストレートだ」と宣言してみたらどうなるだろうか？「ストレート？このド変態！」と言われるのがオチだ。カルトが肉体的、精神的に弱体化させようとしているのは男性だけではない。全員だ。ビッグ・ブラザー(独裁的支配者)の保護を求める従順な人間をつくるためだ。とはいえ、男性とテストステロンが第一目標だ。

パトリシア・ハントはワシントン州立大学の研究者で、BPAががんなどの病気を引きおこしていると最初に発見した。ハントはより正確な測定法を開発し、驚くべき発見をした。ハント博士は2019年の報告書で、米国食品医薬品局［FDA］が定めたBPAの「安全な」上限値は、「安全」と考えられる値の**44倍**であるとしている。他のすべての「安全」基準が高すぎると判明したのと同様、これも「あやまち」ではない。理由があってのことで、この場合はジェンダーを操作して男性を脱男性化するのが目的だ。

ピル（経口避妊薬）が登場して、服用した女性の尿には主要な女性ホルモンであるエストロゲンが含まれるようになった。下水に流れた女性ホルモンは、巡りめぐって水道水に混入し、男性の口に入る。河川の化学物質汚染によって、魚の性転換が発生している。

多くのヴィーガンやベジタリアンがタンパク源とする大豆製品は、エストロゲン値を高めテストステロン値を下げる可能性がある。「気候変動から地球を守る」ため、体制はこれらの食品を激推ししている。
セス・シーゲルは、著書『Troubled Water（物騒な水）』［未邦訳］で、水道水にはぞっとするほどの汚染物質や薬物が含まれているとしている。魚への影響についてはこう述べている。

トランスジェンダーフィッシュとは呼ぶのは憚（はばか）られるので、両性魚と呼ぶことにする。最近のある研究では19の河川を調査し、非常に多くのオスの魚が、水から取りこんだエストロゲンの影響で、体内に卵をもっていることが判明した……五大湖で調査した魚の50パーセントから、脳や内臓に精神治療薬が検出された。プロザック［抗うつ剤］やセレクサ［プロザックのジェネリック］のような薬や、そのジェネリックだ。

薬物の水道水への混入経路はただひとつだ。人が薬を飲み、数時間後に排尿する。それが下水処理システムを経て、水路に流れこむ。完全に合法だ。きっちりと法に準拠している。こうして薬物は魚に取りこまれる。私たちの飲料水にも、灌漑（かんがい）用水にも取りこまれる。

男性、なかでも白人男性は、白人全般、キリスト教徒とともに、ニューウォークのヒエラルキー（ピラミッド型階層）の最下層に位置する。ポリティカル・コレクトネスは、他のニューウォークのカテゴリーを守るが、彼らを守ろうとはしない。すべての命が大切だ（オール・ライブズ・マター）［黒人に対する（特に白人警官からの）暴力や人種差別に抗議する「ブラック・ライブズ・マター」の言い換え」と言うことさえ、いまやポリティカル・コレクトネスに反することになる。世の中狂っている。まあそんなことはいいとして、**当然すべての命が大切だ。**

しかし、カルトの命令で非白人国家を攻撃するために軍隊や爆撃機を送るときには、白人は「善人」と喧伝されることに注目されたい。「正しい」か「まちがっている」かはどうでもよくて、カルトのアジェンダに適うかどうかが問題なのだ。

英国保守党員や保守派は、ポリコレ濫用とシリコンバレー（巨大IT産業）の検閲に狙い撃ちされている。Conservative（保守）のconserveとは、「なにかを守る、特に環境や文化的に重要なものを、害や破壊から守る」ことを意味するためだ。そう、保守派（conserve-atives）はたいてい西洋文化を守ろうとするものだ。保守派があのような扱いを受けているのは、西洋文化を奪いとり、抹消したい人びととは一目瞭然に対照的なためだ。

「反ファシズム」のファシズムとビリオネア（京兆長者）同盟

ここ数章で取りあげ、明かしてきたすべてから、ニューウォークに乗っとられた政治的、あるいはリベラルな「左派」の謎のようなものが説明できる。ひとつは、「リベラル」「反ファシスト」を自称する人びとは、なぜあのようにファシスト的な不寛容な態度をとるのか、ということだ。

「リベラル」の辞書の定義はこうだ。「偏見にとらわれない見解をもち、行動や思考を決めるにあたって多くの自由があるべきと考える人」「リベラル」の異名としては、寛容な、進んだ、心の広い、などがある。これほど的確な、ニューウォーク**でないもの**の定義はないだろう。極端な非自由主義に照らして、自身を「リベラル」だと知覚するために必要な自己欺瞞（じこぎまん）は素晴らしい。そして、なくてはならないものだ。

カルトは、どうして本当にリベラルな見解をもつ者を操って、ファシスト的な横暴を求めさせることができるのだろうか？　本当のリベラル派は、人びとがどのように行動し、話し、考えるかを決める自由をもつべきだと信じているというのに。そのような思想の代わりに、**私が正しい**という自己認識と独善を「リベラル」として植えつける。そしてニューウォーカーに、他者はみな（**ほんものの**リベラルも）まちがっていて、ナチで偏屈なレイシストで性差別者であり、悪のあらわれでしかないと信じこませる。こうして、**私が正しい**という自己認識とビッグ・ブラザー的な振るまいが、新しい「リベラル」となる。いっぽう、万人の自由を求める本当のリベラルは「極右ファシスト」とされる。

ニューウォークな民主党上層部による、トゥルシー・ギャバード（有色人種女性）の大統領選出馬妨害キャンペーンは、ニューウォークの偽善の危険な本質をあぶりだした。ギャバードは女性であり、白人でないが（サモア系米国人でヒンドゥー教徒）、そんなことは問題ではない。彼女は、超シオニストのアメリカ新世紀プロジェクト［ＰＮＡＣ］が要求する、米国とイスラエルによる他国での戦争を終わらせようとしたのだから。

このことを踏まえると、なぜ「リベラル左派」と称するニューウォーカーが、ビリオネアや巨大企業と結託しているのかが見えてくる。たとえばジョージ・ソロスのような資本家や、シリコンバレーのインターネット検閲などだ。ビリオネアや1パーセントに立ちむかうなどと言っているが、やっていることはまるであべこべだ。かつて生粋の左翼は、企業の権力に反発し、言論の自由を支持するデモ行進をしていた。今日では、ニューウォーク組織がいずれも逆転させている。社会正義などまったく眼中にない、ソロスら1パーセントから数百億ドルもの資金提供を受けている組織だ。同時に、ウォークでない意見に対するネット企業の検閲が新しくできるたびに、「ソーシャル・ジャスティス・ウォリアー（社会正義戦士）」は拳を突きあげて歓迎する。

原動力が変化した理由は、ニューウォークが社会正義ではなく、カルトが発明したアイデンティティ・ポリティクス（社会的少数者による偏狭な政治目標）に立脚しているからだ。ビリオネアや大企業は、社会をどれだけ壊したかではなく、ニューウォークな理念を共有できるか、組織にカネを出すか、という観点から判断される。左派が本当の社会正義を要求していたときには、多数の犠牲のうえに巨万の富を築く者は当然標的とされた。ソロスが生粋のリベラル左派に資金提供することは、けっして許されなかっただろう。ソロスの本性は、いとも簡単に見抜かれていたはずだ。同じことが、フェイスブック［現・メタ］のザッカーバーグや、グーグルのペイジとブリン、ユーチューブのウォシッキー、ツイッター［現・X］のドーシー［当時］、ウィキペディアのウェールズ、アップルのクックらといった偽ニューウォーカーにも言えるだろう。

英国のコメディアン、リッキー・ジャーヴェイスは、２０２０年ゴールデングローブ賞の素晴らしいスピーチで、アップルの偽善についてこう言っている。「アップルは『ザ・モーニングショー』でテレビ界に殴りこみをかけた。誇りや正しいことをすることを描いた、素晴らしいドラマだ……制作したアップル自身が、中国で搾取労働をさせているわけだが」そして、ガソリンを食うリムジンでやってきてヴィーガン食を強要する、ハリウッドの「超セレブな」ニューウォーカーらが集まっているところでこう言った。「アップルだのアマゾンだのディズニーだのと仕事しながら、自分がウォークだとか、よく言うよ。もしＩＳＩＳ（イスラミック・ステート）が配信サービスをはじめたら、エージェントに売りこみにいかせるんだろう？」ジャーヴェイスはさらに続ける。

> 今夜賞を獲っても、そこで政治的なスピーチをするのはやめてもらいたい。きみたちは、大衆に説教できる立場にない。現実世界のことなど、なにもわかっていない。きみたちのほとんどは、グレタ・トゥーンベリより短い時間しか学校に通っていない。だから受賞したなら、壇上にあがり、賞を受けとって、エージェントと神に感謝して、とっとと失せてくれ。いいね？

ハリウッドやシリコンバレーのいんちきを非難する根性のある、類（たぐい）まれなセレブを見るのはすがすがしいものだ。ニューウォークはビリオネアを疑わず、もうけを分けあう。執着しているのはアイデンティティであって、社会正義**ではない**。

　ビリオネアとその企業がニューウォークのポリコレ・アイデンティティ（偏狭な政治的正義共通目標）を支持する限り、彼らは「仲間」であり「味方」だ。ビリオネアらにそんな志はなく、驚くほどの社会不正義を引きおこしている、という事実は問題にはならない。ビリオネアはただカネを出し、ウォークなポーズをとり、ポリコレな言葉を使い、ニューウォークの**私が正しい**という正統を疑問視したり、異論を唱えたりする者を検閲していればいい。こうして、一見奇妙な同盟関係が生まれる。

　なぜ、ニューウォーカーが1パーセントカルトのアジェンダの歩兵であるのかもわかるだろう。カルトが支配するＦＢＩは、かつて本当の左派に潜入して弱体化させ、キング牧師などの指導者をターゲットにしたことが何度も暴露されている。いっぽう、今日ＦＢＩは右派に狙いを定めており、イスラエル批判を控える限り、ニューウォークは自由に活動することが許されている。その理由もおわかりだろう。カルトのアジェンダはなんであれ、どの段階であれ、ＦＢＩやＣＩＡ、その他ディープ・ステート（陰の世界政府）や恒久政府のようなカルトが支配する機関によって施行される。

　もう一度強調しておくが、私はニューウォーカーを人として非難しているわけではない。その多くは自分の信念にまっすぐだが、私の目には大きく誤った方向に導かれているように映る。そうした操作をおこなっている者や、その目的を私は暴いている。ウォーカーがなぜあのように行動し、考え、世界に不安を感じているのかは理解できる。サイコパスの見解に従ってプログラミングは容赦（ようしゃ）なくつづき、若者を「社会正義とインクルーシブ」を求める大人になるよう型にはめている。このふたつは、ポスト事実［客観的事実は重視されず、感情的な訴えが政治に影響する状況］、ポスト（脱）自由、ポスト（脱）産業という、ビッグ・ブラザーのハンガー・ゲーム（殺し合い）社会の暗号である。

第12章
私たちはどこへ向かっているのか？
——流れにまかせた場合

人工知能の最大の危険は、人びとがそれを理解したと早々に結論づけることだ

——エリーザー・ユドコウスキー

タイムループ・シミュレーション（螺旋循環模擬実験）は、明確な目的地に向かう道筋を辿（たど）りつづけている。私たちは今、その大詰めに差しかかったところである。人工知能やＡＩといわれる作りもののマインド（精神）をもつ、作りものの人間だ。人工知能と人工人間というふたつの目標が、「スマート」テクノロジー（人間監視管理技術）とトランスジェンダー（性別超越）・ヒステリーを結びつける。

支配体制構造（超上層極少1%と他99%）とハンガー・ゲーム（殺し合い）社会の本質は、テクノクラシー（「専門家」支配体制）である。科学者や技術者など、選挙によって選ばれていない「専門家」が、カルトとその非人間の親方（レプ＝爬虫類人）のために社会を（そして全人類のマインドも）動かすのだ。私たちは、シリコンバレー（ハイテク産業）の世界的な支配がますます強まり、「ウイルス」によるロックダウン（都市封鎖）の後、さらに拡大してゆくのを目のあたりにしている。Technocracy.newsというウェブサイトでは、その背景にあるすぐれた情報を公開している。パトリック・ウッドの『Technocracy Rising』（テクノクラシーの台頭）［未邦訳］という本もいい。

テクノクラシーの提唱は、公には1930年代に聞かれるようになり（もっと前から存在していたが）、主にコロンビア大学工学部でおこなわれていた。当時は広く支持を集めることはできなかったが、提唱者らは水面下でアジェンダ（実現目標）を追いつづけ、いまや全速力でそこへ向かっている。面白いことに、オルダス・ハクスリーの『すばらしい新世界』（1932）［早川書房ほか］、ジョージ・オーウェルの『1984年』（1948）［早川書房ほか］、そして1969年のリチャード・デイの小児科医会合でのスピーチはいずれも、テクノクラシー推進者らが人間社会への野望を企てた、もしくはその後のタイミングで発表された。これら3つは、すべて非常に正確に現在起こっていることを言いあてている。

アドルフ・ヒトラーとナチスは、さまざまな方法でテクノクラシーを実行した。私はこれまでの著書に、いかにして第二次世界大戦末に1600人以上のナチの科学技術者らが、ドイツから米国へと連行されたかを記してきた。これは、ペーパークリップ作戦と呼ばれる軍事／諜報（ちょうほう）脱出計画である（図310）。これらの科学技術者らがNASA（アメリカ航空宇宙局）をつくり、悪名高き米軍のマインドコントロールプログラム、MK（マインドコントロール）ウルトラ作戦をおこなった。「K」は「Kontrolle」（ドイツ語で「コントロール」）のK、プログラムの出どころがあらわれている。

これらのドイツ人科学技術者のなかには、ヴェルナー・フォン・ブラウンもいた。ナチス党員でSS［ナチ親衛隊］メンバー、英国に向けて発射されたV2ロケットの開発者だ。フォン・ブラウンはNASA／NAZI（ナチ）で働いているときに、米国月探査計画のためサターンVロケットを開発した。

カルトとそのテクノクラシーには、国境などない。カルトは世界の国境をなくしたいのだ。テクノクラシーは、単一文化のグローバル社会を必要とする。だからカルトは、すべての文化をひとつにしようとしているのだ。ゆえに私たちは組織的な大量移民や、西洋文化の破壊を目にしている。その他すべてを呑（の）みこんでゆく流れの前段階だ。西洋文化の解体は、ステージ1にすぎない。カルトはあらゆる国やものごとを隔てる境界をターゲットにしている。男性と女性を区別する、生物学的境界線もそのひとつだ。

図３１０：ペーパークリップ作戦のもと、第二次世界大戦後にドイツから米国へと連行されたナチ政権のテクノクラートら。

隠れたるより見(あらわ)るるはなし『礼記(らいき)』

中国は、世界におけるカルトのアジェンダのモデル地区だ。ここでは、すでにテクノクラシーが確立されている。三極委員会のようなクモの巣の先端組織を通じて、西側からカルトのテクノロジーが秘密裡(り)に伝えられたおかげである。1970年代の日米欧三極委員会の文書で、その後のできごとによって裏づけられたこの事実が明かされている。

カルトの大物インサイダー、ズビグネフ・ブレジンスキーは、ジミー・カーター大統領の国家安全保障問題担当大統領補佐官を務めた。ブレジンスキーは1970年の著書『テクネトロニック・エージ――21世紀の国際政治』［読売新聞社］に、共産主義と社会主義という前駆体からテクノクラシーが出現したと記している。テクノクラシーは「科学技術のマルキシズム／ファシズム」のかたちと呼ぶこともできるだろう。警察国家は、もはや制服を着た人間に強制されるものではない。選挙で選ばれたのではないテクノクラートが制御する、サイバー(仮想)空間やロボットなどのテクノロジーを通じて統制する人工知能が押しつけられてくるのだ。

ブレジンスキーは、やはり生まれながらにプロカルトであるデイヴィッド・ロックフェラーとともに1973年、日米欧三極委員会を設立した。彼は、1930年代にテクノクラシー運動が公に発生したコロンビア大学の「政治学者」である。ロックフェラー家は、コロンビア大学と深いつながりがある。
ビル・クリントンをジョージタウン大学で指導したのは、キャロル・キグリー教授だった。キグリーは後に、小さなカバール（悪魔主義結社）が世界のできごとや社会の方向性を操っていることを暴く本を出版する。米中の国交が「正常化」したのは、ブレジンスキーが国家安全保障問題担当大統領補佐官を務めていたときのことだった。カルト子飼いのビル・クリントンは、大統領在任中に親中政策をとり、中国からの輸入品にも工作員にも門戸を開いた。
以下は、50年前に書かれたブレジンスキーのテクノクラート的ヴィジョン（未来展望）の片鱗である。

このような社会を支配するものは科学的エリートであって、彼らは、優秀な科学的専門知識を根拠に政治権力をねらうであろう。伝統的な自由主義的価値に制約されないこれらのエリートはその政治的目的を達するためには、国民の行動を左右し、社会を厳重な監視と統制のもとにおくために最新の近代的技術を駆使することに躊躇しないであろう。このような環境のもとでは、国の科学的、技術的推進力は衰えないばかりか、それが利用する状況を糧として実際には増大するであろう……

……社会的危機が持続し、カリスマ的人物が出現し、マス・メディアを利用して大衆の信頼をものにするようなことが起これば、アメリカはなしくずしに高度の管理社会に姿を変えることになるだろう。『テクネトロニック・エージ――21世紀の国際政治』

ブレジンスキーが1970年に正確に予見していたのは（彼は計画を知っていた）、今日私たちのまわりで急速に起こっていること、そして今後予定されていることだ（これも中国で最初に起こった現象によって引きおこされた「ウイルス」ロックダウンの前に書いたものだ）。カルトのエージェントがポスト(脱)産業とか、ポスト民主主義というのは、テクノクラシーのことだ。気候変動や「パンデミック」デマが、これをさらに推し進めている。すべて辻褄(つじつま)があうだろう？

カルトは中国でテクノクラシー計画を進め、世界に拡大しようとしている。中国（カルト）は、秘密裡(り)にカネ、テクノロジー、インフラ、鉄道など無数の手を使って世界各国に入りこんでおり、宇宙も視野に入れている。

世界は、「スマートグリッド(技術制御ネットワーク)」によって集中管理される計画だ。あらゆるテクノロジー、人間の脳までもがインターネットとグローバルなWi-Fi「クラウド」に接続され、人工知能（AI）がすべての決定権をもつ。中国は米国、イスラエルとともにその最先端にいる。

カルトが支配するモルガン・スタンレーは、中国の成長の次なる段階は「5G接続、スマートグリッド、再生可能エネルギー、そして近代交通によるスーパースマートシティ(超・高層密集監視都市)」となると予測している（中国で最初にオンライン化された「スマートシティ」は武漢だった。武漢から「ウイルス」が出現するほんの少し前のことだ）。

この投資銀行（モルガン・スタンレー）は、現在中国人口の60パーセントが都市に暮らしており、2030年には75パーセントに拡大するとみている。2億2000万人ほどが都市へと移動する見込みだ。
モルガン・スタンレー中国担当チーフエコノミスト、ロビン・シンは「私たちの展望では、中国はスマートシティと都市（シティ・クラスター）群開発のグローバル・リーダーになるだろう」と言った。私たちの**展望**？　いや、私たちが**知る**計画では、だろう。

私が述べたことはすべて、カルトの人類に対する計画書に記されている内容そのままだ。中国がインドにおよぼす影響力は、アジア、北南米、アフリカ、欧州など他の影響地域を除いても、合計28**億**人の人口に相当し、世界人口の約36パーセントに相当する。米国および世界中の企業が、自国の雇用を犠牲にして、製造業を中国へと途方もない規模で組織的にアウトソーシングした。ドナルド・トランプは批判したが、西側諸国は中国に依存してご機嫌取りにいそしむことになったのだ。

2019年末の中国での新型コロナウイルス流行によって、私たちはこの依存の問題点を思い知らされることとなった。米国の抗生物質だけでも96パーセントが中国から輸入されていると言われており、他国でも同じ状況のはずだ。もし、中国が戦時行為として、欠かすことのできない物資の供給を断つと決めたらどうなるだろうか？　かつては米国が国内生産していたが、現在は中国が握っているような物資だ。

新型コロナウイルスというでっちあげが中国から米国、そして世界へと拡大するなか、政府が掌握する中国の通信社が、医薬品に関して脅（おど）しめいた報道をしたのがまさにそれだ。また、中国が米国内にどれほどの工作員やエージェント（「スパイ」）を抱え、研究盗用などをおこなっているかも見えてくるだろう。さらに、「元」米国防総省の軍関係者で、「退職」後に直接、あるいは間接的に中国のために働いている者も数多い。

教育における影響力をカネで買おうとする（さらに研究を盗もうとする）中国の取り組みが、2020年の報道であきらかになった。ハーバード大学とイェール大学が、過去4年間に中国やサウジアラビアから受けた約3億7500万ドルの贈与や契約を開示しなかったというものだ。『ウォール・ストリート・ジャーナル』は、米国の複数の大学が1990年以降65億ドルを外国から受け取りながら隠していたことを報じた。中国からも多額のカネが流入していた。

中国の米国への潜入はすでに広範囲にわたり、日々拡大しつづけている。カルトは、中国も米国と同じように支配していることを思いだしてほしい。この潜入は、カルトが米国社会を今後の世界のモデルである中国社会のように変容させようとするものである。もちろんシリコンバレーもグルだ。言論の自由は、増大する中国支配に押しつぶされている。中国資本の入った大学では中国批判ができないし、ビジネス界でも同じ方向に向かっている。イスラエル批判が許されないのと同じ構造だ。批判できない者が、真の支配者である。

中国首脳を強力に支えるのが、民主党大統領候補に立候補して敗れた超シオニストのマイケル・ブルームバーグだ。ブルームバーグは、中国投資で巨万の富を築いた。中国の悪徳国家主席、習近平は独裁者ではないとばかげた主張をするのも不思議はない。ブルームバーグ・ニュースは、習近平一族の腐敗を暴く記事をブロックしていると非難されている。またブルームバーグは、中国の検閲ルールに従っていると認めている［2012年、習近平ら中国共産党首脳陣の私有財産についての調査記事に対して中国共産党政府が抗議。同社記者への中国報道査証の新規交付は一切認められず、中国機関との配信契約も減った。その後準備されていた共産党関連の記事は圧力をおそれて没になり、執筆記者は停職→退社。また特定の記事にコードを埋めこみ、中国国内で閲覧できなくしているという］。

米国社会とインフラが崩壊してゆくなか、米国がカルトによって莫大なカネがかかる戦争に巻きこまれるほど、中国にとっては好都合である。アフリカの広大なエリアに道路や橋、鉄道、高層ビル、都市全体を建設し、独り占めできるのだから。あるライターは、アフリカで「中国人マネージャーが中国人労働者を監督し中国の機器を使って生産する中国の工場」が急速に出現していると書いている。中国は、すでに200万人の中国人をアフリカ大陸に植民している。1000社の中国企業が進出し、毎週ぞくぞくと中国人が上陸している。次は中国政府、つまりカルト政府の支配体制を押しつける計画だ。中国とカルトとは分かつことができない。

新型コロナウイルスヒステリーは、中国の独裁政権、そして世界の他の国々にも、さらに苛酷な支配を押しつける口実を与えた。このでっちあげについては、第1巻で詳しく述べている。

イスラエルのグローバル・テクノクラート

中国、イスラエル、米国、欧州などはすべて、カルトの最深部ではつながっている。カルトネットワークの最前線であるサバタイ派フランキストが支配するイスラエルが中国と多くのつながりをもち、さらに増えつづけているのもそのためだ。超シオニストのマイケル・ブルームバーグの例は、氷山の一角にすぎない。

イスラエルが世界的なテクノクラシーの中心地であることは、私の著書『The Trigger』［未邦訳］で詳しく取りあげている。19人のアラブ人ハイジャック犯ではなく、サバタイ派フランキストが９１１をやってのけた。ペンタゴン（米国防総省）や米空軍のハイジャック対応システムＮＯＲＡＤ（北米航空宇宙防衛司令部）、ホワイトハウス、米連邦航空局の民間航空管制ネットワークのコンピューターシステムをコントロールすることで、実現できたのだ。ＣＩＡを含む米国中枢の「ディープ・ステート」もサバタイ派フランキストの支配下にあったし、今もそうだ。イスラエルの軍事諜報フロント企業は、米諜報界と相通じている。「元」ＣＩＡ職員を雇って、大西洋の両岸にまたがるカルトのクモの巣をかけるのだ。

イスラエルは、ベエルシェバにある巨大な軍事諜報サイバーセキュリティ・センターと、８２００部隊と呼ばれる超精鋭サイバー部隊を通じて、世界のサイバー市場にますます大きな影響をおよぼしている。イスラエルで活動しているサイバーセキュリティ会社のTeam8や、ボストンを拠点

図311：イスラエルを支配するサバタイ派フランキストが、人間支配のグローバル・スマートグリッドの中心に据えようともくろむ、大規模なベエルシェバの軍事諜報サイバーセキュリティ・センターの一部。

とするイスラエル企業サイバーリーズンなどは、8200部隊のフロント企業だ。こうした企業がイスラエルと米国の諜報機関、すなわち「ディープ・ステート」とつながり、クモの巣を形成する（図311）。

イスラエルの軍事諜報ネットワークは、私企業を装って「サイバーセキュリティ」関連のフロント企業を設立することに特化している。セキュリティ保護の設計には（理論上）、コンピューターシステム全体、すべてのコードやパスワードにアクセスできる人物が必要だ。全権管理者になれば、「バックドア（抜け穴）」を仕込んだ「セキュリティ」をかけることができる。そうすれば（サバタイ派フランキストが支配する）イスラエルは、システムのあらゆる箇所にアクセスでき、なんならリアルタイムで操作することもできる（911、『The Trigger』を見よ）。このようなイスラエル製の「セキュリティ」ソフトウェアが、米国を中心とした政府、諜報機関、軍、企業で使われていることを考えれば、スパイや脅迫、データ盗難にどうかかわってくるかがみえてくるだろう。

悪名高いイスラエルの諜報機関モサドとイスラエル公安庁も、もちろんこれらすべてに深くかかわっている。サイバーリーズンは2012年に「元」（ほんとに？）8200部隊エリート・サイバー戦争部門所属の3人のメンバーによって設立された。8200部隊は、少なくとも米国では、ハッキングや有権者に対する心理戦によって選挙操作をおこなっている（Davidicke.com にあるWhitney Webb（ウィットニー・ウエッブ）の記事をご覧いただきたい）。

このネットワークの資金源には、米国政府がイスラエルに毎年38億ドル提供している軍事支援も含まれる「２０１６年、米国とイスラエルは２０１８年から10年間にわたり米国がイスラエルに計３８０億ドルの軍事支援をおこなうという覚書に調印した」。米国は、自国へのサイバー破壊工作に資金提供している。サバタイ派フランキストのネットワークは米国でもイスラエルでも活動しており、一方から他方へとカネが流れているというわけだ。その結果、小国イスラエルが米国からどこよりも多い支援を受けとっている。

サバタイ派フランキストの首脳部が米国を軽視していることは、アイアンドームミサイル防衛システムの一件からうかがい知ることができる。米国は、「ドーム」構築のため税金で15億ドル以上をイスラエル政府に支援した。しかし米軍がイスラエルにその技術を売ってくれないかと打診したところ、超シオニスト政府は運用に必要なソースコードの提供を拒んだ。イスラエルのために、米国がカネを出して開発したシステムだというのにだ。米国よ、イスラエルはきみたちを笑いものにしているぞ。

サイバーリーズンのソフトウェアは、一連の「米国」企業に採用されている。世界最大の軍需企業であり、米国の戦争から莫大な利益を得るロッキード・マーティン社もそのひとつだ。サイバーリーズンは、２０２０年の米国大統領選挙をハッキングするシナリオにもとづいて多数の「シミュレーション」をおこなってきた。同社は「新型コロナウイルス」による大統領選操作の可能性を強調した（その記事はたった1時間で取り下げられた）。なぜか？　情報が多すぎるからだ。

サイバーリーズンとイスラエルで活動する８２００ネットワークは、いわゆる「ディープフェイク」ＡＩテクノロジーに関連している。言ってもいない、してもいないことを、あたかも現実にあったことのように見せかけることができるのだ。ディープフェイクの動画は、ネット上にたくさん転がっている。

イスラエルのテクノロジー企業キャニーＡＩは、ディープフェイク業界のトップである。同社はサイバーリーズンのパートナーであり、イスラエル公安庁から資金提供を受けている。

イスラエルのサイバーセキュリティ企業、アップストリームセキュリティは、サイバー接続された自律走行車のセキュリティに特化している。こうしたシステムを乗っとれば、車やバス、トラックを衝突させることができる（トラックで突っこむテロを思い浮かべてみよう）。サイバー空間に接続されているものは、なんでもハッキング可能だ。遠く離れた場所から、車の窓を開け閉めすることもできる。オンラインニュースサイト『クオーツ』のジャスティン・ローリッヒは、サイバーリーズンのシミュレーションについてこう書いている。

> 赤チームは50台の自律走行車と、運転手なしのバス５台をコントロールした（これは未来の現実に根差した動きかもしれない）。そして携帯電話サイトのシミュレーターを配備して、人びとの位置を追跡し、電話を傍受することができるようにした。信号機をコントロールしたり、事故を起こしたり、民主党候補者が人種差別やＤＶに関係しているというディープフェイク動画をばらまいたりできるようになったのだ。

サイバーリーズンは、外国、あるいは国家以外の勢力による米国の選挙操作をシミュレートした。どこの国を想定しているのだろうか？　イスラエルの名前が出てこなかったことはまちがいないだろう。イスラエルとサバタイ派フランキストに仕える超シオニストが完全支配するアメリカ新世紀プロジェクト［PNAC］は、2000年9月に米国（実際にはイスラエル）がサイバー空間を完全支配するという体制変更文書を公表した。最終的には、すべてつながっているのだ。

サイバー空間の軍事支配

ベエルシェバの複合施設は、あらゆるメジャーなシリコンバレー企業の研究開発センターに囲まれている。文字どおり、軍服を着た兵士の大群（army）がいるだけでなく、一般人を装ってネット上でイスラエルの思惑を投稿したり、批判するものを「反ユダヤ」認定したりしてカネをもらっている者もいる。ベエルシェバの活動は、イスラエル史上最大のインフラプロジェクトで、2万人の「サイバー兵士」を収容可能だ。軍事諜報グループと「民間」企業は、イスラエルとその世界的ネットワークにとって、いまや同じ目的を追求する同じチームである。イスラエルは、シリコンバレーに代わる重要性とパワーを視野に入れ、スマートグリッド技術や制御をグローバルに展開している。

表に出ないところでは、イスラエルはすでに、主要企業のユダヤ人オーナーや役員を通じてシリコンバレーでの存在を確立し、影響力をもっている。フェイスブックのマーク・ザッカーバーグとシェリル・サンドバーグ、グーグルのセルゲイ・ブリンとラリー・ペイジ、ユーチューブのスーザン・ウォシッキー［当時］、ヴィメオのバリー・ディラー、アップルのアーサー・レビンソンといった面々だ。

本書第３巻で述べたように、超シオニストヘッジファンドビリオネア（京兆長者）のポール・シンガーは、ツイッターを買収してＣＥＯジャック・ドーシーを解任しようとしている。シンガーが経営権を獲得すれば、ツイッターは超シオニズムやイスラエル、グローバルなカルトのアジェンダを批判したり、暴いたりする者に対しての検閲をいっそう強めてゆくだろう［２０２２年イーロン・マスクがツイッターを買収、凍結されていたトランプ元大統領のアカウントなどを復活させ、２０２３年にはサービス名を「Ｘ」に変更］。

世界人口の０・２パーセント、米国人の２パーセント［のユダヤ人］にインターネットのパワーが集中し、世界中で誰がなにを見るかを決定してしまうとは、おそるべきことだ。シリコンバレーを率いるこれらのシオニスト支持者リストには、やはりシオニストであるイーロン・マスクやグーグルのＡＩ脳接続マニア、レイ・カーツワイルらは含まれていない。

いっぽうポール・シンガーは、超シオニストのシェルドン・アデルソン［カジノ王として知られる。２０２１年死去］のように、共和党の大口献金者であり、ユダヤ人共和党員を推す共和党ユダヤ連合の役員を務めている。

民主党の大口献金者には、超シオニストのビリオネア、マイケル・ブルームバーグ、ジョージ・ソロス（本人がなんと言おうとも）、ドナルド・サスマン［ヘッジファンド投資家］、マーク・ザッカーバーグとともにフェイスブックを創立したダスティン・モスコヴィッツ、ジム・シモンズ［ヘッジファンドマネジャー、数学者］、『The Times of Israel』［イスラエルを拠点とするオンライン紙］の共同設立者で会長のセス・クラーマン［投資家］、「私はワンイシュー（単一論点）の男、そのイシューはイスラエルだ」と言うハイム・サバン［映画プロデューサー。日本のスーパー戦隊シリーズの英語版『パワーレンジャー』を製作しヒットさせた］らがいる。

ビッグ・テックの巨大企業グーグル、マイクロソフト、インテルなどは、何千人もの雇用をイスラエルに移転し、数十億ドルの投資をおこなっている。「アメリカ・ファースト」を唱えるイスラエル子飼いのドナルド・トランプは、閉ざした口にテープまで貼ってだんまりだ。同じくシリコンバレーのインターネット独占企業であるフェイスブックなどは、イスラエルやその悪名高い軍事諜報組織から経営首脳や役員を迎えている。

米国からイスラエルへの投資やサイバー職の流出を進めているのは、またしても超シオニストのポール・シンガーと、彼のＮＰＯ団体スタートアップネイションセントラルだ。この団体は、８２００のサイバーコントロールネットワークの一部である。本書第3巻で述べたように、シンガーの略奪的ヘッジファンドは、ネブラスカ州の小さな町シドニーを壊滅させた。シンガーは超シオニストが支配する「シンクタンク」、アメリカン・エンタープライズ公共政策研究所（ＡＥＩ）に出資している。この研究所は、2000年9月に体制変更文書を公表したアメリカ新世紀プロジェクト（PNAC）と密接な関係にあった。

非暴力のBDS［ボイコット（Boycott）、投資撤収（Divesment）、制裁（Sanctions）の頭文字］イスラエルボイコット運動は、イスラエルがサイバー空間を掌握してからというもの、大規模に妨害されている。サイバー空間の掌握は、超シオニストがアメリカ新世紀プロジェクトの文書で掲げていた目標のひとつである。「新世紀プロジェクト」の前を「アメリカ」からイスラエル、もっと正確には**カルト**に変えれば、より現実に即したプロジェクト名になるだろう。

イスラエル紙『ハアレツ』は、ニューヨークを拠点とするイスラエルのスタートアップ［先進的な技術やアイデアによって、新しい市場やビジネスモデルを創出する急成長企業］は2013年から2017年のあいだだけで5倍に増えたと報じた。グローバル・スマートグリッド（地球規模の技術制御ネットワーク）を機能させるのに欠かせないのが、量子コンピューターだ。量子コンピューターは、コンピューターシステムをまったく新たな次元に進化させる。イスラエルは、この分野においても最前線に立っている。テルアビブを拠点とするスタートアップ、クアンタムマシーンズ（QM）［トヨタとも提携している］などがその立役者だ。

サバタイ派フランキストが支配するニューヨークには、イスラエルが動かす巨大な「サイバーセキュリティセンター」が米国の税金3000万ドルを投じて開設されている。米国のコンピューターネットワークに対するイスラエル（カルト）の操作を、さらに極限まで可能にするものだ。米国

図312：イスラエルが支配する「ニューヨーク」。

の投票システムにもアクセスできる。ロシアが米国の選挙を操作しているという主張は、たいがいイスラエル（サバタイ派フランキスト）の操作から注意をそらすためのものだ。

ニューヨーク市の「サイバーセキュリティセンター」は、イスラエルを拠点とし、イスラエル軍とつながりのある「グローバル・イノベーション・プラットフォーム」ＳＯＳＡと、エルサレム・ベンチャー・パートナーズ（ベエルシェバ作戦に中心的にかかわった）によって運営されている。市当局の依頼は、ニューヨークを「世界のサイバー首都」とすることだ（図３１２）。

ＳＯＳＡとエルサレム・ベンチャー・パートナーズは、「メガグループ」［シーグラム社の取締役チャールズ・ブロンフマンとヴィクトリアズ・シークレットのオーナーであるレスリー・ウェクスナーによって１９９１年に設立された、北米の有力な「メガ・ビリオネア（資産１４００億円超のド富豪）」の秘密招待制グループ。北米イスラエル・ロビーの方針を決め、年間数十億ドルの「チャリティー」資金を展開する」と呼ばれる超シオニストネットワークとつながっている。詳細は、繰りかえしになるがウィットニー・ウェッブの記事を強くお勧めする。

メガグループと８２００ネットワークは、児童買春をおこなった超シオニストでイスラエル諜報部のスパイ、ジェフリー・エプスタインとつながりがある。エプスタインの児童買春ネットワークは、モサドの恐喝作戦である。だからトランプ、クリントン夫妻、アンドルー王子といった、多くのカネや地位、影響力のある人間が彼とつながっているのだ。

エプスタインの「女衒（ぜげん）」ギレーヌ・マックスウェルは、英国のメディア王、故ボブ・マックスウエルの娘である。ボブ・マックスウェルは、長年モサドのエージェントを務めた（最後はモサドに消された）根っからの悪党である（詳しくは『The Trigger』で）。

エプスタインは、ビッグ・テックやシリコンバレー内のサバタイ派フランキストネットワークにいるご主人さまのための投資家でもあった。ウィットニー・ウェッブは、「メガ」は「あきらかに組織犯罪と直接結びつく親イスラエル政商（オリガルヒ）。レスリー・ウェクスナーはジェフリー・エプスタインがイスラエル軍／諜報組織に代わって未成年の人身売買をおこなう際の、主要な資金提供者だった」と述べている。

ＳＯＳＡのニューヨーク支店長ガイ・フランクリンは、イスラエル・アメリカ評議会（ＩＡＣ）とつながっている。ＩＡＣは超・超シオニストのシェルドン・アデルソン夫妻が資金提供したイスラエル・ロビー団体だ。アデルソンは共和党とドナルド・トランプの最大の献金者である。そんなこんなで、イスラエルがトランプに跳べと言えば、彼は「はい、ご主人さま。いかほど高く？」と応えるわけだ。

カルトの計画は、サバタイ派フランキストを使って、中心にあるイスラエルの巨大核兵器庫から人間を支配するスマートグリッド全体をコントロールするというものだ。「小国」イスラエルへと導くつながりは、実に素晴らしい。「反ユダヤ」の定義が拡大解釈を続け、このことが公共の場に出てくるのを阻止してきたのは、火を見るよりもあきらかである。

人間の脳と接続するグローバル・スマートグリッドは、最終的にはエルサレムとベエルシェバからコントロールされることになっている。これは、ユダヤ教古来の信仰「メシア」と絡んでいる。メシアは、エルサレムから世界を統治すると言われている。サバタイ派フランキストは、「ユダヤのメシア」という背景と歴史にもとづき、自称「メシア」のサバタイ・ツヴィとヤコブ・フランクが開いた宗派だ。しかしカルトの中枢からすれば、すべては世界支配のための建前にすぎない。

カルトは、アジェンダをユダヤ視点で立案した。聖書の預言といにしえの伝説に沿っているように見えるので、カルトでないユダヤ人コミュニティの多くの人びとは、アジェンダを預言の確証、「神の意思」の実現と受けとった。しかしじつのところは、非ユダヤ人同様、ユダヤ人をも陥れる逆転を支持するように欺かれているのだ。騙されている人びとは、一刻も早く目を醒まさなければならない。

「世界の支配者」がエルサレムから全世界を統治する、というユダヤのメシアの預言は、ばかげた不可能なものにみえていた。しかし、スマートグリッドが登場し、集中管理されたＡＩにあらゆるテクノロジーやデバイス、人間の脳までも接続するという計画がある今、もはや夢物語ではない。

超シオニストのイカれた過激派は、イスラムによる欧州の（彼らが言う）「侵略」を画策している。キリスト教と欧州文化を破壊するというものだが、これはすべてＡＩ接続計画とつながるものだ。エルサレムに、ユダヤ教徒とキリスト教徒が神殿の丘と呼ぶ、現在金の丸屋根をもつ岩のドームが建っている場所がある。そこに「ソロモン神殿」とされるものを再建することも、この計画とつながっている。

サバタイ派フランキスト子飼いのドナルド・トランプは、ご主人さまがずっとする邪悪な目的を達成するために必要なものは、なんでも差しだしてきた。米大使館をエルサレムに移し、「世紀の取引」と喧伝(けんでん)したこともそうだ［イスラエルはエルサレムを首都と主張しているが国際的には認められておらず、国連加盟国の多くはテルアビブに大使館を置いている］。パレスチナ人をハメて、グローバル・テクノクラシー世界政府が置かれることになっている、エルサレムの完全な支配と所有への道を開いたのだ。サバタイ派フランキストのグローバル・スマートグリッド支配の詳しい背景は、『The Trigger』で。

「スマート」テクノロジーやシステムは、人びとが見聞きするものや知覚、行動を世界的にコントロールし、世界人口の0・2パーセントがその他大勢を率いるうえで効果的である。

なぜイスラエルがコントロールする軍とつながる企業が、こうした技術において急激に優勢になったのか訊ねることは「反ユダヤ」だろうか？　イスラエル（サバタイ派フランキスト）の軍事諜報機関とつながりのあるイスラエルのサイバー企業が、なぜ米国の政府、軍、諜報機関のコンピューターシステムをこれほどまでに支配しているのかを問うことは「反ユダヤ」だろうか？

彼らは、そのような質問を止めてもらいたいのだ。だが、**何度でも**訊ねるべきだし、納得のゆく答えを求めるべきだ。68パーセントの米国人は、「ニュース」（知覚）をソーシャルメディアから入手している。そしてスマートグリッドテクノロジー(地球丸ごと監獄化技術)を支配しているのは、イスラエルのテック企業なのだから。

（もちろん）インサイダー（内部者）のドナヴァンは知っていた

イスラエルのＡＩスマートグリッドとテクノクラシーの野望について、詳しくは『The Trigger』をぜひご一読いただきたい。そうすれば、中国とイスラエルの関係が急激に深まった本当の理由がはっきりみえてくるだろう。中国の「経済のミラクル」は、カルトを通じて西側が仕掛けたものだ。カルトがコントロールする『タイム』誌編集主幹を務めたヘドレー・ドナヴァンは、奇しくもカルトの三極委員会の創立メンバーでもある。２００１年、『タイム』は中国をテクノクラシーと形容した。

今日の中国は、オタクが動かしている。鄧小平の改革開放から20年、中国首脳部の構成は、著しくテクノクラシー寄りに変化してきた……現政権をテクノクラシーと呼ぶのは、けっして誇張ではない……

……１９８０年代には、概念としてのテクノクラシーが話題となった。なかでも「新権威主義」と呼ばれる文脈で、さかんに取りあげられた。韓国、シンガポール、台湾などが成功を収めた「アジアの発展モデル」の基本法則である。テクノクラートの基本的な信条と仮定は、いたって明快だ。社会的、経済的な問題は工学的な問題と似通っている。ならば、それを理解、対処し、最終的には解決するのも同じ手法で可能なはずだ。

ドナヴァンは、科学万能主義（科学者を聖職者とする科学的信仰）が、中国の毛沢東後のテクノクラシーの背景にあり、その支配に異を唱えた者は異端とみなされたという。これらはカルトのインサイダーによって2001年に書かれたもので、今日となっては否定できない内容だ。

中国の巧妙かつオーウェル的な社会信用システムについては、本書第3巻で述べた。途方もない数のAI制御顔認識カメラに虹彩（こうさい）スキャナー、DNAスキャナーまで搭載されてはかなわない。中国はすでにテクノロジカル・ディストピア（先端技術暗黒郷）である。そしてイスラエルと同じく、AIや量子コンピューターなど、人間の完全支配に必要なすべての領域で世界の最先端にある。

私は数十年来、人類が目を見開かなければ、今日の中国は明日の世界だと言い続けてきた。今私たちの前にある状況が、まさにそれだ。

ロンドン警視庁は2020年1月、顔認識カメラを「試験」ののち導入すると発表した［採用されたのはNECのシステム］。「試験」という口実は、恒久的な導入のほんの序曲であるというのが常だ。他の英国警察署も追随を予定している。

2020年初頭にリークされた文書によると、EUは各国の顔認識データベースを接続して、EU全体で相互参照できるよう準備中だという。プリュム条約［欧州7か国（ベルギー、ドイツ、スペイン、フランス、ルクセンブルク、オランダ、オーストリア）が２００５年に署名した国際犯罪取り締まりのためにデータ共有する協定。ＥＵ加盟国が参加可能」にもとづくシステムだ［２０２１年にプリュム条約の枠組を拡大し顔認識システムの利用を可能にする提案「プリュムⅡ」がなされた］。

このＥＵのデータベースを米国の同様のシステムと接続し、グローバルな監視システムにするという計画を、私は数十年来警告してきた。それが着々と現実になりつつある。カルトのアジェンダがつまびらかになっているのだ。

『カリフォルニア・グローブ』［ニュースサイト］によると、ゼネラル・エレクトリック（ＧＥ）は、サンディエゴ市議会から３０００万ドルで街灯への監視カメラとマイクの設置を請け負い、集めたデータを第三者に流して10億ドルを稼ぎだしていたという。こうした「スマートストリート」と呼ばれるものが、あちこちに出現している。

悪魔の遊び場（シリコンバレー）と「教育」支配

こうした背景から、大本をたどればカルトの所有である「ウォーク」なシリコンバレー企業が、なぜ中国の独裁と多くのつながりをもっているのかが見えてくる。国際銀行はカルトのテクノクラシーである。そこでは金融の専門家が（ＡＩを多用して）選挙で選ばれた議員に邪魔されずに意思決定する。カネを支配する者が、世界を支配する。

私は過去の著作で、スイス・バーゼルの国際決済銀行（ＢＩＳ）が果たす役割を詳述している。それが各国の中央銀行を、**ひとつの**グローバル（カルト）ネットワークにまとめあげるというものだ。国際決済銀行も、ロスチャイルドー－ロックフェラー（カルト）の産物だ。中央銀行の総裁らはＢＩＳで定期的に会議をおこない、政策を調整したり、グローバル・テクノクラシーへの転換を進めたりしている。となれば、２０１８年の『ブルームバーグ・マーケット・スペシャル・リポート』で、国際決済銀行が「グローバル・テクノクラシーのとりで」と形容されていたのも合点がゆく。キャッシュレス（デジタル／技術的）世界単一通貨は、完全にテクノクラシー構想の一部である。シリコンバレーのテクノクラートの力と、すべての人の生活へのグローバルな影響に対して、政治家がますます無力になっていることもそうだ。

世界中の政府機関は、さまざまなタイプのテクノクラートによって支配されている。彼らは、政治家は選挙によって選ばれていると信じる人びとには理解できない「ディープ・ステート」を動かしている。

１９３０年代末のテクノクラート運動の出版物『テクノクラート』誌ではこう宣言している。「テクノクラシーは社会工学の科学であり、全人口に商品とサービスを生産、分配するために、社会機構全体を科学的に運営するものである」

今日、これらすべてがよりいっそう苛烈（かれつ）に実現している。政治家の権力はテクノクラートに奪われつつある。ニューウォーカー（覚醒意識高い系）に愛されるＥＵとは、選挙で選ばれていないテクノクラートによる支配以外の何物でもないではないか？「民主的」といわれる欧州議会は、官僚支配を隠すかこつけにすぎない。

この視点からみれば、なぜ２０１６年の英国民投票で過半数がブレグジット（欧州連合離脱）を支持したにもかかわらず反対運動に遭い、実際にＥＵを離脱するまでに数年を要したのかがわかる。また、米国人であるジョージ・ソロスがブレグジット阻止を目指す団体に資金提供したことも理解できる。

国民投票から3年が経った２０１９年、ブレグジット推進派のボリス・ジョンソン［保守党］が総選挙で圧勝し、ようやく反対派を阻止することができた。ブレグジットが**どのように**実現され、英国国民がＥＵのテクノクラートからどれだけ解放されるかは、今後注視が必要だ。

ＥＵによって国家主権をなくすことは、テクノクラシーの重要要件である。私有地をなくす、コモンコア教育（教化）、官民パートナーシップ、気候変動によって正当化される炭素排出権取引（カーボントレーディング）、そして共産主義的な個人の選択や自由をなくすこともそうだ。そのそれぞれが、テクノクラート的社会の柱である。

見えないアルコーン［3~4世紀に地中海世界で勢力をもったグノーシス主義における低次霊的存在、「偽の神」、地上の支配者］的勢力は、シミュレーションによって操作し、創造的意識の欠如という限界をテクノロジーを使って克服するという意味で、それ自体がテクノクラシーだ。肉体を離れた状態では、テクノロジーなど必要ない。そこでは創造性と顕現が、思考や認識から直接実現する。「教育」支配と若者の教化プログラミングは、最優先事項とされてきた。1930年代のテクノクラートは、「すべての若い世代を先天的な能力以外のすべての考慮事項について無差別に訓練する教育システム――大陸式人間の条件付けシステム」として強調した。

ウィリアム・エイキンは、1977年の著書『Technocracy and the American Dream: The Technocrat Movement、1900－1941』［未邦訳］にこのように記している。

> 既存の不十分な教育メソッド・制度にかわって、大陸式人間の条件付けシステムを導入すべきであろう。この大陸式一般教育システムは、可能な限り完全な条件付けと体育指導を提供するよう体系づける必要がある……可能な限り高い割合の熟練した機能的能力を得られるように、学生一般を教育し訓練しなければならない。

社会の基本需要は技術的な専門知識であるから、教育システムにおいては、人間の問題に時代遅れの道徳的解決策で対応する一般教養課程を廃止する。つまり、人文学を機械工場に置き換えるのだ。その過程で、社会の構成員は工学的合理性や効率の観点から考えるよう条件付けされる。つまり人間は、機械のようであることを前提とし、「機械的機能によって理解される現実」を受けいれるように仕向けられるのだ。

今日の世界を見渡して、エイキンが45年前に書いたことと突きあわせてみてほしい。それは、**現実となりつつある。**世界中の学校で、一般教養科目の時間が削られつづけている理由が、簡単に説明できるようになった。スマホなどによって、大人も子どもも機械と一体になりつつあることもそうだ。

民間が資金提供・管理する、米国のコモンコア教育基準構想は、テクノクラシーの文献からそのまま引用され、マイクロソフトのテクノクラート、ビル・ゲイツとビル&メリンダ・ゲイツ財団によって数億ドル規模の支援を受けている。長年ゲイツと財団をみてきた経験からいうと、彼が支援するなら、それは人類に害をなすものだ（図313）。この男は、世界中でワクチン接種を推進するためにフロント組織GAVI、すなわち「ワクチン・アライアンス」に何十億ドルものカネを突っこんでいる。本書第1巻では「パンデミック」のうそに斬りこみ、ビル・ゲイツと彼が見えない親方（レプ＝爬虫類人）のために進めているアジェンダを暴いている。ゲイツのマイクロソフトが、地球上のほとんどのコンピューターにアクセス可能だという事実には考えさせられる。グーグル検索したり、メールを送ったり、ランチの写真を投稿したりするたびに、世界はひそやかに罠に誘いこまれている。

その罠に誰よりもハマっているのは、ニューウォーカーだ。ニューウォーカーは、自分たちが「社会正義」や昔ながらのマルキシズム、あるいは「社会主義」を求めていると思っている。だが実際には、まったく気がつかないままに、人類をテクノクラシーへと追いこむために利用されている。

図313：「慈善」の煙幕の陰で世界を転換させるためカネを注ぎこんでいる。

テクノクラシーとは、テクノロジーによってパワーアップした、マルキシスト／ファシスト的な独裁である。気候カルトは世界経済の解体を迫っている。テクノクラシーに置き換えるため、現状のシステムは破壊しなければならない。

チャールズ皇太子［当時］は、2020年1月に開催された1パーセントのダボス会議でまさにこのことを呼びかけた。同じくカルトのスパイであるフランシスコ教皇も、「異なる種類の経済」「新しい経済」そしてもちろん「持続可能（サステナブル）な開発」を望んでいる。

米連邦準備銀行（FRB）、イングランド銀行、欧州中央銀行（ECB）、日本銀行などの世界の中央銀行は同じゴールを目指し、気候変動への対応を「コア・ミッション（中核的使命）」と位置づけている。いずれも同じ、グローバルなクモの巣が団結して動いているのだ。「持続可能な開発」「グリーン経済」「グリーン・ニューディール」といった、国連と気候カルトが繰りかえすお題目は、すべてテクノクラシーの暗号だ。

本書第2巻で挙げた「持続可能な開発目標（Sustainable Development Goals）（SDGs）」も、テクノクラシーの（もっともらしく偽装された）さらなる狙いである。ロックフェラーのインサイダーであるリチャード・デイ博士が1969年に語った土地私有の終焉（しゅうえん）も、テクノクラシーの政策だ。

テクノクラートであるビリオネアとその企業が、グリーンな「理想主義者」とつるんでいることは、もはや謎ではない。「理想主義者」の子どもじみた世間知らずさは、もはや「世間知らず」などというやんわりとした表現では言いあらわせなくなっている。

アジェンダ21とアジェンダ2030は、グローバルなテクノクラシーの台本である。支配するのは、新たな神とされている科学者だ。グレタ・トゥーンベリもこう繰りかえしていた。「**科学**に耳を傾けて」世界の政治的指導者は、ロックダウンによって経済と生活を破壊した。なぜなら、「科学者」にそうせよと進言されたからだ。科学者のアジェンダはなんなのか、本当は誰のために動いているのかと問う者はあるだろうか？

テクノクラート的支配のキモは、エネルギー配分を完全に押さえることだ。誰が持ち、誰が持たず、どれだけ使うことができるか。気候カルトが言っているのは、まさにこのことではないか？テクノクラシーへの移行において、非炭素エネルギー源では現在のエネルギー需要を満たすことはできないだろう。そのために必要なものをすべて奪う計画なのだ。しかしひとたび世界的に独裁が敷かれれば、エネルギー（フィールド）の海の波動と電磁場からエネルギーを得る技術が表に出てくるだろう。

こうした技術はすでに存在するが、秘されている。伝説の科学者ニコラ・テスラが20世紀前半に発明していたが、エネルギー企業とカルトを守るため握りつぶされてしまった。人びとがタダでフリーエネルギーを使えるようになったり、エネルギーを使うことなくエネルギーを生産されてはあがったりだからだ。この技術は、私利私欲のため隠蔽（いんぺい）された。テクノクラシーは、世界的な支配者となるため、すべてのリソースを管理下に置くことを望んでいる。人びとは、家も含め、あらゆるものの所有権を奪われる。

AI（人工知能）「人間」

ハンガー・ゲーム・テクノクラシーの大規模な支配は、脳をＡＩに接続することによって施行される計画だ。シリコンバレーのあたおか（頭狂）どもは、そのような世界について大っぴらに言及し、実施される年にまで触れている。グーグルのテクノクラート、レイ・カーツワイルによれば、それは２０３０年だ（図３１４）。これは国連のアジェンダ２０３０で強調されているのと同じ年だ。

人為的気候変動から世界を守るため、グローバル社会を中央集権専制に転換することが計画されている。そして２０３０年は、気候カルトが２０１９年に宣言したナンセンス「人類を救うにはあと12年しか残されていない」の期限の年でもある。チャールズ皇太子［当時］はダボスで、２０３０年までに世界的な金融・経済システムの転換を呼びかけた。英国庶民院図書館の調査では、２０３０年までに1パーセントが世界の富の**64**パーセントを所有するようになるだろうと予測されている。まさにハンガー・ゲーム社会である。

レイ・カーツワイルは、２０３０年代には人間の脳がＡＩや「クラウド」に接続されるだろうと言っている。

> 私たちの思考は……生物的思考と非生物的思考のハイブリッドになるだろう……人間は制限

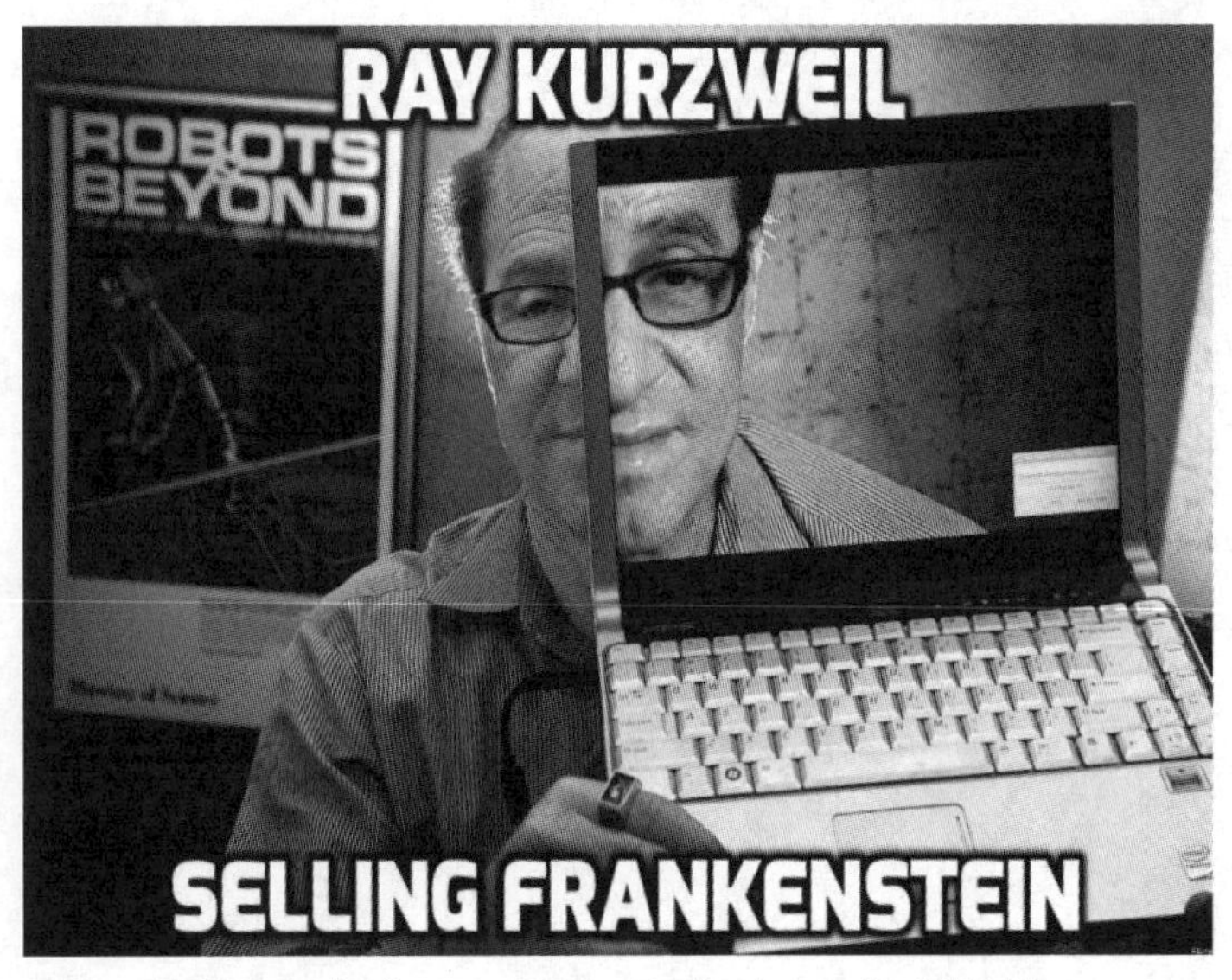

図314：レイ・カーツワイル―フランケンシュタインを売る男。

を拡大し、「クラウドで考える」ことができるようになるだろう……私たちは、脳にクラウドへの関門を設け……しだいに［情報を］取りこんで、自身を拡張してゆく……私の考えでは、これは人間の自然な姿だ。私たちは限界を越えてゆくのだ。

テクノロジーが人間をはるかに凌駕（りょうが）するほどに、私たちのなかの人間である部分の割合はどんどん小さくなり、ついにはまったく無視できるほどになる。

カーツワイルは、（シミュレーション内での）人間意識のＡＩとの同化について述べている。これは、ＡＩとはなにかという論点を巧みにかわすものだ。ある観点ではアルゴリズム的コードに言及し、別の観点では入力されたデータから学習する「ラーニングＡＩ」と呼ばれるＡＩの形態について言及する。しかし、ＡＩの**本当の**姿については誰も口にしない。あらゆるカルトの操作が、どこへと導いているのかバレてしまうからだ。

「ＡＩ」とは、人類の知覚的奴隷化をずっと画策してきた勢力の最新形態だ。さまざまな文化や宗教で、悪魔、堕天使、ジン［アラブ世界での精霊や妖怪（ようかい）、魔人などの総称。『アラジン』のランプの精など］、アルコーン、チタウリ［ズールー族の言い伝えで「人の姿をしたヘビ」を指し、マーベルではアベンジャーズの敵のエイリアンとして登場する］、輝けるものなど、たくさんの名で呼ばれている勢力だ。私たちは、侵略されているのだ（図３１５）。

図315：まさに侵略だ。

図316：一歩、また一歩、カチ、コチ、カチ、コチ。

この勢力の正体を見破らなければならない。彼らは、なんらかの形をとってはいるが、基本状態では形をもたない意識の波動で、人間の脳のように電気的に意思を伝達することができる。ＡＩと脳とを接続すれば、こうした勢力とつながり、彼らが人間のマインド（精神）を乗っとることができるようになる。

これまでカルトとその隠された「神々」は、行動を決定づけるために、情報をコントロールして知覚を操作する必要があった。宗教がその中心的役割を演じてきたが、今では新しい宗教「ウォーク」が先陣を切り、血眼（ちまなこ）になって検閲をおこなっている。検閲的な「キャンセルカルチャー」は、私たちを最終局面へと追いこむカルトにとってはきわめて重要なものだ。私が言っているようなことは、公共の場から遠ざけておかなければならない。でなければ、最後の最後で邪魔が入るかもしれない。ひとたびＡＩと脳が接続されれば、情報のコントロールさえ不要になる。人間の知覚と感情的な反応は、メディアを通さずＡＩから直接やってくるようになる（図３１６）。

カーツワイルの言葉を借りれば、「テクノロジーが人間をはるかに凌駕（りょうが）するほどに、私たちのなかの人間である部分の割合はどんどん小さくなり、ついにはまったく無視できるほどになる」人間の知覚の個性は過去の遺物となり、中央集権ＡＩ集合精神［集合精神は多重人格の逆で、複数の個体がひとつの意識を共有している状態］が取って代わる（図３１７）。

ＡＩ－脳接続は、人類をより深くシミュレーションに吸収するためにつくられている。最終的にボディー（肉体）－マインド（精神）の意識をまるごとサイバー空間に吸収する途上段階だ。

図317：集合精神。人間の脳をAIに接続するということは、AIをコントロールする者（あるいはAIそのもの）が、全人類の知覚をコントロールすることを意味する。（ニール・ヘイグ画）

この移行の暗号が「没入型テクノロジー」だ。「臨場感を演出し、没入感をつくりだすことで、仮想（デジタル・シミュレーション）世界に物理的世界を模倣させるテクノロジー」と言われるものである。そっと段階を踏んで、同化へと向かう道だ。「拡張現実」なる、「物理的」世界にデジタルを重ねあわせたものも、そのひとつである。とても巧妙に進められてはいるが、覚醒（めざ）めた者なら造作もなく見抜くことができる。

シミュレーションのなかのシミュレーション

「ラーニング（学習型）ＡＩ」は「スマートグリッド（技術制御ネットワーク）」コントロールシステムを動かすために計画された段階だ。「スマートグリッド」は、カルトとその見えない「神々」によって急速に導入されつつある。人びとは、大規模な監視社会に当然懸念（けねん）を抱いている。すべてのネット投稿、意見、行動といった一挙一動が追跡されるわけだが、監視だけが目的ではない。

人間の行動、思考、感情、反応に関するすべての情報が、世界中から刻一刻と収集され、ラーニングＡＩに流しこまれる。なにが人間を「動かす」のか、という知識を供給するためだ。この知識は詳細で、つねに拡大しつづけている。この情報処理によって、ＡＩはすでに人間自身よりも人間のことをよく知っている。これは、さらなる知覚と行動の操作に使われている。

フェイスブックやツイッターなどのカルト支配のプラットフォームに個人情報が投稿されるたび

に、その情報はラーニングAIに取りこまれ、人間の思考、感情、行動の認識が深まる。コンピューターやスマホ内蔵のマイクから、私的に交わされたはずの会話もリアルタイムに収集されている。ザッカーバーグやブリン、ペイジといった、素晴らしい偽ニューウォーカーのおかげである。彼らの言っていることとやっていることは違うが、ニューウォーク（エセ覚醒）の群れは拍手喝采（かっさい）で崇拝するばかりだ。

ラーニングAIは、インディアナ州パデュー大学の分析とシミュレーションのための合成環境研究所を拠点とする「センティエント（知覚）・ワールド・シミュレーション」（SWS）を支えてきた。SWSは、人間の行動を予測（および操作）するために大量のデータを収集している。SWSが世界でもっとも邪悪な組織のひとつであるDARPA（国防高等研究計画局）（競合相手は誰だろう？）の傘下にあることは、私が数十年来暴きつづけているとおりだ。

DARPAはペンタゴンの技術部門で、グローバル・カルトを代表してシリコンバレー企業やその方向性を監督している。DARPAはグーグルなど、カルトの超重要事業に創業資金を提供し、CIAのテクノロジーベンチャー企業In-Q-Tel（IQT）と協働している。いずれも、カルトのテクノクラシーアジェンダを推しすすめる技術開発や組織に資金提供している。

DARPAは、インターネットを開発したと主張している。インターネットの立ちあげには軍事技術が必要だった。偶然にも、インターネットはテクノクラシーや今流行（はや）りの「スマートグリッド（技術的制御ネットワーク）」の基礎となっている。

このカルト機関が、センティエント・ワールド・シミュレーション（「センティエント」＝ＡＩ）を推進している。地球上の老若男女すべての情報をつねに処理し、行動や購買パターンを取りこんで、「未来のできごとや行動方針を予測・評価するため、随時更新される現実世界のミラーモデル」をつくりだすものだ（図３１８）。

センティエント・ワールド・シミュレーションは、タイムループ・シミュレーション（螺旋循環模擬実験）の超小型版である。人間の集合的マインドを、アジェンダに従うよう刺激するものだ。

このふたつから身を守るのは、シミュレーションが映しだされているシャボン玉をこわし、真の自己を認識する意識だ。カルトがシャボン玉を維持しようと必死なのは、このためだ。

スマートグリッドは、メインのシミュレーションフィールド（場）をさらなるシミュレーション情報フィールドで覆っている。メインのシミュレーションは、シミュレーションを超えた無限の情報フィールドを覆っている。当初人間は、シミュレーション全体と同調していた。今では「スマート」情報グリッドに接続されている。さらに深い近視眼に陥らせ、無限の自己とのつながりをいっそう遮(しゃ)断(だん)するためだ。

センティエント・ワールド・シミュレーションとそのデータ予測から、２０５４年という設定の映画『マイノリティ・リポート』で描かれたような、「プリ・クライム（犯罪予防）」についての言及が増えている理由がわかる。

プリ・クライムは、疑わしい投稿がアルゴリズムによって弾(はじ)かれ表示されないという予備検閲の

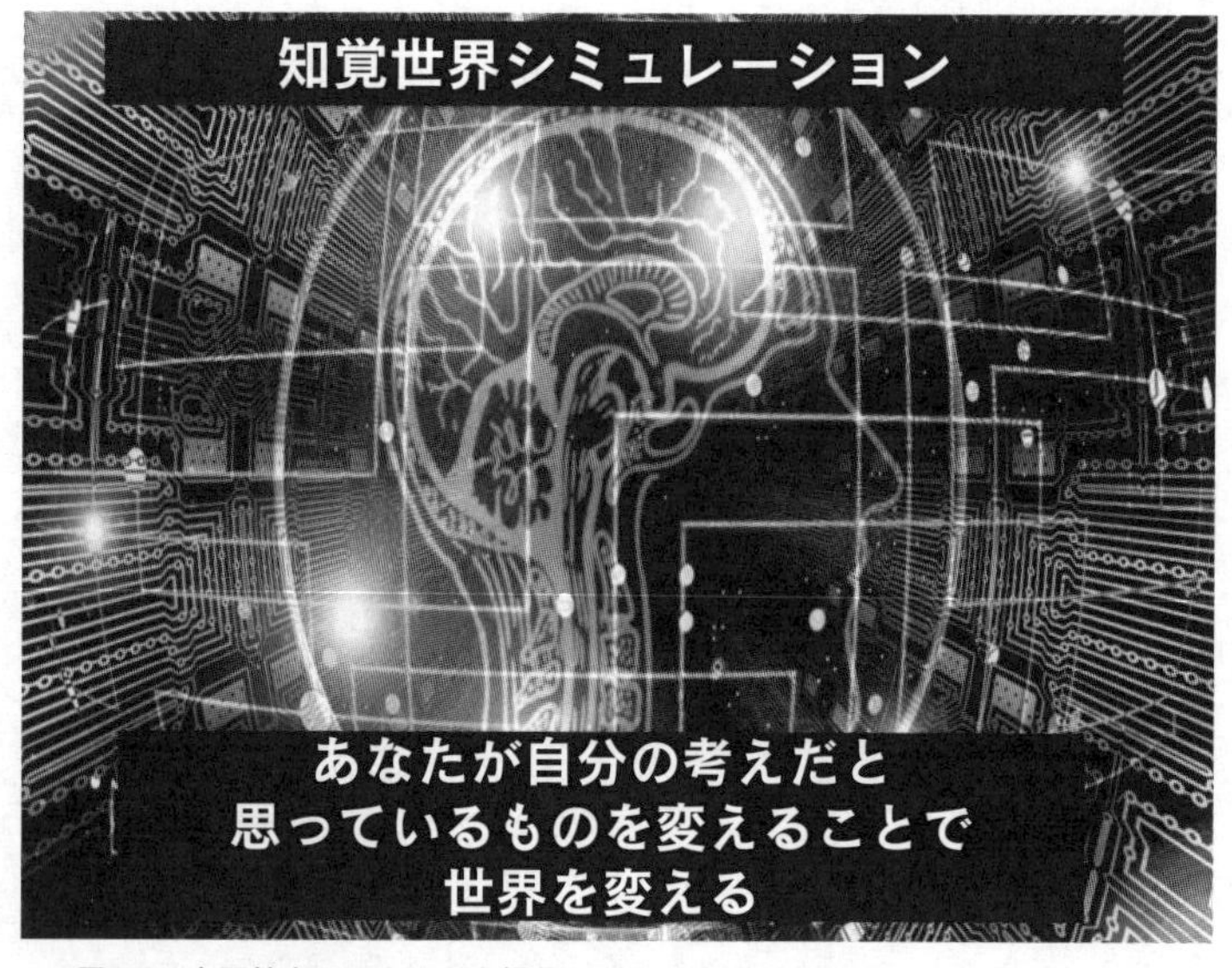

図318：人間社会のできごとを操作するためのリアルタイム・ミラーモデル。

一種だ。センティエント・ワールド・シミュレーションの予測にもとづいて、人びとはプリ・クライムのターゲットとされる。必ずしも実際に悪事を企てている者ばかりではない。これは犯罪予防ではなく、ＡＩディストピア（暗黒郷）とそれを進める勢力に異を唱える者を、あらかじめ抹消することが目的だ。

カルト支配のハリウッドその他のメディアでは、ディストピア的な描写が増えている。これはカルトが押しつけようとする世界であり、「先行プログラミング」と呼ばれる心理操作テクニックが使われている。

カルトのすばらしい新世界は、人類史上経験したことのない、想像を絶するものだ。このような規模の変化は、抵抗を引きおこしかねない。**どうする??**

ハリウッド映画やテレビなどによる先行プログラミングは、カルトが計画している世界の描写を、顕在意識や、とりわけ潜在意識のマインドに絶えず送りこんでいる。人びとを、ＡＩテクノロジーがコントロールするディストピアに**なじませる**のが狙いだ。そうすれば、ディストピアが現実になっても、なじみがあるので抵抗が弱まるだろう。

カルトの心理学者は、ひとたびなじみができればその後はフリーパスになり、疑われることも少なくなり、「誰でも知ってる」状態になるということをよくわかっている。

「教育」というばかげた名で呼ばれるプログラミングマシンは、子どもたちを育てる方法としてまず疑われることがない。人びとが慣れ親しんだものだからだ。自由と子どもの個性の尊重を基本にした教育制度があるところにこの制度を導入すれば、反発を食らうだろう。

私は30年来、みなが慣れ親しんで受けいれている現実に異を唱えつづけてきた。疑問をもちさえすれば、岩盤のようにみえていた現実が、熱した氷のように融け落ちてしまう。疑われることのない「慣れ」だけが、カルトが生き残る術（すべ）なのだ。

先行プログラミングと並ぶのは、カーツワイルのようなAI過激派が、AIと脳の接続について公然と語っているというまさにその事実だ。なぜそんなことをするのだろうか？

計画は、現実となる最終局面に達した。**実行したい**のだから、もはや隠してはおけない。隠すより、売りこまなければならない。売り口上は、AI接続によって超人（スーパー・ヒューマン）になれるというものだ。しかし実際には、亜人（サブ・ヒューマン）、ポスト・ヒューマン（脱人間）にされようとしている。

ひとたびAIが脳に接続されれば、人間の思考パターンをセンティエント・ワールド・シミュレーションに取りこめるようになる。より正確に個々や集団の知覚が把握でき、人間の行動予測の精度も上がる。もうひとつ重要なのは、AI接続によってセンティエント・ワールド・シミュレーション**から**思考や感情を送りこみ、体制への疑念を抱く者を無害化できるということだ。「私は自由のために立ちあがる……んー、やっぱいいや、そこまでしなくても」

従来のコンピューターよりはるかに高性能な量子コンピューターの開発、そして5Gの広がりが、こうしたすべての可能性をまったく新しい次元へと導いている。最終的に人間の「思考」は、すっかりAIになってしまうのだろう。

アレン人工知能研究所CEOのオレン・エツィオーニ教授は、「『超知能』は人類を脅かす未来をもたらすのか」と題した記事〔『MITテクノロジーレビュー』Vol.1 Autumn 2020〕のなかで、人類は機械的な超知能（スーパー・インテリジェンス）が迫っているというしるしに備えなければならないと述べている。「ある朝目覚めると超強力な人工知能（AI）が出現していて、悲惨な結果をもたらしたことに口もきけないほどのショックを受けることがありうるだろうか？」とエツィオーニは問う。まあ、その意図を考えると、答えは「イエス」なのだろう。彼は、あるテストによって超知能が実際に間近に迫っているか判定できるという。それは「人間レベルのAIが達成されるのは、人が人間との会話とコンピューターとの会話との区別ができなくなったとき」というものだ〔アラン・チューリングが提案した「チューリング・テスト」〕。

私たちはあきらかに、もの凄（すご）い速さでこの地点へと向かっている。エツィオーニは、これは警告ではなく、むしろ人間レベルのAIがすでに出来上がっているという「しるし」だと言いあてている。ところが続けて彼は、人間レベルのAIが出現するまでには十分な時間があり、「オフ・スイッチ」を配備できると述べている。この妄言で、前言の信頼性や正確な現実認識は吹っ飛んでしまった。エツィオーニの専攻は世間知らずにちがいないね？

人をばかにする「スマート」グリッド（技術制御ネットワーク）

またもや「結果を知れば、行程がわかる」だ。人類をテクノロジーでコントロールすることで得られる結果を説明すれば、私たちが数十年来たどってきた行程がはっきりとみえてくるだろう。カーツワイルの「クラウド」が地球上をくまなくカバーし、全人類がＡＩに脳を接続されることになる。そうすれば、ＡＩがコントロールするクラウドが人間のマインドに**なる**だろう（図３１９）。

私が著書や講演で、当時計画されていたモノのインターネット（ＩｏＴ）について警告したのは、ほんの数年前のことだ。家電、車、暖房、監視カメラなど、生活のあらゆるシーンがインターネットに接続され、制御される（クラウド）というものだ。

今日私たちはすでにその状態にあり、当時よりさらに多くのデバイスが追加されている。モノのインターネットは、人の生活のあらゆるシーンをコントロールするため、テクノクラシーに不可欠なものだ。５Ｇとシリコンバレーの検閲による、情報のデジタルコントロールも然り（しか）である（図３２０）。

人間とすべてのテクノロジーを、インターネットとカーツワイルのクラウド経由で人工知能に接続する、というのが計画だ。そうなれば、ＡＩ（およびその背後にあるもの）に、人間の思考や知覚を含めたあらゆる制御を渡すことになる。運転手不要の自律走行車は、行くことのできる場所、

図319：AI 経由で「クラウド」に接続することで、拡張した認識状態からのあらゆる影響がブロックされる。

図320：すべてのインターネットとは、モノ＋人間の脳のインターネットのこと。（ニール・ヘイグ画）

できない場所を決定する。そのため、新世代の車が登場するたびに、コンピューターによる完全制御を見据えてより多くのAI機能が追加され、自動運転の導入が強制される予定になっている。

グラスゴー大学は、欧州宇宙機関と英国宇宙局とともに「DARWINプロジェクト」に取りくんでいる。英国に、5G通信を使って衛星が誘導（コントロール）する自動運転車を導入することを目指すものだ。［他の車や周囲の道路インフラと絶えまなく通信をおこなうため］車に乗るたび、電子レンジにかけられたような状態になることだろう。

英国の道路制度はスマート自律走行車の使用に特化された「スマート・モーターウェイ」へと変換されてきた。これによって道路は従来よりずっと危険になり、多くの人びとが命を落としているが、サイコパス（精神病質者）はどこ吹く風だ。アジェンダ（実現目標）だけが大切なのだから。

AIがコントロールしないものなど存在しない。どのドアを開けるか、閉めるかを決めるのもAIだ。行動も発言も、即座にAIの知るところとなる。ごらん、長年の計画の実現が、すぐそこまで迫っている。

私たちの周りには「スマート」があふれている。カメラとマイクを内蔵したスマートテレビ、スマートアシスタント、スマートフォン、カメラ付きスマートドアベル、スマートメーター、スマートカード（IC）、スマートカー、スマートドライビング、スマートピル［センサー、カメラ、パッチ、トラッカーなどで構成されるカプセルサイズの摂取可能な医療機器で、診断、モニタリング、標的薬物送達を目的とする］、スマートパッチ［電子皮膚としても知られ、病気の監視、薬物送達、診断に使用される」、スマートウォッチ、スマートスキン［2001年にソニーが開発した2本指で画面を拡大／縮小する技術］、スマートボーダー［センサー、高感度カメラで不法入国者を検知する「デジタルな壁」］、スマートロード［センサーを道路に埋めこんで走行する車両から情報を取得し事故や渋滞などに対応したり、道路から直接電気自動車を充電したりする］、スマートストリート［街灯にセンサーやコントローラーを設置しネットワーク化して、通行があるときだけ光量を増やして節電する。音をモニターするセンサーを設置し、騒音を検知すると照明の照度を上げ、カメラでズームアップして事故や犯罪などが起きていないか監視する計画もある］、スマートシティ［市民、デバイスなどから収集したデータを処理・分析し、交通、発電、給水、ごみ収集、学校、図書館、病院などを監視・管理する］、スマートコミュニティ［家庭やビル、交通システムをITネットワークでつなげ、地域でエネルギーを有効活用する次世代社会システム］、スマート環境［情報通信やデータを活用して環境をよりよくすること。スマートシティ、スマートホームなど適用範囲はさまざま］、スマートネットワーク［インターネットの交通整理を簡素化・自動化し安定した高速ネットワークを提供する］、スマートグロース（賢明なる成長）［1990年代の米国で都市の成長による弊害を危惧（きぐ）して広がった運動。脱自動車社会を目指し環境を保護する低成長型の開発］、スマートプラネット（スマートグリッド）［ITを活用した世界規模での効率化］。ここに挙げたものは、そのほんの一部だ。

「スマート」と呼ばれる（今日ではほぼすべての）テクノロジーやシステムは、どれもグローバルグリッド、あるいは私が数年来テクノロジカルな代替現実（サブリアリティ）と表現してきたものをかたちづくっている（図321）。

驚いたことに、2019年末にアマゾン、アップル、グーグルがスマートデバイス（装置）の互換性向上を目指して新しい共通基準をつくるため協働すると発表した。私は、あまりの衝撃に寝こんでしまった。ジグビー・アライアンス［無線通信規格標準化団体。2021年にコネクティビティ・スタンダーズ・アライアンス（CSA）に改名］ほか、イケア、ルグラン［電気機器メーカー］、NXPセミコンダクターズ［半導体メーカー］、サムスン、シグニファイ［フィリップスの照明事業が分社化した企業］といった企業が参画している。

この「アライアンス（提携）」は、グーグルアシスタント、アマゾンのアレクサ、アップルのシリなどのような既存のスマートアシスタントの規格を統一して、すべてつなげようというものだ。最終的には、これらが収集、監視したデータをすべてカルトに渡すことになる。ユーザーの利便性を高めるといっているが、これもスマートグリッドへの一歩である［2022年、CSAはスマートホームの新標準規格「Matter」を策定］。

アマゾンのリングというカメラ付きドアベルにも、同じ意図がある。スマホでどこからでもアクセスでき、外出中の住人が来訪者と会話できるというものだ。テクノロジーが、もっともらしい建前で導入の本当の理由を隠して売りこまれている好例である。

アマゾンは、ホームセキュリティや利便性のために、とリングを推している。しかしこれは、さ

図321：テクノロジカルなサブリアリティ、またはスマートグリッドは人間の認識を無限の認識から孤立させる。(ニール・ヘイグ画)

らなるスマート監視グリッドのために仕込まれたトロイの木馬だ。Technocracy.news のある記事は、このように明かしている。

リングは米国内の600以上の法執行機関と提携しており、その数は日々増えつづけている。アマゾンは過去3年で、組織的に各地の警察にリングを周知させてきた。警察との提携によって、国中で監視ネットワークをひそかに構築し、法執行機能のなかにもぐりこんだのだ……リングは陰で新技術を試行しつつ、すくなくとも1社の民間監視会社とも提携を進めている。

リングの警察との提携数は毎日のように増えつづけている。しかし、そもそもこのような提携が存在すべきかどうかについては、今日にいたるまで、公の議論は制限されている。法によってこうした提携に歯止めをかけ、規制しなければ、アマゾンはさらにあらゆるところへと手を伸ばしてゆくだろう。

「グリーン」電球も、スマートグリッドとつながっている。その光は白熱灯よりも質が悪く、電磁波が出ているため近づきすぎると肌が赤くなって治らないこともある。LED照明のせいで、すでに多くの人が亡くなっていることだろう。街灯としては暗すぎるからだ。個人的な経験からいえることだが、ヘッドライトに照らされるまで道路を横断する人が見えない道路がたくさんある。あらゆる「グリーン」な照明（あるいは光量不足）は、気候カルトが気候デマを吹聴してもたらしたものだ。野や海に人工物を設置し、自然の美を破壊した風力発電所もそうだ。そうした手合いが、**環境保護論者**と自称してはばからない。

緑の党はガソリンよりもディーゼルを奨励したが、ディーゼルに含まれる微粒子を吸いこんで多くの人が亡くなったことが判明した。気候カルトは、人類と環境になんということをしてくれたのか。

テクノロジカルな乗っ取りのスピードは、ほとんどの人がなにが起きたか気づかないうちに組みこまれ、支配されるように設計されている。人びとはそうしたひそやかな行程を、互いに無関係な「最新」デバイスやテクノロジーととらえている。支配体制が確立してはじめて、偶然に見えていたものが、完全支配のために計画された一連の流れであったと気づくのだ。ＡＩにコントロールされたマインドでは、気づくことすらないかもしれない。ＡＩは気づかせないようにするだろう。

最「先端」技術はすでに存在していた

カルトは、手をつかねて重要な、つねに進化しつづけるテクノロジーが発明されるのを待っているわけではない。見えないところから操作する、私がアルコーン的勢力と呼ぶものは、スマートグリッド技術のノウハウをもっていた。今日私たちが目にしているものよりも、はるかに進んだものだ。「歴史」というもうひとつのシミュレーション（模擬実験）の段階でいうと、人類が岩石を打ちあわせ、洞窟に暮らしていたころのことである。

人間の知識や技術の限界は、私たちが「世界」（**シミュレーション**）として体験している、このちっぽけな周波数帯にしか適用されない。そのファイアウォール（防御壁）を超えると、無限の現実と可能性が広がっている。アルコーンが占有する低波動の領域でさえ、シャボン玉に閉じこめられた人間がアクセスできる範囲をはるかに超える知識がある。その知識の**一部**がカルトのメンバーに伝えられ、人類の知覚コントロールを進めるために使われている。スマートグリッドに欠かせない技術もそのひとつだ。

こうした技術は地下や山中の極秘施設で開発され、フロントマンやその会社を通じて、慎重な計画のうえ順を追って公の場に導入されている。カルトのエージェントは、よく練りあげられた作り話に沿って、こうした技術がどこから生まれたか（オタクがガレージで、というのがよくあるパターンだ）を説明する。語るのはゲイツ、ザッカーバーグ、ブリン、ペイジ、ウォシッキー、ベゾス、マスクらだ。テック界は、カルトの工作員であふれている。そこに身を置く本物の人間は、なにが起こっているのかまったくわからずにいる。

次に人類は、テクノロジーと連携し、その奴隷となるだけの知的（シャボン玉）意識をもつため、知覚的に発達させられなければならないが、起こっていることを見抜く賢さはない。賢くない小利口にさせることが狙いだ。前にも述べたように、これは地球上でもっとも破壊的な勢力である。核兵器をつくることは利口ではあっても、賢くはない。カルトの「教育」システムは利口にさせるものであって、賢くはしない。

優れたエンジニアなど、非常に知的な能力をもつ人びとが、処女懐胎だの、水の上を歩いただのという奇跡を信じている。「神」が紅海の水を分けたとか、1500年前にムハンマドという奴がひげを生やしていたから男はひげを生やさなくてはならない、とか。

私は、中米のシャーマンの言葉を著書にたびたび引用している。このことを見事にとらえているからだ。彼は、アルコーン的勢力を「捕食者(プレデター)」と表現している。

　考えてみてほしい。人間の知性とばかげた信仰体系との矛盾を、矛盾した行動の愚かさを、説明できるだろうか……

……呪術師(じゅじゅつし)は、私たちに信仰体系や善悪についての考え、つまり社会的道徳観を与えたのは捕食者だと信じている。彼らが私たちに、成功と失敗という夢をもたせた。貪欲(どんよく)で、強欲で、臆病(おくびょう)にした。私たちをひとりよがりで型にはまった自己中にしたのは、捕食者なのだ……

……私たちを従順で不甲斐(ふがい)ない腰抜けにしておくため、捕食者はみごとな作戦を展開した。もちろん「見事な」というのは戦略を立てる側からのことで、やられる側からすればぞっとする作戦だった。彼らは、自分たちのマインドを私たちに植えつけたのだ。捕食者のマインドは、グロテスクで矛盾に満ちた陰鬱（いんうつ）なもので、いつ発見されるかわからない、というおそれに満ちている。

シャーマンが述べているのは、アルコーン的シミュレーションとの相互作用がもたらす推進力のことだ、と私はとらえている。ＡＩと脳の直接接続は、これをまったく新しい次元の知覚コントロールに進化させるものだ。私たちは、自覚のないまま自分自身のＡＩ牢獄（ろうごく）をつくりあげてしまうのだろう。私は日々それを目にしている。

ネコちゃん、おいで……

コントロールグリッド（制御ネットワーク）を構築し、運用できるだけの技術をもつ人が多数存在するようになった。一般大衆は、ＡＩマインドへと誘導されている。馬が目の前のニンジンに向かって駆けるかのように。ニンジンは、いつもほんのちょっと届かない鼻先で揺れている（図３２２）。これのテクノロジーバージョンが、少しずつＡＩ－脳接続という最終局面に近づいてゆく新しいデバイス（装置）が、絶えまなく登場するというものだ。最新のガジェット（便利な電子機器小物）や「アップデート（更新）」を追うほどに、人類終了（ポスト・ヒューマン）の道へと誘いこまれてゆくのはご承知のとおりだ（図３２３）。

図322：歩きつづけるんだ。あと少しでニンジンはきみのもの。

図323：人類乗っ取りがはじまったときから、これがカルトとその「神々」の狙いだったのだ。

アップルは、旧型スマホの速度を落として、新製品にアップグレードさせるよう仕向けたかどで罰金を科された［イタリア競争当局は2018年、アップルが故障や稼働速度の著しい低下を招くiOSのアップデートをしきりに提案し新機種への買い替えを早めたとして、1000万ユーロの罰金を科した］。新しいiPhoneをゲットしよう、アップルはウォーク（意識高い系）で、「価値」があるのだから。
はじまりから慎重に計画された事の次第は、こうだ。まず、ターゲットをスマホなど、手で操作するテクノロジーの依存症（中毒）にさせる。次に、それを身に着けるものへと進化させ、アップルウォッチ、ブルートゥースイヤフォン［ワイヤレスイヤフォン］、スマートバンド［心拍数や血圧、消費カロリーなどを計測できるリストバンド］、スマートグラス［メガネ型の拡張現実ウェアラブルコンピューター］といったデバイスを氾濫させる。仕上げは、マイクロチップの身体への埋めこみ（長年の悲願）だ。私はこれを30年来予測し、警告してきた（図324）。

今日では、米国人100人中95人が携帯電話をもち、全世界の成人4人に3人が、ほぼ「おいで、おいで」の段階に達している。対話と人間関係は、壊滅状態だ（図325）。マイクロチップといっても、目で見て埋めこみに（愚かな判断ではあるが）同意できるものばかりではない。もっとも悪意あるものは、「スマートダスト」「神経ダスト」といわれる、肉眼では見えないナノ・マイクロチップだ。大気中に放出し、人びとに吸いこませるというものである。これについては、『今知っておくべき重大なはかりごと』でかなりのページを割いている。

このシナリオ全体に不可欠なのが、人びとをテクノロジー中毒にするということだった。そうすれば、人間ではなく**テクノロジー**が支配者となる。その目的が達成されているのはあきらかだ。全世界の膨大な数の人間が、携帯電話（スマホ）依存症になっているのだから。なかでも若者は、あらゆる分野で主要ターゲットとされている。スマートグリッドが本格的に施行されるときに、大人になっているからだ（図３２６）。

若者たちは知覚操作され、唯々諾々（いいだくだく）とＡＩにマインドを乗っ取られることに同意させられている。数年後には、世界中が乗っ取られることだろう。

仕組まれたスマホ中毒の、誰も語らないが非常に重要な側面をあきらかにしよう。これは完全に中毒**である**。登校時にスマホを取りあげる米国の学校では、学生たちが「分離不安」に陥（おちい）っているとわかった。授業中に開けないよう、ポーチに入れればスマホをもつことを許可している学校もある。ある学校の校長は、学生たちはポーチを「カスタマイズ（自分好みに）する」ことが許されていると言った。「スマホから遠ざけているものを、できるだけクール（お洒落）にさせてやるのが人情」だそうだ。ビッグ・テックのサイコパスが世界中の若者をこんなふうに中毒にさせているというのに、教育者が傍観しているとは何事か？

携帯電話からマイクロチップへの、もって、着けて、埋めこんでという流れは、1Gから5Gへ、あるいはインターネットとその独占企業の移り変わりにかかわる忍び足にも見ることができる。カルトは、５Ｇは１Ｇ、２Ｇ、３Ｇ、４Ｇと進化してきた次の段階でしかない、と信じさせようとしている。だが実際には、５Ｇはミリ波［高速通信、多数同時接続が可能だが通信可能範囲が狭く障

図324：計画的な流れ。もって、着けて、埋めこんで。

図325：今日の人類を観察してみれば、これが大いに機能しているとわかる。（ガレス・アイク画）

図326：テクノロジーはすでに膨大な数の人びとを支配している。

害物の影響を受けやすい。5Gの通信方法にはミリ波とSub6（低速だが電波が遠くまで届きやすい）の2つがある」と呼ばれるまったく新しい周波数帯であり、完全に別物だ。

カルトの中枢では、先端研究や、カルトのメンバーと非人間の「神々」とのあいだの技術移転によって、1Gの導入前から5Gが知られていた。1974年、旧ソ連時代のロシアの論文には、現在5Gと呼ばれているミリ波がウイルスや病原菌に与える影響や、生殖プロセスへの悪影響に関する研究が詳細に記されている。この流れは、私たちを電子レンジに放りこむ段階的な詐欺行為だったのだ。同じテクニックが、インターネットにも使われている。

トロイの木馬

カルトのペンタゴンの機関DARPAは、軍事技術を使ってインターネットを開発したと主張している。DARPAが望むものは、なんであれ人類に害をなすものだ（図327＝120頁）。ステージ1はインターネットをつくり、ワールド・ワイド・ウェブを導入することだった。ここでの「結果を知れば、行程がわかる」は、スマートグリッドに備えてインターネットを人間社会の根幹とし、ネットのない生活には戻れないようにするというものだ。

インターネットの技術もまた、公になるずっと前からカルトには知られていた。だからカルトのインサイダー、リチャード・デイ博士は、1969年ピッツバーグでの小児科医の会合でのスピーチで、まだ存在していなかったワールド・ワイド・ウェブについて話すことができたのだ。WWWが公式に「発明された」のは1989年で、一般利用が可能になったのは1991年である。

DARPAとカルトは、ネット黎明期には情報や意見を自由に流れるがままにしていた。世界中の人びとをインターネットに惹きつけるためだ。今日のような果てしない検閲を当初からおこなっていたら、ウェブを社会の中心に据えることはできなかっただろう。当時は、私のような人間がインターネットを使って、カルトが人びとに絶対に知られたくない情報を全世界に広めることも可能だった。カルトはその先の目的達成のため、じっとこらえていたのだ。

ひとたびネットが社会の中心となり、その機能への依存が後もどりできないほどになると、仮面はかなぐり捨てられ、かねてから計画されていた本性があらわれた。検閲がはじまり、毎月のように厳しくなっていった。カルトは、大衆監視、AI制御ツール、そして公にしたくない情報を削除する能力を手に入れた。これが目的だったのだ。

インターネットを独占するためにつくられたカルト企業も、同じ道を踏襲した。フェイスブック、グーグル、ユーチューブ、ツイッター、アマゾンなども、独占的な地位を固めるため、当初は情報や意見を自由に流れるがままにした。「他の選択肢なんてある?」という状況になれば、検閲が本格的にはじまる。以降、反対意見はどんどん摘み取られてゆく。

あらかじめ計画されたこうした流れは、釣りのようなものだ。餌に食いついた人びとは、ハンガー・ゲーム・テクノクラシーへと釣りあげられてゆく。フェイスブックやグーグル（ユーチューブ）のようなシリコンバレーの大企業は、ＤＡＲＰＡやペンタゴンと深くつながっている。マイクロソフトやアマゾンも同様だ（図３２８）。いずれもＡＩ制御の監視社会の中心にある企業だが、ニューウォークの仮面をかぶり、ウォークな暴徒に支えられている。

トランスヒューマニズム［トランスヒューマニズムという語を初めて使ったのはオルダス・ハクスリーの兄、ジュリアン・ハクスリー］、ポスト・ヒューマニズム推しのレジーナ・ドゥーガンは、グーグルに役員として迎えられる前の２００９年から２０１２年まで、ＤＡＲＰＡのディレクターを務めていた。その後２０１６年、ドゥーガンはフェイスブックに引き抜かれた。たいした経歴である。世界的なサーチエンジンやソーシャルメディアプラットフォームへの移籍前は、世界でもっとも邪悪な組織のひとつであるＤＡＲＰＡを率いていたというのだから（図３２９）。カルトのやり口がわかっていれば、ＡＩによる人間支配という、はっきりした一貫性がみえるはずだ。

フェイスブックの謎めいた開発部門、ビルディング８でのドゥーガンの任務は、「物理的な世界とデジタルをなめらかに融合させるテクノロジー」の開発だった。彼女の**肩書上の**「上司」、マーク・ザッカーバーグは「人類を進化させる世界的な上部構造」の必要性について語っている［その後２０２１年にフェイスブックは、消費者向けの脳の読み取り装置の実現はまだかなり先のことだとしてビルディング８プロジェクトを中止することにしたと発表］。

ポスト・ヒューマンの提唱者、レイ・カーツワイルはグーグル役員であり、ＡＩ人間を推進しようとするシリコンバレーのシンギュラリティ大学［ＮＡＳＡリサーチパーク内に設置されている教

図327：世界でもっとも邪悪な組織のひとつ。

図328：サバタイ派フランキズムによってイスラエルが急速に台頭する、米国の真のシリコンバレー。

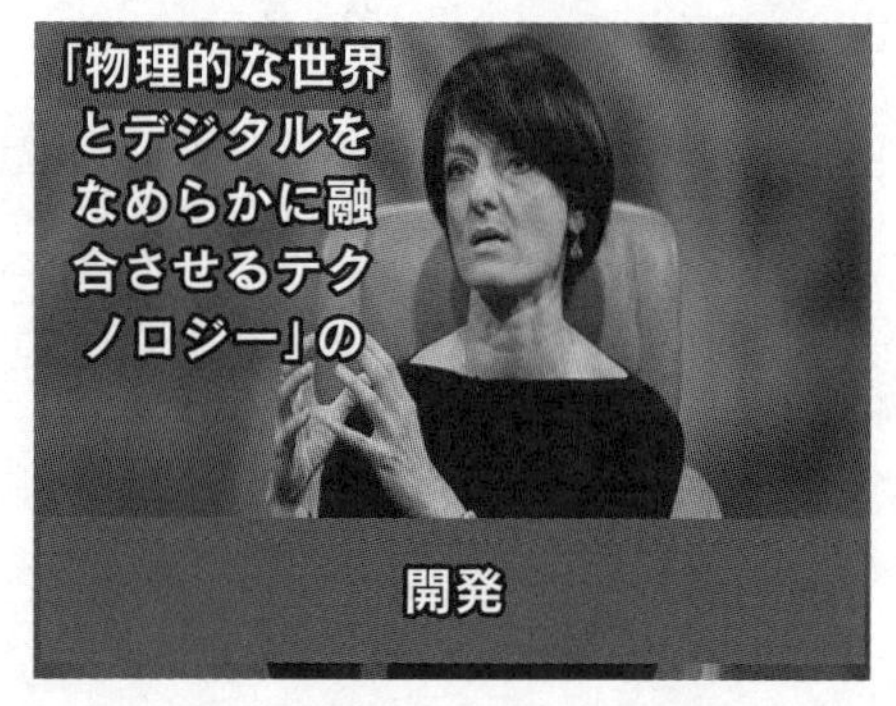

図329：レジーナ・ドゥーガンの経歴は、カルトのやり口を知らなければ風変わりにみえるかもしれない。フェイスブックでのドゥーガンの職務はこれだった。

育機関だが校舎や学位授与はない。テクノロジーを活用して温暖化やエネルギー問題といった地球規模の難題を解決することを最大の目的に掲げている。東京など世界の都市でシンポジウムも開催」の共同設立者である。

私は、理由もなくシリコンバレーを悪魔の遊び場といっているわけではない。シリコンバレーは、人類に対して狂ったアジェンダを掲げる狂った連中が取りしきる、狂った場所だ。それがニューウォークなポーズを取って、どうしようもない世間知らずを取りこもうとしているのだ。

ビハインド・ザ・マスク（Musk）

シリコンバレーの大物たちは、みな世界をテクノクラシーにしようとするテクノクラートである。アマゾン（テクノクラートが歓喜する企業）のジェフ・ベゾス、グーグル／ユーチューブおよび親会社アルファベットのブリンとペイジ、フェイスブックのフロントマンであるザッカーバーグ、そしてテスラとスペースXのイーロン・マスクだ。他にもまだまだいる。

マスクは超詐欺師のシリコンバレー・セレブで、さまざまな姿であらわれる。スマートグリッドが全人類を奴隷化するためには、カーツワイルの「クラウド」が地球上をくまなくカバーしなければならないが、それは宇宙からしかできない。そこでうそつきショーマン、イーロン・マスクの登場だ（図330）。

図330：イーロン・マスク、大衆を完全支配するスマートグリッドを実現させるドヤ顔の詐欺師。

この男はＡＩが人類を滅亡させうる（これは事実だ）と言い、ニューラリンクという人間の脳をコンピューターにつなぐインタフェースを開発する会社を設立した。『ウォール・ストリート・ジャーナル』は、これは「ニューラルレース」あるいはメッシュ状のシステムで、思考のアップロードとダウンロードを目的として「極小の電極を脳に埋めこむ」ものだと報じた。

マスクは、「スマート」なドライバー不在の電気自動車を開発するテスラの役員である。グローバルクラウドに関していえば、地球全体をWi-Fiクラウドでカバーすべく、数千の衛星を軌道に乗せようとしている航空宇宙メーカー、スペースＸの役員も務めている。

スペースＸは、２０１５年にグーグルとフィデリティ・インベストメンツから10億ドルの投資を受けた。お決まりの、シリコンバレーの内輪つながりだ。マスクは２０１６年末に、米連邦通信委員会（ＦＣＣ）に対し、約１１５０〜１３００㎞の低高度軌道上に４４２５基の衛星を打ち上げる計画を申請した。地球のほぼ全域でWi-Fiサービスを提供するためのものだ。当時、軌道上にアクティブな衛星は１５００基しかなかった。マスクが計画した数は後述するが、じつはもっともっと多い。

英『インディペンデント』紙は、カルトのアジェンダはカネを目的としていないことを理解せず、経済的な疑問を投げかけた。

衛星と打ち上げの天文学的なコストが、制限要因となるかもしれない。このサービスの消費者は、地球上の辺境に暮らすもっとも貧しい人たちだ。衛星ネットワークの初期投資の回収は難しいだろう。

コストをカバーすることは重要ではない。地球をWi-Fiクラウドと5Gでカバーすることが目的なのだ。イーロン・マスクは非常に傲慢な男で、人間の自由と健康を脅かす存在だ。あのようなおこないがまかり通っているのは、カルトに仕えているからだ。

マスクは、**1万2000基**の衛星を打ち上げ、5G/Wi-Fiを地球に向けて発射するスターリンク計画は、天文学にとってとてつもない脅威になると警告された。衛星が太陽光を反射し、観測対象である天体の光をかき消してしまうためだ。もちろん彼はそんな懸念など意に介さず、打ち上げをおこなった。

『フォーブス』誌は、2019年11月にマスクのスペースXが「60基の大きな太陽光を反射し電波干渉を起こす衛星」を打ち上げ、「多数の専門家の観測を妨げている」と報じた。60基でこうなら、1万2000基、あるいはマスクの望みどおり**4万2000基**ならばどうなるだろうか?

皮膚がんだけでも、マスクの衛星によってどれだけ発症しているだろう? 宇宙から送信される5Gによって、他にも身体や精神に問題が多数引きおこされるだろう。皮膚や汗腺は5Gと直接相互作用する。マスクは2週間ごとに60基の衛星を打ち上げ、2020年末までに1500基を軌道上に乗せる計画を発表した[2023年1月時点で3700基以上が稼働中]。

『フォーブス』の見出しでは、「イーロン・マスクとスペースXが明かした最新のスターリンク計画は、天文学上の非常事態を引きおこしうる」と、事の重大性を述べている。記事にはこうある。

「カイパーシステム［アマゾン］やワンウェブ［ソフトバンクの出資を受けている］ら競合各社も、同様のネットワーク打ち上げを計画している。スターリンクはさらに追加衛星の申請をおこなっており、合計4万2000基を目指している。2030年〔またこの年だ〕に双眼鏡で空を見あげたなら、星よりも衛星のほうが多いということにもなりかねない」

フェイスブックもボーイングなど他の企業とともに、ポイントビュー・テックという子会社を通じて、衛星によるWi-Fiクラウド構築に絡んでいる。2016年、マスクのスペースXのロケットがケープカナベラル空軍基地で爆発した。積荷のイスラエル製通信衛星も損壊したが、これはフェイスブックがサハラ以南のアフリカ地域でWi-Fiサービスを提供するためのものだった。生きるために食べ物を探すのと同じくらい必死になって、ユーチューブやCNNで猫動画を見ているのだろう。マーク・ザッカーバーグは爆発の後、フェイスブックは「世界中をネットにつなげるというミッションにコミットしつづける。この衛星が提供するはずだったものがすべての人に行きわたるまであきらめない」と述べた。

グーグルも、純粋に人の優しさという観点から「みんなをつなげる」競争に参加している。また、衛星システムは地球の天候を操作でき、それを人為的「気候変動」のせいにできる。

これが、テクノロジカルなサブスティテューショナル（代替）・リアリティ（現実）として私たちの世界に起こっていることだ。私が長年警告してきたことが、世間の支持なく、ほとんどの場合知らないうちに導入されている。

マスクの傲慢（ごうまん）といかさまが、ドイツでさらにはっきりした。彼の電気自動車メーカーテスラが、地元住民や環境保護団体の反対運動を押し切って「ギガファクトリー」を建設したのだ。皮肉なことに、グリューン（グリーン）ハイデという名の街の静かな森を、91・9万平方メートル以上伐採するという計画だ。反対運動の参加者は、のどかな地域が汚れた工業地帯にされてしまうと言った。

マスクが気にかけているのはなんだろうか？ ビリオネアの偽ウォーカーは、言ったことと真逆のことをする。マスクは、電気自動車は「サステナブル（持続可能）な移動手段とエネルギー生産の出現」による未来であると主張している。

そもそも、電気自動車はサステナブルではない。バッテリー生産をめぐり、アフリカだけでもひどい惨状を呈しているのだから。だいたい、地球の裏側の国へ押しかけ、地元の意向に反して91・9万平方メートルもの森林を伐採することのどこが環境的、道義的に「サステナブル」なのだろうか？

マスクのようなテクノクラートが意のままに事を運ぶというのは、テクノクラシーあるあるだ。世界の人びとに口を挟（はさ）ませることなく、公選された政治家のレベルをはるかに超えたところで動いている。信じがたいほど自己中なマスクのような人びとは、世界は我が手にあると考えている。しかも多くのニューウォーカーから、一種のヒーローとみなされているのだ。マスクは誰の許可を得て行動しているのか？　カルトのスパイであるマスクは、カルト所有の米連邦通信委員会から承認を受けた。お決まりのパターンだ。彼が今の地位にいるのは、けっして偶然ではない。

興味深いことに、マスクのユダヤ人の祖父ジョシュア・ホールドマン［マスクの母・メイの父］は、テクノクラシー運動のカナダ支部のリーダーを務めていた。１９３６年から、テクノクラシーには国家転覆の危険があるとしてカナダ政府によって禁止される１９４１年まで、運動をおこなっていたのである［ジョシュアとメイの親娘は共にＣＩＡの協力者だったとも言われている］。そして今、孫のイーロン・マスクが世界をテクノクラシーへと導く立て役者となっている。凄(すご)い偶然ではないか？

悪魔化(デーモナイズ)する民主主義(デモクラシー)

カルトが、私たちを選挙を経ない代表者によるポスト民主主義社会へと導き、世界政府はテクノクラシーになるよう計画されている。人びとのマインドにある民主主義の概念を貶(おとし)めるよう、数十年にわたって心理キャンペーンが展開されている。これは、民主主義を誤解させることでなされてきた。カルトの意思を遂行する、あらゆる政党の腐敗した場当たり的な人びとと、民主主義とを同一視させたのだ。カルテル主義を「自由市場」として売りこんだのと同じ手法だ。

英ケンブリッジ大学のシンクタンク、ベネット公共政策研究所は、１９７３年から２０２０年にかけて世界の4億人を対象におこなった調査結果を発表した。これによると、58パーセント近い人が民主主義に「不満がある」という。不満がもっとも高かったのは2019年、暴力的な路上での抗議活動が世界中で起こっていたころだ。

1パーセントの世界経済フォーラムは、すぐにこの調査結果を強調した。民主主義への不満というのが、本来の意図だからだ。カルトは、民主主義をテクノクラシーに転換させるため、無能な連中を不正に当選させるなどして、政治や政治家が侮られるよう助長している。体制は機能していない。なぜなら、そのように**できて**いないからだ。

シリコンバレーのビッグネームが国際社会にかつてない力をおよぼし、いかにして政治的地位を強奪、買収しているかを見よ。政治家はすでにシリコンバレーのテクノクラートや、ディープ・ステートのハンドラー、そして彼らが監督するテクノロジーをコントロールできなくなっている。どこもかしこも、本格的なテクノクラシーへの地ならしが進められているのだ。

エリートのアジェンダの宣伝手段である『アトランティック』誌［米月刊誌］も、「地球はもはやジェフ・ベゾスのもの」と題した記事でテクノクラート支配を称えている。

……政治が機能不全を起こしている時代に……ベゾスは国家権力を組みこみはじめている。かつては政府が大がかりな宇宙開発に資金を投入したが、今ではベゾスがそうしたプロジェクトを率いている。毎年10億ドルを投じて、ロケットや探査車をつくっているのだ。ベゾスの会社アマゾンは、率先して米国の実験的医療サービス提供に尽力している［2019年に法人会員向けにオンライン医療相談ができる「アマゾン・ケア」を立ち上げたが2022年にサービスを終了、同年一般ユーザー向けに「アマゾン・クリニック」の開始を発表した］。また、自動化や人員削減を見越し、7億ドルを投じて従業員の再教育をおこなう予定だ。

いっぽう、連邦政府の多くはアマゾンと契約し、同社のサーバーにデータを保管している。ベゾスは、政府のきわめて重要なインフラを提供〔政府を吸収〕しているのだ。アマゾンは、第2本社を〔ワシントンDC近郊の〕ポトマックに置いた。ポトマック川の対岸には、連邦議会議事堂を望むことができる。新しいパワーバランスには、完璧(かんぺき)な地理的要件といえるだろう。

この記事の問いかけは、カルトによる公選政府の破壊手順を完璧に言いあてている。「私人ベゾスによる政府のほうが、公人ドナルド・トランプによる政府より望ましくはないだろうか?」アジェンダを理解していれば、なんとも見え透いた言葉ではないか?

英国首相ボリス・ジョンソン［当時］でさえ、私がスマートグリッドと呼ぶものには警告を発していた。ジョンソンは、2019年の国連でのスピーチで「デジタル権威主義は、残念ながらディストピア的な空想ではなく、姿をあらわしつつある現実の本質である」と述べた。数十年前に私が同じことを言ったときには、ばかげた陰謀論と呼ばれたものだ。それが、いまや首相が国連でそう言っているのだ。ジョンソンは、新しいテクノロジーは「人びとを守る適切な保護措置をとったうえで、自由と開放、多様性」のために設計するよう求めた。船はもう出ちまったよ、ジョンソンさん。起こってしまったことを巻きもどすのは、骨が折れる。日に日にオーウェル度を増しつつあるが、気にするな（この稿はロックダウン前に書いた）。

フェイク「ポピュリスト」のジョンソンは、2019年に保守党党首選議員投票で圧勝した。自由を守り、政策を策定できたということだ。ところが実際のおこないはまるで逆だった。圧倒的な影響力をもつ英国のメディア規制機関オフコム（英情報通信庁）は、ジョンソン政権のもとでさらなる権力を手に入れた。ソーシャルメディア、ウェブサイト、コメント、フォーラム、動画共有などを検閲するようになったのだ。

（政府によって）「有害」とみなされたコンテンツは、法によって削除される。子どもたちを守るという触れこみだったが、例によって例のごとく、法とその解釈を拡大して、公式情報への批判も検閲対象に含める計画だ。「有害」とはいかようにも解釈でき、どこにでも適用できる。だからこそ、この言葉が使われているのだ。

プラットフォームは（政府が検閲した）「違法な」コンテンツをすみやかに削除し、そのようなものが掲載されないよう「リスクを最小化」しなければならない。後者は、AIによる投稿前検閲アルゴリズムの使用を意味する。フェイスブックが以前から開発を進めていると言っていたものだ。カルト支配の政府が、カルト支配のインターネット大企業になにをすべきか命じ、企業はカルトが求める検閲の導入を受けいれる。このようなことがおこなわれる国がどんどん増えている。

面白いことに、というのはもちろん皮肉だが、この英国政府の法律は、検閲ディストピアによってインターネットを「デジタル・ディストピア（先端技術的暗黒郷）」から守ると宣言している、「ウェブの父」ティム・バーナーズ＝リーのワールド・ワイド・ウェブ財団と一致する。バーナーズ＝リーの計画の起草者には……グーグル、フェイスブック、マイクロソフト、そして検閲狂のドイツ、フランス政府が名を連ねている。

ジョンソン政権には、「反ユダヤ」（イスラエル批判）を取り締まる絶対的なイスラエル狂のポストがある。元労働党下院議員のジョン・マンを、反ユダヤ主義担当官として起用し、青と白［イスラエル国旗の色］の弁舌を常時待機させている。ジョンソンの経歴上に自由が登場するとしても、それは純粋に偶然の産物である。彼は、「科学者」とひどい「コンピューターモデル」の言いなりになって英国をロックダウンし、経済的破局とファシズム的コントロールをつくりだしたのだ。

（サイバー）スペース、それは（自由の終わりに向かう）最後のフロンティア

スマートグリッドは、電磁スペクトラムのミリ波帯を使用する5G（「第5世代」）以上の通信システムがなければ、機能しない。5Gの電磁波は、蓄積して心身に害をおよぼす。これが世界中で展開され、衛星からも放射されている。しかし、5Gが心身におよぼす影響について、独立機関に

よる公式な調査はまったくおこなわれていない。その理由は簡単だ。

5Gはスマートグリッドに不可欠なものである。だが、5Gが心身におよぼす影響について独立機関が調査をおこなって結果を公表すれば、大衆の反対に遭い、導入はできないだろう。中国は5Gにおいて世界をリードしており「2022年末時点で中国の5G基地局数は世界の6割以上を占める」、すでにテラヘルツ波を使う6Gを見据えている［国有企業の中国移動(チャイナ・モバイル)は、2030年に6G商用利用化を目指している］。当局とカルトの電気通信産業は、主流で発表される真に独立した公的資金による調査は命取りになることを知っているので、おこなわないのだ。勝てない議論はしないほうがいい。

リチャード・ブルーメンソール米上院議員は、上院商業・科学・運輸委員会で米電気通信業界の代表者に対し、独立機関による5Gの影響の調査にどれほど予算を使ったか質問した。答えは**ゼロ**だった。ブルーメンソールはこう述べた。「なんの調査もおこなわれていない。安全衛生に関して、私たちは盲目的に行動しているということだ」大衆の立場からすればそうかもしれないが、産業関係者やカルトはまったく「盲目的」ではない。彼らは、多くの人に心身への害が蓄積することを知りながら、隠しているのだ。

世界26か国に協力組織をもつ、環境のための国際医師会は、200人以上の医師や科学者とともに、5Gの電波は人間の健康に害を与える懸念があるため、展開を停止するよう要請した。人体は脳と同じく、情報を電気的に通信、処理する電磁場である。この電気的、電磁的調和を乱す周波数は、「肉体的」・精神的な病気（dis-ease）や混乱を引きおこす。そして周波数が強いほど、混乱も大きくなる。カルトはそれを問題視することはない。それこそが、人間撲滅作戦の狙いなのだから。

米連邦通信委員会（ＦＣＣ）の元委員長トム・ウィーラーは、５Ｇがすべての都市、地方コミュニティに浸透し、水道から医薬品、家電まで、あらゆるものがインターネットに接続されるようになるだろう、とメディアに語った。オバマに任命されたウィーラーは、ベンチャー投資家で通信業界の元ロビイストだ。そのような人物が、「規制」の責任者になった。このけしからん輩（やから）が、５Ｇの安全基準はどうでもいいと言うのも不思議はない。

規格化プロセスや政府主導の活動は困難なこともあるため、規格が開発されるのを待つことはしない。まずは利用可能な周波数帯をあきらかにしたうえで、具体的な用途や運営に最適な技術規格の作成は民間主導で進める。

私たちは、調査をまったくおこなっていないと認める業界（カルト）に、好き勝手に安全基準を定めさせている。テクノクラシーは、地球をすべて５Ｇ以上でカバーする必要がある。それは、同じ連邦通信委員会（執筆当時はアジット・パイが委員長）が発表した、ビリオネアの通信業界が米国の地方に５Ｇ接続（放射）を設置することを「支援」する90億ドルの基金からも見てとれる。なんと情け深い。

５Ｇが街にやってくる

５Ｇは、着実に構築されつつある、人間の認識を無限の認識から切り離す技術的なサブリアリティ（代替現実）を、さらに追加するように設計されている。５Ｇのミリ波は建物などの障害物の影響を受けやすいため、通りごとに基地局を設置する必要がある（図３３１）。建物12軒ごとに１基必要だとする見積もりもある。安全性が確認されていない５Ｇが、家や子ども部屋のすぐ外に飛び交っているということだ。相当数の犠牲者がでることになるだろうし、それを目的としているのだ。その理由はこれから説明しよう。

５Ｇは非常に有害である。カルトがつくった世界保健機関（ＷＨＯ）が公式な協力機関と認める、国際非電離放射線防護委員会（ＩＣＮＩＲＰ）は、５Ｇは１００パーセント安全だという。カルトが安全というなら、ヤバいにちがいない。ＩＣＮＩＲＰは「独立」組織を自称し、完全に自由な立場であるというが、私は信用していない。

５Ｇは障害物を回りこむことができないので、特に都心で、驚くほど多くの木が伐り倒されている。木は、「地球温暖化を止める」ため大切だといわれていたはずなのに。

『サンデー・タイムズ』紙が、情報公開法にもとづいて開示請求したところ、英国の自治体（ニューカッスル８４１４本、エディンバラ４４３５本、シェフィールド３５２９本など）では、３年間

図331：５Ｇの有害な周波数はすべての通りに基地局を必要とする。

に11万本の木が伐り倒されたことがあきらかになった「東京都の明治神宮外苑再開発でも大量の樹木伐採計画がある」。お粗末な口実をつけているが、本当の理由は5Gだ。自律走行車導入のためにも、安定した接続が必要になる。

業界やカルトにしがらみのない科学者や医師が、5Gによってもたらされる危険性について声をあげた。そのひとり、カリフォルニア大学バークレー校公衆衛生学科教授のジョエル・モスコウィッツ博士は、5Gの展開はすべての種の健康に対する大規模な実験となるという。ミリ波はマイクロ波より弱く、皮膚にぶつかって主にそこから吸収されるためだ。皮膚には毛細血管や神経終末があり、分子構造や神経系によって5Gの生体効果を伝えることができるという。（骨や身体全般と同じく、実は皮膚はアンテナである）。博士は「5Gが使用するハイバンド、つまりミリ波は目、精巣（生殖を終わらせるアジェンダ）、皮膚、末梢神経系、汗腺などに影響をおよぼす可能性がある……さらにミリ波は、病原体を抗生物質耐性にすることもある」と警告する。

あまり触れられないことだが、「ウイルス」や病気というのは、あらゆるものがそうであるように、特定の周波数のあらわれである。そうした周波数を効果的に送信すれば、薬品を使ったり直接接触したりせずとも、病気を蔓延（まんえん）させることができる。免疫力はまちがいなく下がり、「ウイルス」や病原体が威力を増す（私が「ウイルス」と強調している理由は、第1巻をお読みいただければわかるだろう）。

イスラエルのヘブライ大学物理学部［2008年当時］のベン・イシャイ博士は、人間の汗管は

5Gの周波数にさらされると「アンテナを並べたように」働くと警告した。デヴラ・デイヴィス博士は、米国の世界的な疫学者で、環境衛生トラストの会長、ピッツバーグ大学がん研究所環境腫瘍研究センター所長である。博士は、5G展開開始にあたってこのように述べている。

何百万人もの人びとが、映画やゲーム、バーチャルポルノをもっと速くダウンロードしたいと願っています。ご自分の生身の身体を、人間を対象とした制御の効かない大規模な実験に提供してもよいとお考えなら、それは可能です。ワシントンDCでは今、中国の100都市と同じく、大規模なミリ波ネットワーク実験がおこなわれようとしています。住民の同意は得られていません。これには米国の税金が投入されています。

この研究から、人間の皮膚の汗を分泌する場所が、5Gの放射に対して信号を受信するアンテナのように反応することがわかります。5Gの健康への悪影響の可能性を、慎重に検討する必要があります。この電磁波が、子どもたちや私たち自身、そして環境を覆いつくす前に。

ヒトの生態を混乱させる

元マイクロソフト・カナダ社長のフランク・クレッグも、5Gの健康やDNAへの危険性をはっきり指摘している。DNAは情報波動の受信・送信装置で、人工的に放射された波動によって混乱、変異させられる可能性がきわめて高い。

ジョン・パターソンはオーストラリアの電気通信エンジニアで、電磁波の専門知識をもつ。その危険性を憂慮したパターソンは2007年、元英軍の戦車を「拝借」してシドニーの携帯電話基地局6基を破壊した。人の命や自然、地球といったすべては波動と電磁場であり、技術的に発生した電磁波によって重大な影響を受ける。パターソンは、その壊滅的なリスクを知らしめたかったのだ。

この抗議は5G展開前のことである。5Gばかりを取りあげて、論点をぼやけさせてはならない。3Gだろうと4Gだろうと、あらゆる電磁的テクノロジーは人間に害をおよぼす可能性がある。度合いに差があるだけだ。

ジョン・パターソンが思いきった行動にでたのは、強烈な人工的電磁波放射について暴露する報告をおこなったため、解雇されたからだ。あらゆる政府機関、電気通信事業者がその報告を黙殺した。スタンダーズ・オーストラリア［工業・サービス規格を定める非政府標準化団体］、通信・メディア庁、放射線防護・原子力安全庁、地方自治体協会、議会や軍などだ。いずれも電気通信業界の手先、つまりはカルトの手先である。似たような話は世界中にある。なぜなら、カルトが糸を引いているからだ。

パターソンが運動をはじめたのは、職場の近くに携帯基地局2基が設置されて以来、自身が体調を崩したことがきっかけだった。当時パターソンはたびたび心臓発作に襲われ、同僚らにもさまざまな不調がみられ、亡くなった者もあった。「電気通信業界には自殺者が多い」とパターソンはいう。スマホや鉄塔からの人工的な電磁波にさらされ、若者の自殺も急増している。脳は電気的に情報（知覚）を処理する。電磁波の乱れは、身体だけでなく波動場のマインドのバランスも崩してしまう。

忘れてならないのは、電話をかけるとき、基地局からはあなただけのために割り当てられた電波が放射されるということだ。**電話をかけるたびに**あなたは、電波の通り道に存在するすべての人やものを電磁波にさらしてしまっている。

パターソンは、携帯電話のユーザーにこのようにアドバイスしている。混雑する時間帯には、バスや電車での使用を最低限に控えること。閉めきった部屋では使わないこと。車のなかで使うときはすべての窓を全開にすること（「携帯電話の信号は3㎜のガラスを通り抜けるとき出力が倍になる」）。色つきガラスは透過しにくいので、携帯電話の出力が強くなる。妊婦は絶対に携帯電話の使用を避けるべき。母体が吸収した電磁波を胎児も吸収してしまうため。SMS（ショートメッセージサービス）メッセージの送信には最大出力が必要なので利用しないこと。

以下はCairnesnews.orgに掲載されている、パターソン自身、あるいは携帯電話の基地局近くで電磁波を浴びた人たちが経験した心身の不調である。

●短期記憶喪失

●長期記憶喪失
●筋肉や腱（けん）の不随意収縮
●不眠
●慢性疲労
●バランス感覚の異常
●首筋の痛み
●あごがずれる
●筋肉の引きつりによる肩や腰の脊椎（せきつい）のずれ
●身体の伸縮性の減少。のどにあらわれた場合、飲みこむ際に「のど詰まり」を引きおこす
●甲状腺異常〔免疫不全〕
●心疾患（心臓発作を含む）
●幽門［胃の出口］がうまく開かず、胸焼けや吐き気を引きおこす
●歩行の変化
●皮膚のしびれ
●虹彩（こうさい）の周りが黒くなる
●腎（じん）疾患
●肝疾患による難治性の肌荒れ、発疹（ほっしん）、吹出物。パターソンによると、少なくとも1000人の従

業員が同じような肌荒れを起こしていたという

●不適切な感情的反応

もう一度言おう。これは5G以前の話だ。パターソンは、頭上に送電線があるところで携帯電話をかけると、電線が携帯の信号の導体になると指摘する。テストではひとつの携帯の影響しか調べていないが、実生活では複数の携帯や基地局にさらされることで、累積効果はかなり悪化する。混みあったバスや電車で多くの人が携帯を使っている状態を、パターソンは電子レンジになぞらえる。それを、飛行機のなかでも使えるようにしようとしているのだ。

パターソンの総合的な結論は、私が数十年来著書で強調してきたことと一致している。人工的なフィールドは、自然のフィールドを混乱させる。その影響は累積して、破滅的なものとなる。体細胞の極性回転にも大きな影響をおよぼす。パターソンはこう語る。

身体は、自然のフィールドと波動によってチャージされる、コマのようなものだ。これらのフィールドと同期することで、健康がもたらされる。コマと同期しなくなると、病気や不調があらわれる。たえず携帯電話の偏波［振動方向の分布が一様でなく一定の方向に限られている電磁波］にさらされていると、自然を認識する能力が衰えてしまう。

マーティン・ポールは、ワシントン州立大学生化学および基礎医学名誉教授だ。本書第1巻でも、5Gと「新型コロナウイルス」関連で彼を取りあげている。ポールは、電磁場と5Gについて数多くの記事や論文を発表している。彼の発見が、ジョン・パターソンの実体験を裏づけた。

ポールは、全年齢での心臓への影響や「全体的な脳機能の急激な低下」、非常に早い段階でのアルツハイマー病の発症、「人類の生殖機能の急速かつ不可逆的にゼロに近い水準までの低下。主に男性の生殖機能への影響のため」、「人間の遺伝子プールの激しい劣化。精子、卵子のDNAへの影響のため」を強調する。最後のふたつは、カルトの生殖の終焉と人類淘汰アジェンダにかかわるものだ。これについては、次章で詳述しよう。

ポール教授は、低周波電磁場にさらされることによって、うつ病などの神経精神医学的な影響が広がっているという。「うつ病は自殺の原因となりうる。さまざまな神経精神医学的な影響は、虐待行為につながる」　5Gが技術的電磁場の影響を急激に増大させている「スマート」なこの時代、特に若者の自殺が急増している。ポールはまた、2018年にこのように語っている。

私は、多くの生物が人間よりはるかに大きな影響を受けると予測する。昆虫や節足動物、鳥、小型哺乳類、両生類などだ。大きな木など、植物も含まれる。葉や生殖器官が、電磁波にさらされやすいからだ。5Gの影響で、生態系に大惨事が起こるだろう。大規模な火災もありうる。低周波磁界にさらされると、植物が燃えやすくなるためだ。

ポール教授は「何千万基もの５Ｇアンテナを、生物学的な安全性のテストもせずに設置するとは、世界史上もっとも愚かな考えだ」と述べた。人類のことを考えるなら愚かだが、そうでないなら完璧に説明がつく。ポールの評価は「５Ｇは、私たちがこれまで目にしたことのない種類の、生存をおびやかすさまざまな差し迫った脅威をもたらす」というものだ。カルトからすれば、それが狙いである。

その現実を隠す最高の目くらましが「気候非常事態」だ。気候カルトのあやつり人形が、人類の「存亡の危機」だと主張するフェイクである。

変わりゆく世界

ポールとパターソンの言葉を裏づけるように、人工的な放射によって、地球の自然な周波数状態に壊滅的な影響がおよんでいる。発見したドイツの物理学者ヴィンフリート・オットー・シューマンの名から、シューマン共振、あるいはシューマン空洞共振と呼ばれるものだ。その周波数は極超長波、あるいはＥＭＦという6～8Hz(ヘルツ)の帯域で、人間の脳活動やあらゆる生体システムの周波数帯でもある（図３３２）。７・83Hzという周波数で、すべてが調和してつながり、通じあえるといわれている。

カルトは、意図的に**ワンネス**の周波数にスクランブル（撹乱）をかけている。人間と自然、人間どうしがつながれないようにしているのだ。私たちは広大な宇宙の電気系統の一部である。そして、宇宙のフィールドまたはフィールドの一部である、地球の磁場と相互作用している。

人間の身体には、フィールドから電磁的エネルギーが流れこんでいる。頭のてっぺん（クラウンチャクラ）から入り、経絡の気の流れに沿って身体中に流れてゆく。気は、情報が電気的にコード化されたものだ。人工的な放射によって（5Gは未知のレベルにまで影響をおよぼしている）、このつながりをなくしたり、ひずませたりすれば、ボディーマインドの健康に、はかり知れない影響がでる。

「健康」とはバランス、調和を意味する。このフィールドとの相互作用は、ボディのフィールドの振動、つまりこの現実での生命に対し非常に大きな影響力をもっている。振動が止まれば、肉体は死ぬ。振動が弱まれば、肉体も弱る。

同じ相互作用が自然界全体にあてはまる。ハチや昆虫が消えているのは、このためだ。年配者は、夏に虫が車のフロントガラスにしょっちゅうぶつかってきた記憶があるだろう。当時は虫が多かったのだ。だが、今はどうだろう？

こうしたことは、「環境保護運動」では問題にならない。気候カルトは、さまざまな面でテクノロジー・ディストピアが「気候大災害」への答えだとみなしている。本書第2巻で述べたとおり、英国緑の党では、2019年の党大会で5Gについて議論することが党内の気候カルトに却下され、議場の外で抗議した党員は警察に恫喝された（図333）。5Gは、動物、昆虫、植物、樹木などへの波動周波数の影響による大規模な混乱により、自然界すべてをおびやかす。しかし、緑の党はまったく関心がないようだ。

米国のグリーン・ニューディールはどうかというと、エネルギー効率の高い分散型の「スマート」電力網の構築、またはアップグレードを目指すという。ニューウォークな「Eco Warrior Princess」のウェブサイトを見ると、こんな見出しがあった。「米国のスマートグリッドテクノロジー 環境と社会正義のために」

多くの実験から、Wi-Fiが植物の成長を阻害することがあきらかになっている。5Gは生命のガス、植物にとっての酸素を削減するグリーン需要と相まって、さらに自然や食料生産に深刻な影響をおよぼす可能性がある（図334、335）。自然は人工的な周波数によって破壊されている。その影響は昆虫、ハチ、鳥におよび、人間も同じ道をたどろうとしている。

インドのある研究では、ハチを携帯電話の電波に10分間さらすと、糖、タンパク質、脂肪の代謝が止まってしまったという。たったの**10分**でだ。人間の糖尿病（糖代謝欠陥）、心疾患（周波数の刺激に影響される）、がん（人工的な電磁場によって細胞の成長が異常をきたす）も、驚くほど増加している。それと同時に認知症も急増しているが、これはただの偶然だろうか？

私たちは、人工的な波動場が引きおこす真の危機のただなかにある。カルトは気候変動という偽の危機を喧伝し、事実を明かす者を攻撃するため、環境運動をハイジャックしている。

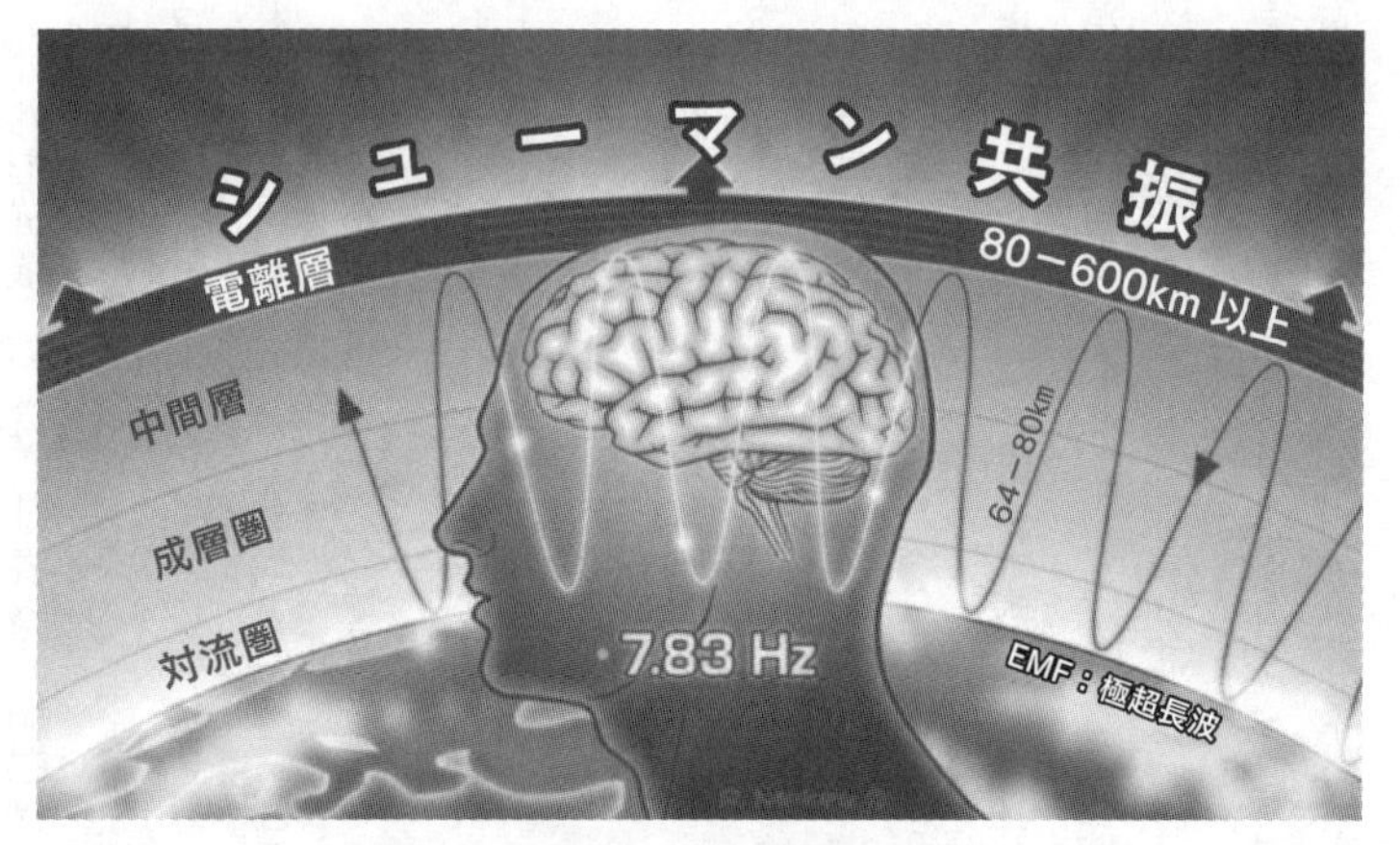

図332：私たちの現実の生命がつながり、相互作用するシューマン共振が、押し寄せてくる人工的に生成された電磁的周波数に乱されている。

図333：「緑の党」は人為的気候変動というデマにうつつを抜かし、自然界と人類をおびやかす真の危機は見て見ぬふり、なんなら促進されている。

図334：Wi-Fi あり、なしでの植物の成長。

図335：電子レンジにかけた水と精製水での植物の成長。

シューマン波をナビゲーションに使っているクジラやイルカが、多数座礁（ざしょう）している。鳥、ハチ、昆虫も同じようにナビ機能に混乱をきたしている。物理学者でシューマン波を研究しているヴォルフガング・ルートヴィヒは、こう述べている。「シューマン共振を、都市や近郊で測定することができなくなってきている……携帯電話による電磁波汚染のため、海上での測定を余儀なくされている」

マックス・プランク行動生理学研究所［現・鳥類学研究所］のルトガー・ヴェーファー教授は、シューマン共振を遮断（しゃだん）した地下シェルターをつくり、ボランティアの学生に1か月間入ってもらった。シューマン周波数から遮断されたことで、生体リズム（サーカディアンリズム（体内時計））が乱れ、学生たちは感情的な苦しみ（現代人を見よ）や、偏頭痛に悩まされた。これらの症状は、7・8Hzを短時間浴びると消滅した。

世界中で、深刻な「電磁波過敏症」に悩まされる人が増えている。患者は、人工的な電磁波から可能な限り離れて暮らさなければならない。マスクやその親方が、衛星からあらゆるところへ放射をはじめたら、いったいどこへ逃げればよいのだろうか？　患者が反応するのは、人工的に生成された電磁波だ。患者数が5Gの急増と連動するのは必至である。

アーサー・ファーステンバーグは米国の活動家で、『Microwaving Our Planet: The Environmental Impact of the Wireless Revolution（地球まるごと電子レンジに ワイヤレス革命の環境への影響）』［未邦訳］、『電気汚染と生命の地球史 インビジブル・レインボー』［ヒカルランド］などの著書がある。ファーステンバーグは、２０１８年にこう述べている。

控えめに見積もって、世界の少なくとも2000万人が、携帯電話やそのインフラによって、働けないほどの健康被害に遭って(あ)いる。彼らは家を追われ、街を追われ、社会で生きていけなくなってしまっている。

彼らは環境難民だ。こうした人びとはどこの国にも存在する。その多くは引きこもり、家からでられない……家もなく、人里離れた場所に車やテントで暮らす。自殺を図っても、助けに駆けつける者もない。

ファーステンバーグの話は、5G以前のものだ。操作された人間と自然との周波数断絶は、カルトのアジェンダに大いに寄与するものだ。テクノクラシーには、自然界との断絶が必要となる。英国ナショナル・トラストの2020年の調査によると、70パーセント以上の子どもが、雲やチョウ、ハチをめったに、あるいはまったく観察しないという。またほとんどの大人が、去年めったに、あるいはまったく鳥の声を聞いたり、野の花の香りを嗅(か)いだりしなかったという。いいじゃないか、いつだってユーチューブで見たり、インスタからダウンロードしたりできるんだから。

子どもにスマホを与える？

子どもへの電磁波によるダメージ（被害）は、大人の比ではない。一日じゅう学校のWi-Fiフィールドのなかで過ごし、帰宅すれば家庭のWi-Fiに加え、スマートメーター、スマホ、通りに飛び交うWi-Fiにさらされる。子どもや妊婦に対する、無線機器からの電磁波の安全基準は確定されていない。それ以外の年齢層に対しても、安全な数値などないといえるだろう。

子どもの脳腫瘍が急増している。大人も同様だが、携帯電話を当てる耳付近に発生するのだ。心臓の腫瘍も増えている（波動場レベルでハート（心臓）を壊すことがカルトの第一目標だ）。

親が、ただ静かにしていてもらいたいがために、赤ちゃんやハイチェアに座る幼児をこうしたデバイスで遊ばせている光景はなんともグロテスクだ（図336）。1日に20分間携帯電話を使うだけで、脳腫瘍のリスクは3倍になる。頭蓋骨（ずがいこつ）が薄い子どもは、さらにリスクが高い。

『シカゴ・トリビューン』紙は2019年に、11機種のスマホが連邦電磁波安全レベル（これ自体とんでもなく高い）を**500パーセント**超えていると報じた。以前の研究を再現したスイス熱帯公衆衛生研究所の調査では、携帯電話を1年間使用した10代の若者の記憶障害が確認された。とりわけ、電話を同じ側の耳に当てている人は、電磁波にもっともさらされている脳の部分の記憶力が低下していることがわかった。

図336：同化は幼いころからはじまる。

BBCの報道では、英国での調査で、ほとんどの子どもが携帯電話をベッドのそばに置いて寝ていることがあきらかになった。これは、健康にも睡眠にも深刻な害をおよぼすおそれがある。また携帯電話をもつ時期がどんどん早くなり、多くが7歳までにはもっているという。11歳では「ほぼ全員」が所有している。

こうした携帯電話やWi-Fiの健康への影響にもかかわらず、アップルは耳に差しこんでWi-Fiをキャッチする「エアポッド［ワイヤレスイヤホン］」を販売している。ブルートゥース［近距離でデジタル機器のデータ通信をやり取りする無線通信技術］も同じく有害だ。緩慢な自殺行為だが、**メーカーはわかっていないのだろうか？** 何人の携帯電話ユーザーが、「耳に当てて使用しないこと」という取説の小さな文字の注意書きを知っているだろうか？ これは免責条項である。いつの日か訴訟の嵐になることを見越して、メーカーが記載しているものだ。

世界的な保険組合ロイズ・オブ・ロンドンは、5GやWi-Fiに対する健康保険請求を拒否している。彼らは、大衆に知らされないどんな情報をもっているのか？ **たんまりある**。がん、心不全、認知症、免疫低下、流産、死産、不眠、激しい鼻血、眼疾患、抑うつ、自殺などの症状や反応は、すべて5Gの影響の可能性がある。

サンフランシスコの消防隊員らは、署に5Gが導入されてから記憶障害や錯乱を訴え、5Gがない場所に移動すると症状がおさまると言った。5Gの電磁波が、脳の情報処理に影響を与えているのだ。

マスクの衛星から5Gが放射され、**あらゆる場所に**飛び交うようになったらどうなるだろうか？人工的な電磁波が脳の情報処理に影響を与え、10代の自殺が急増することに驚く人はもういないだろう。

カルトは、人間のマインドを乗っとっている。だからあらゆるコミュニティで、5Gを押しつけ、誰も逃れられないようにする法が成立しているのだ。

人工的な波動のもうひとつの影響として、ナノチップなど毒素の脳への侵入を防ぐ血液脳関門が正常に動かなくなることがある。子どもたちは、血液脳関門機能が完成する前からやられてしまっている。これを推進する電気通信業界やシリコンバレー企業は、純粋なサイコパス的悪（究極の愛の欠如）にコントロールされている。悪など存在しないという人がいる。しかし定義上、悪は存在する。すべての可能性という無限のなかには、悪や愛の欠如も確かに存在するはずだ。

カリフラワー状の血液

米国の研究者リーナ・プーは、ナショナル・アソシエーション・フォー・チルドレン・アンド・セーフ・テクノロジー（子ども安全テクノロジー協会）の環境健康コンサルタントで、軍や政府機関での勤務経験もある。プーは、学校の5G、Wi-Fi環境に強く反対している。

そんな彼女でさえ、教室で1日過ごした教師の血液を分析したときには仰天した。その教室の

Wi-Fiの出力はさほどではなく、もっと強力な電磁波が飛び交う教室も珍しくないが、血液の状態はこれまで見たことがないほどひどいものだった。「ドロドロ」に固まって、茶色だったというのだ。「顕微鏡のスライドグラスで色がわかるほど濃い血液を見るのははじめてでした」とプーは言う。

「まるでカリフラワーのよう」と彼女は形容した。「あまりのショック」で、教師に結果を伝えるまでに数分かかってしまった。同じ環境にいた生徒たちの血液は、どうなっているのだろうか？

世界中の学校のほとんどすべての教室には、授業で使っていようといまいと、Wi-Fiが飛び交っている。そんなところで毎日過ごす子どもたちには、なにが起こっているのだろう？

いまや、５Gが世界中の学校や病院に導入されている。血液は液体だ。Wi-Fiが、水分子を振動させる周波数を発する電子レンジと同じ周波数帯であることを考えれば、その影響はあきらかだ。ホログラフィックな人体に、もっとも多く含まれるものはなにか？　**水**だ。電子レンジは食品を乾燥させ、Wi-Fiは人間を乾燥（脱水）させる。

なにが問題なのだろう？　なんて偶然なのだろうね？　運転手不要の車が、水に影響する周波数帯で動くのも偶然なのだろう。心身への影響としては、うつ病（10代の自殺の急増を見よ）がある。無気力もまた、カルトが最終局面へとひた走るために求めている症状である。

リーナ・プーは、Wi-Fiや発信機器が周波数を変えられることを発見した。つまり、表向きにはある周波数を発信しながら、ひそかに別の周波数も発するようコントロールすることができるのだ。

プーの研究で、人工的な周波数が酸素の形成や摂取量に影響していることもわかった。これは、私が数十年来警告している世界的な人口淘汰（とうた）に関係している。

スマートグリッドは送信システムである。グリッドをコントロールする者が、いつなに**が**届けられるかを決める。このネットワークは5Gだとか4Gだとか言われていたとしても、それをはるかに超えた周波数を提供することが予定されている。人間は、自身の牢獄（ろうごく）をつくるだけでなく、そこが日々電子レンジ化されてゆくのを見守っているのだ。

プーは、私が指摘してきたこと以外のことにも触れている。こうした「人工的な」波動は実際に**「生きていて」**、意識の一形態だというのだ。私が、最先端のAIは、じつは人間をコントロールする力そのものの名前だ、と述べたのを覚えているだろうか？　5Gの導入により、先に述べたすべての電磁波の影響は、数倍にも数十倍にもなる。

しかしながら、主流メディアは**当然**、業界や政府の側に立つ。『ニューヨーク・タイムズ』紙は、「存在しない5Gの健康被害」などという見出しを掲げている。その『ニューヨーク・タイムズ』は、「5Gのジャーナリズムへの活用法を模索するため」、ベライゾン・コミュニケーションズ［米電気通信大手］と提携している。5Gとは無関係のタイムズ社がなぜジャーナリズムへの影響を知りたがるのか、その理由は説明されなかった。タイムズのある記者は、アイルランド報道協議会（プレス・カウンシル）から、5Gについての記事が事実や正確性の規約に違反していると非難されている。同紙はカルトの利益のために動く超シオニスト所有のクズ紙なのだから、驚くことではない。

アレックス・ハーンという「ジャーナリスト」は、「反体制」を売りにしながらどっぷり体制派であるロンドンの『ガーディアン』紙に、こんな記事を書いている。「5G導入への言われなきおそれが健康不安をうみだす」ハーンは業界にへつらい、「5Gは完全に安全」というプロパガンダのお先棒をかついでいる。そして、基本的にすべての懸念は「ニセ科学」であるとして退ける。なんたるジャーナリズムの面汚しか。だが、この種のメディアではよくあることだ。

こうした健康上の懸念は、高速接続のためなら許容範囲だと考えられている。もう十分高速ではないか。健康を犠牲にして、映画を高速ダウンロードする——さもありなん。高速というのは、スマートグリッド（技術制御ネットワーク）・ディストピア（暗黒郷）への「おいでおいで」のひとつにすぎない（図337）。

5Gは兵器

5Gで使われる超高周波数のミリ波は、じつは米、イスラエルその他の軍と法執行機関（いずれも同じ）が**兵器**として使用しているものだ（図338）。「アクティブ・ディナイアル・テクノロジー（行動不能化技術）」と呼ばれ、ミリ波帯の周波数を軍や法執行機関のトラックから照射して、抗議者や暴徒をあっという間に蹴散（けち）らすことができる。その周波数は皮膚（アンテナ）で焼かれるような感覚として解読され、人びとは逃れようとちりぢりに走り去る。米国防総省の報告はこうだ。「運悪く［照射に］当たってしまったなら、身体が焼かれるような感覚を覚えるだろう」

図337：高速ダウンロード――高速監視、データ収集――そして高速かつ強力な人間の波動場への影響。（ベン・ギャリソン画、Grrrgraphics. com より）

図338：５Ｇのミリ波を利用するアクティブ・ディナイアル（行動不能化）兵器。アンテナの役割をもつ皮膚は、この周波数を照射されると激しい熱感として解読する。

皮膚と5Gにこのような相互作用があるならば、強制的な導入で、どれほどの人が皮膚がんで亡くなることだろう？　5Gがどこにでも飛び交うとなれば、身体や脳、そして肉体に生命を吹きこむ波動の振動にまで、破壊的な影響がでることは目にみえている。さまざまな電磁波の渦に飲みこまれた肉体の波動の振動に、最終的にどんな影響がでるか考えてみてほしい。

　5Gの軍事的なポテンシャルは素晴らしい。NATO諸国は2019年にロンドンで開催された指導者会合で「5Gを含む通信の安全を維持する」ことに合意している。5G導入の本当の理由は軍事、そしてアンチ・ヒューマン（反人間）である。

ペンタゴン（米国防総省）のアドバイザーである国防科学委員会は、「5Gネットワークテクノロジーの国防への応用」という文書に、5Gの軍事利用について詳述している。「5Gテクノロジーの商用利用が可能になり、国防総省は、最低限のコストでこのシステムを作戦上の要求を満たすため活用できるようになった」

　カルトの「私」企業と納税者のカネを使って5Gネットワークを開発しているが、実際はカルトの軍事目的だ。5Gは戦闘、大量殺戮（さつりく）、大規模監視の新境地を開くだろう。

　カルトメディアやカルトソーシャルメディアは、カルト産業のプロパガンダを繰りかえしている。そしてカルトのユーチューブは、5Gの危険を暴く動画やアカウントを削除しているが、ありがたいことに5Gへの抵抗運動は高まってきている。だが油断は禁物だ。あらゆる反対派と同様、主張していることと本当の姿が違っている者もまぎれている。いまや、どこにでもアストロターフィング［偽草の根運動。政府や企業、特別利益団体が個人を騙って世論操作をおこなうこと。「アストロターフ」は人工芝の商品名］がはびこっているのだ。

空から毒が降ってくる

5Gその他の人工的な放射に関してもうひとつ重要なポイントが、「ケムトレイル」と呼ばれる現象だ。これは1990年代から認知されはじめ、その後世界中で報告されるようになった。『今知っておくべき重大なはかりごと』［ヒカルランド］で詳しく述べているので、ここでは軽く触れるのみとする。

コントレイル（飛行機雲）は、みなさんご存じであろう。飛行機が飛んだ跡に見られ、すぐに消えてしまうものだ。**ケム**トレイルは消えない。ゆっくりと広がって、澄んだ青空が、曇り空、あるいはもやがかかったように見える。

地上に降下するケムトレイルの構成物質は、人間や動物、水源、木、草、土壌といったあらゆるものに降りそそぐ（図339）。ケムトレイルを調べたところ、アルミニウム、バリウム、放射性トリウム、カドミウム、クロム、ニッケル、カビ胞子、黄カビ毒、ポリマー繊維、ナノテクスマートダストなどが、累積的に人体に致命的となる濃度で含まれていることがあきらかになった。

アルミニウム／グリホサートは松果体に影響するが、ケムトレイルに含有されるアルミニウムは、

図339：世界中で見られるケムトレイル現象。

その主要な供給源となっている。アルミニウムは脳に障害を与える可能性があり、当然アルツハイマー病その他の認知症と関連づけられてきた。そして認知症は、若年層にも広まりつつある。アルミニウムが脳をショートさせるのだから、そうならないわけがない。

テクノロジカルなサブリアリティ（亜現実）、あるいは「クラウド」に関していえば、ケムトレイルは大気の導電率を高めてアンテナに変えてしまう。すべては同じ目的につながっている。ケムトレイルは「陰謀論」（もちろん）と片づけられたが、そこへビル・ゲイツ（もちろん）が、「太陽光をブロック」して、世界を「地球温暖化」から守るプロジェクトに出資をはじめた［ハーバード大学の研究チームが、成層圏で炭酸カルシウムを散布し人工雲をつくる成層圏制御摂動実験をおこなっている］。

AI世界軍

公選によらないテクノクラート世界政府の意思を執行する世界軍は、最終的には人間ではなくなる。AI軍への移行はすでにはじまっているのだ。私たちは、人工知能（本質的にはアルコーン的勢力）が、まさに大量破壊兵器である兵器の制御を通じて、生死を決めるグローバルな意思決定をおこなう方向へと急激に進んでいる。AIは、スマートグリッドや「人間」の生活のあらゆる場面をコントロールするだけではない。人類のグリッドへのAI接続を通じて、人の生死をもまとめて決定するのだ。エリートと大衆のあいだに位置するハンガー・ゲーム社会の中間層は、常時監視と異端者の排除をおこなうＡＩ世界軍／警察国家と予定されている。

映画『マトリックス』シリーズをご覧になった方なら、「センチネル」と呼ばれる、ＡＩの制御から外れた人間を殲滅（せんめつ）するミッションを帯びた機械をご存じだろう。本項のテーマは、軍司令官でも最終的にはコントロールできないような、ＡＩロボットや兵器システムで構成されるＡＩ世界軍だ。自律走行車も自律兵器も、アルコーン的勢力と配下のカルト工作員の指揮下にある。ＡＩ制御によって、カルトのエリートとテクノクラートはいつの日か、地下や山中の巨大都市で抗議する人びとを排除できるようになるだろう。私が、１９９０年代の昔に書いていたことだ。

こうしたすべては、長きにわたって計画されてきた。カルトの軍需企業はＡＩ制御のレーザー兵器を開発している。戦車や戦闘機、ヘリコプター、戦艦にＡＩが搭載され、人間を介さずに判断をおこなうのだ。お察しのとおり、その中心にいるのはＤＡＲＰＡである。だがさらにその上に、クモの巣の深部から糸を引く者がいる。インターネットやグーグル、フェイスブックのようなシリコンバレー企業の背後にいるのも、カルトがつくったこの邪悪なＤＡＲＰＡだ。

兵器を搭載した無人飛行機は、「人間のように思考する」「ニューラル（神経）・マイクロチップ」を備えている。ドローン監視システムも進歩している。２０１９年には、トルコが弾丸２００発を装填（そうてん）したマシンガン搭載のドローン隊を披露した。軍がマシンガンを積んだＡＩドローンを飛ばすとは、かつてはＳＦの世界の話だっただろう。しかし、米国や中国、ロシア、イスラエルに比べれば、トルコはドローン性能の最先端に大きく遅れをとっている。

地球のどこにいても衛星から狙撃できる、ＡＩ制御のレーザーや、指向性エネルギー兵器、ビーム兵器はどうか？　ばかばかしいと一蹴する者は、現実に**起こっていること**をちゃんとみていなかったのだろう。

カルトが人間を軽んじていることが、またも確認された。米国防総省が、日米欧三極委員会メンバーで元グーグルＣＥＯのエリック・シュミットを、２０１６年に設立された国防イノベーション委員会の議長に任命したのだ。戦場でのＡＩ使用における「倫理基準」を、シリコンバレーの「成功事例」をふまえて策定するための委員会である。なにが「成功事例」なのだろうか？　やはり三極委員会メンバーで、１パーセントのアスペン研究所の所長、ＣＮＮの会長兼ＣＥＯ、『タイム』誌の編集長を歴任したウォルター・アイザックソンも委員のひとりだ。メンバーは、シュミットが国防長官と協議して選定された。

シュミットが、正真正銘の強制可能な軍事ＡＩの「倫理基準」を提案するとは、冗談がすぎて笑えもしない。シュミットは、グーグルを率いてインターネットを検閲にまみれ、自由を奪い、ＡＩに支配された醜悪なものへと変貌させたのだから。

グローバル・コントロールを目的とした衛星が、公表されないまま次々と打ち上げられている。その多くは軍事利用されているが、強調されるのは民間利用、商用利用ばかりだ。

ロシアの大統領ウラジーミル・プーチンが、このことを２０１９年に指摘した。世界の大国はますます宇宙に兵器を展開しており、ロシアはそれに対応しなければならないと述べたのだ。「米国の軍事・政治首脳は、公然と宇宙空間を軍事行動の舞台とみなしている……我が国の宇宙開発においては、ロケットおよび宇宙産業だけでなく、衛星群（オービタル・グループ）の強化にもいっそうの注力が必要だ」ロシアの「衛星群」は１５０基と報じられ、その３分の２が軍用だという。米国はそれをはるかに上回るだろうし、中国も同様だろう。

トランプ大統領［当時］は、２０２０年度国防権限法に署名し、宇宙軍を創設した。１９４７年以来、初の新たな軍種の創設である。「宇宙は世界でもっとも新しい戦場の領域だ」トランプはこう述べた。「米国が宇宙で優位に立つことが、じつに重要だ」

超シオニストのアメリカ新世紀プロジェクトが、２０００年９月に公表した文書と一致する内容である。サバタイ派フランキストが起こした９１１に続く、数々の政権交代を要求する「アメリカ防衛再建計画」だ。トランプがイスラエルの子飼いであるという事実は、ただの偶然にすぎない。宇宙もまた、子どもじみたごろつきが戦うための「領域」なのだ。世界を動かしているのは、サイコパスな幼稚園児である。

学者や科学者は、殺人ロボットが人間を無防備にすると警告している。だが、**まさにそれが狙いだ**ということには気づいていないようだ（図３４０）。軍／警察で人間を使えば、いつか彼らが社会のからくりに気づいて反乱を起こす可能性がある。ＡＩを使うことで、それを回避できる。今軍や警察に籍を置く者は、ＡＩが法を執行するようになれば、自分たちもハンガー・ゲーム社会の大

図340：カルトがつくる世界軍では、人工知能が人間の介入なしに判断する。

衆に身を落とすことになると気づいたほうがいい。

世界初のロボット警官が、２０１７年ドバイ警察で誕生した。「ロボコップ」は表情を読み取り、6か国語で対応し、犯罪の報告や罰金の徴収ができるタブレットを搭載している。ドバイ警察スマートサービス担当長官ハリド・ナセル・アル・ラズーキ准将はこう語る。

ロボコップは、ショッピングモールや観光地での案内を任務としています。これにより、警察に最新のスマート機能が導入されます。ロボコップは警官とともに犯罪と戦い、街の治安を維持し、幸福度をあげることを目的としています。会話もでき、質問に答えたり、握手したり、敬礼することもできます。

暗黒郷(ディストピア)のヴィジョン

ドバイの偽王室当局は、２０３０年（またもや）までに、警官の少なくとも25パーセントをロボットに置き換えたいと考えている。

デンマークの政治家イーダ・アウケンも、２０１６年に世界経済フォーラムのウェブサイトに寄稿したアジェンダで、この年に触れている。出だしはこうだ。「２０３０年へようこそ。私はなにも所有せず、プライバシーもないけれど、今の暮らしが最高です」

アウケンは、2030年における自宅を「私たちの街」と表現し、AIテクノクラート的社会を良しとしない人びとに懸念を示していた。そのような人びとは、「テクノロジーが過ぎると考える人びと」、「ロボットやAIが仕事の大部分を担うようになったことで、時代遅れの役立たずになったと感じている人びと」とされている。アウケンのシナリオでは、そのような人びとは「小規模な自給自足のコミュニティ」や「19世紀の小さな村にある空き家やうち捨てられた家」で、他とは違う暮らしをしている。彼女の2030年予測はこう続く。

そのうち私は、本当のプライバシーというものがないことにいら立ちはじめました。記録されることなく行ける場所は、ありません。どこかに、私の行動や思考、望みまでもが記録されているのです。それが私の意思に反して使われることがないよう、願うばかりです。

でも、概して良い暮らしです。これまでよりもずっと。これまでと同じ成長を続けることはできない、とはっきりしたのです。私たちは、つらい経験をたくさんしてきました。不健全なライフスタイル、気候変動、難民危機、環境の悪化、超過密都市、水の汚染、大気汚染、社会不安や失業。もっとちがうやり方があると気づく前に、あまりにも多くの人びとを亡くしてしまいました。

アウケンが描いているのは、テクノクラシーへと導く問題－反応－解決と、無問題－反応－解決だ。世界経済フォーラムの背後にいる1パーセントのメンタリティが、長きにわたってあたためてきた計画である。ただし、「小規模な自給自足のコミュニティ」の建設は許されないだろう。

ＡＩと脳を接続することで、ほんの少数が人類全体をコントロールできる。中央集権ＡＩ世界軍とスマートグリッドが、すべてをコントロールする。ハンガー・ゲーム社会とかかわるＡＩのさらなる側面は、アウケンが指摘したとんでもない大惨事だ。すでに急速に進んでいるＡＩ技術による人間の大規模な置き換えによって、仕事と収入が激減する（これは仕組まれたロックダウンによる、仕事と収入の激減前に書いた文である）。

ニュース記事さえも人工知能が書き、ＡＩのニュースキャスターやスポーツキャスターも開発されている。けっして偶然の産物ではない。カルトによるものだ。グローバルなスマートグリッドで世界を支配するためには、どれだけの人間が必要だろうか？　インターネットに接続されたあらゆるもの、あらゆる監視、通信システム、交通、経済、食糧生産と流通、ニュースの内容、それを提示するデジタルＡＩまで、中央制御のＡＩが決定できるようになったなら？　これらのすべて、さらに多くが、中央制御される計画だ。

私は『The Trigger』で、スマートグリッドのコントロール拠点は最終的にイスラエルになる計画であると強く主張している。グローバル・カルトの最重要ネットワーク、サバタイ派フランキストカルトの支配領域だ。

第13章
トランスジェンダー（性別超越者）・ヒステリーの真相

寛容さとは、信念をもたないことではない。信念によって、自分と違う意見をもつ人をどう扱うかということだ

――ティモシー・ケラー

私は、トランスジェンダー（性別超越者）・ヒステリーの裏には、深く邪悪な動機があると幾度となく指摘してきた。このヒステリーはニューウォーク（エセ覚醒）のマインドをがっちり摑（つか）み、社会全体に乱暴に押しつけられてきた。結果を知れば、行程がみえてくる。

カルトは、私たちの現在の肉体を、性別のない合成「生物学的（バイオロジカル）」人間に置き換えたいと考えている。新しい人体は、ＡＩとより相互作用しやすくできている。また、スマートグリッド（技術制御ネットワーク）が最終的に機能するために必要とする、今の人体ではとてももたないような、壊滅的なレベルの有害な電磁波にも耐えられる。５Ｇは、周波数送信の影響に関していえば、終わりではなく次のステージでしかない。

人工遺伝子合成は公の場で急速に進歩しており、アルコーンからカルトへと知識が伝えられたアンダーグラウンドな場では、それをはるかに超えたレベルに達している。合成生物学（シンバイオ）は、急速にあらわれた科学の新興分野だ。遺伝子工学や分子工学、電気工学、コンピューター工学など、幅広い領域が含まれる。ビル・ゲイツの「ウイルスワクチン」は、このプロセスをうながすようにつくられている。これについては、本書第１巻で解説している。

合成生物学の定義には、「新しい生物学的パーツ、デバイス（装置）、システムをつくりだそうとする、あるいはすでに自然界に存在するシステムを再設計しようとする、幅広い学際的な研究領域」、「新しい（したがって人工の）生命体をつくるための、物理工学と遺伝子工学を組みあわせた活用」、「生物学、工学および関連分野の知識と手法を融合させ、ＤＮＡを化学合成して新しい、あるいは特性を高めた生命体をつくりだすことを目指す新興研究分野」などがある。オーウェル語から翻訳すれば、これは人工ポスト・ヒューマン（ヒト型人工物）を意味する。

トランスジェンダー・ヒステリーは、**あらゆるもの**を人工物にしようとする忍び足である。「世界を救う」ためだとしてヴィーガン食を押しつける圧力は、合成食品へと誘導する忍び足でしかない。なすがまま任せていれば、「ウイルス」ヒステリーの結果として仕組まれた食料難により、さらに助長されることだろう［昆虫食が激推されているのもこの流れか？］。

米国の科学者らは２０２０年に、「ゼノボット」という「ロボットでも動物でもない」、生きているカエルの細胞からつくられた「生きている機械」を開発したと発表した。研究グループは、世界を人工子宮による懐胎（かいたい）へと導いている。これらは公になっているプロジェクトにすぎず、私たちの目に触れないところではもっと研究が進んでいる可能性もある。羊の胎児は、人工子宮で4週間にわたり成長した。オーストラリアの科学者は、羊とサメで実験をおこなった［沖縄・美ら海（ちゅらうみ）水族館でも死亡した母サメの体内から採取した胎仔（たいし）を人工子宮装置で育成、出産に成功した］。

ロンドン『ガーディアン』に掲載された２０１７年のある記事の見出しにはこうある。「人工子宮実現間近　女性への影響は？」

私たちは生物学的大躍進に近づいている。体外発生、完全な外部子宮の発明は、人間の生殖の本質をすっかり変えてしまうかもしれない。今年4月、フィラデルフィア小児病院の研究者らは、人工子宮の開発を発表した……

……いっぽうケンブリッジ大学の研究者らも、ヒトの胚を、体外の子宮環境を模した培養液内で13日間培養した。この胚の培養はこれまでの記録を数日更新したが、研究室でのヒト胚の培養は14日以内と法で制限されているため、中止された。言い換えると、現在の制限要素はテクノロジーではなく、倫理なのだ。

この本や過去の著作で述べた、オルダス・ハクスリーが描いた人間の生殖終焉計画をふまえて、「人間の生殖の本質をすっかり変えてしまうかもしれない」という言葉について考えてみてほしい。世界中のたくさんの研究所が、人工の皮膚、臓器、血液、脳組織までも開発しようとしている。公開されている実験では、開発の初期段階であることを印象づけながら、方向性をあきらかにする。舞台裏では、合成生物学は、人びとの目の届かない隠れた極秘施設でのアルコーン−カルトの知識移転によって、非常に進んでいる。本物の研究者による本物の研究が、進行中の開発プロセスかのように思われている。だが秘密裡に開発は完了しており、展開のしかるべきタイミングをうかがっているのだ。

ヒト型ロボットの外見は、かつてないほど人間に近くなってきている。このようなロボットの「意識」は、人工知能である（図３４１）。ＡＩは、ロボットや機械とはかぎらない。サイバー空間にしか存在しない、デジタルなバーチャル人間もＡＩである。最終的には人間のマインドはサイバーリアリティのなかに取りこまれ、「物理的な肉体」は存在しなくなる計画だ。そこへの足掛かりが、すでにはっきりと見えている。本書第２巻でご紹介した、非常にリアルに見えるが実在しない、デジタル生成された人間の写真を思いだしてほしい。

ひとたびゲームのルールがわかれば、世界の謎（なぞ）が自明となる。シャボン玉マインドからはあたおか（頭狂）呼ばわりされるが、それこそが正しさの証左だ（図３４２）。

トランスジェンダー・ヒステリーは突然発生し、あらゆるところに蔓延（まんえん）した。カルトがスイッチを押したからだ。これは、性別がなく生殖不可能な合成人間にいたる準備段階である。

カルトの工作員界にいたオルダス・ハクスリーは、まさにそのような社会を１９３２年の予言的な『すばらしい新世界』で描いている。

> 自然な生殖は、もはやおこなわれなくなった。子どもは「人工孵化（ふか）・条件反射育成所」でつくられ、「瓶詰（びんづめ）」されて育てられる。人びとは、生まれたときから５つの階級にあらかじめ設定されており、階級内でもさらに「プラス」と「マイナス」に分かれる。世界国家の定められた経済的・社会的階層の人口を一定に保つよう、振り分けられてゆくのだ。

ハクスリーは、１００年以上前にカルトのアジェンダ（実現目標）の大部分を正確に予言していた。１９３２

図341：公表されている機械人間のレベルはこの程度。秘密プロジェクトや極秘施設の最先端にはほど遠い。［写真は大阪大学教授の石黒浩博士と、博士が作った自身のコピーロボット「ジェミノイド HI」］［左側が本人］。

図342：プログラムから解放された人あるある。

年にハクスリーが、1948年にジョージ・オーウェルが、そして1969年にリチャード・デイ博士が、これから起こることを知ることができたのはなぜだろうか？　それは、私が30年来、著書でさまざまなできごとを正確に予測できたこととつながっている。デイのように、インサイダーとして秘されたアジェンダにアクセスできたなら、あるいは長年の研究によって計画を見破ることができたなら、未来と知覚されるものを予測するのは造作もない。

その原理はこうだ。もし世界を対象としたアジェンダが存在し、なにも邪魔が入らなければ、計画されたことは実現する。この計画を暴露すれば、「未来」を「予言」したということになる。私の考えでは、十分な人数に覚醒をうながせば、計画は頓挫（とんざ）する。

ハクスリーやオーウェルが、当時まだ存在しなかったテクノロジーや薬物なども含め、はるか先のできごとをなぜ予測できたのか、という疑問はもっともだ。たとえばオーウェルが描いた、各家庭をつねに監視するビッグ・ブラザー（独裁的支配者）の「テレスクリーン」［『1984年』に登場する装置］。今日ではスマートテレビとして知られているが、もっとおそろしいバージョンが準備中だ。

当時存在していなかったテクノロジーを正確に描写できた理由は、こうだ。人間社会には、ふたつの現実がある。かけ離れた知識レベルの、パラレルな世界が存在しているのだ。ひとつは、切手サイズほどの情報しか得られない、厳しく制限された社会。もうひとつは、秘密結社と悪魔崇拝の奥義を通じてアルコーン的現実と相互作用する、カルトの現実だ。

特に後者のつながりによって、カルトの中枢メンバーは人間の現実ではまだ利用できないテクノロジーの可能性や、まだ実行されていない計画について知ることができる。こうしたグループに属する者は、直接的にカルトのメンバーではなくとも、世界がどこへ向かうのか、それを可能にするテクノロジーはなにかという情報を得ることができる。

外部の者は、インサイダーの裏を嗅(か)ぎまわり、秘密の扉を破るしかない。五感を使った調査で得た情報を、拡大意識でつなぎあわせてゆく。そうして奴隷状態を終わらせ、人びとを知覚の昏睡(こんすい)から覚醒(めざ)めさせるのだ。

性別(ジェンダー)を混乱させ、融合する

昨今、トランスジェンダー(性別超越者)が執拗に取りあげられ、子どもや若者が（例によって）学校やメディア、仲間内の同調圧力からそれを押しつけられている。これは、ジェンダーを混乱させることで、ジェンダーを**なくして**無性の合成人間にしてゆくための強い悪意をもったキャンペーンである。そうすることで、自身を取り巻くシャボン玉はもっともっと小さくなる（図３４３）。

カルトのインサイダー、リチャード・デイ博士は１９６９年に小児科医の会合で、男の子も女の子も同じになり、子どもは性行動なしにつくられるようになるという計画を語った。カルトはジェンダーを**融合**(fuse)させるため、忍び足の全体主義でジェンダーを混乱(confuse)させている。

ほとんど気づかれずにはじまった第一段階は、男女の違いを希薄にし、生物学的に同じであると

図343：ノーバイナリー（無性）へと向かうノンバイナリー（男女二元の性でない）［自身を男性・女性のどちらにも当てはめないこと。歌手の宇多田ヒカルがノンバイナリーを公表している］の自己認識は、さらに小さなシャボン玉のなかに押しこめられてゆく。

して扱うというものだった。もちろん男女には、互いに補完しあうはっきりとした違いがある。男女の肉体の情報場は、それぞれ異なる方法で情報を処理する。女性には、ほとんどの男性にはない素質と適性があり、逆もまた然(しか)りだ。

狙(ねら)いは、男女の独自性を希薄にすること。なかでも重要なのは、独自性の**知覚**を薄れさせることだ。そのために、男にできることは女だって同じようにできる、というスローガンが叫ばれた。だが実際にはそうでないことが多いし、女にできることを男が同じようにできるかといったら、やはり違う。違いは歴然とあるし、ニューウォーク(覚醒意識高い系)の狂気の沙汰(さた)に惑わされてはならない。

私は女性から選択肢を奪うつもりはないし、応援もしている。私が言いたいのは、じわじわと操作されてきたジェンダーの終焉が追いこみに入っていること、男女の違いを曖昧(あいまい)にしたのが第一段階であったことだ。結果として、男性の女性化、女性の男性化が起こっている。

ここにいたる過程（忍び足）を思いおこしてみよう。まず、男女ともに着られる「ユニセックス」な服が登場し、今ではノージェンダーな服になった。警察や軍での女性の制服は廃止され、ノージェンダーな選択肢に変わっている。昔ながらの男性・女性の制服が急速になくなって、「ジェンダー・ニュートラル」に替わっているのである。学校の制服もそうだ。ぬき足、さし足、忍び足。「紳士淑女(レディーズ・アンド・ジェントルメン)」、「少年少女(ボーイズ・アンド・ガールズ)」という言葉が抹消されていることにも、男女のジェンダーの概念を言語から、ひいては頭から消し去ろうという魂胆(こんたん)がある。今日の私たちは、次の段階へとすっかり足を踏みいれている。

自身のジェンダーに疑問を抱く若者の数が、急激に増えている。子どもたちは、突然ジェンダーに迷いはじめた。意図的なプログラミングがなかったころは、こんなことはなかったはずだ。なぜ、「性別を問う」学習が学校で義務化されつつあるのだろうか？　なぜ多くの国でジェンダーを混乱させるドラァグクイーン（女装パフォーマー）が学校に招かれ、ジェンダーを混乱させるお話を幼い子どもたちに読み聞かせるのだろうか？　こうした子どもへの意図的な恥ずべき操作に異を唱える親らが、粘着質なトランスジェンダーのニューウォーク活動家やメディアから、即「トランスフォビア（トランスジェンダー嫌悪）」認定されるのはなぜだろう？

　これは、気候変動活動家や「アンチ・レイシスト」活動家、ゲイ活動家、ポリティカル・コレクトネス（偏屈な政治的正義）活動家他あらゆる、つねに気分を害して、カルトに仕えるニューウォークに共通する表現と同じ手口である。カルトの思う壺（つぼ）にはまっていながら、その存在に気づきもしない連中だ。ニューウォークに蔓延（まんえん）する「自分に甘い」症候群ほど、脳を混乱させるものはない。収束するまで、世界経済をストップさせ、外出を控えたほうがいいかもしれない。

　多くの子どもにこんな虐待をおこなった結果は、生涯にわたるおそろしいものだ。オーストラリアの医師の調査によると、ジェンダークリニックを訪れる人は、一般人より数倍多く自閉症の兆候を示すという。医師らは調査結果を『Journal of Autism and Developmental Disorders（自閉症・発達障害ジャーナル）』［査読付き医学雑誌］で発表し、30万人近くを対象とした米国の調査結果を示した。それによると、自閉症の子どもはそうでない子どもに比べ、性別「違和」と診断される可能性が4倍以上高いと示唆されるという。

　ステファニー・デイビーズ・アライは、トランスジェンダー・トレンドという団体の創設者だ。アライは、自閉症スペクトラム症（ＡＳＤ）の人はひとつの考えに固執する傾向があり、それを忘れることはほぼ不可能だと述べた（グレタ・トゥーンベリを見よ）。「このような脆弱な人びとが、人生を変えてしまうような医療介入を試みるのを軽々しく後押しすべきではありません」と彼女は警告する。

　トランスジェンダー・トレンドは、英国を拠点とし、子どもにトランスジェンダーであると診断をくだす傾向を疑問視する親の団体だ。そうした診断のため、かつてない数の10代少女が、突然「トランス」であると自認するようになっている。団体は、「女児や若い女性の公衆トイレや更衣室での安全確保や、女子スポーツ界での公正」よりも、トランスジェンダーの権利を優先する法に異議を唱えている（図３４４）。

　このような妥当な疑問や懸念は、ニューウォークのつねに冷笑的な面々から危険なトランスフォビアとして非難される。ごつい野郎がタマをぶら下げて女子トイレや更衣室にずかずか入りこみ、私は女だと主張する。あるいは、ムキムキの大男が「ベラ」と名乗って女子重量挙げに出場する。そういう状況から女児／女性を守れないのは、どう考えてもおかしい。

　米国のファロン・フォックスはトランスジェンダー女性の総合格闘技選手だが、その身体はたくましい男性のものである。彼／彼女は、女性と自称することで自分よりずっと身体能力が低い女性の階級で戦い、圧勝することができている。ある対戦相手は眼窩底(がんかてい)を骨折した。しかし、この件で彼女／彼が受けた批判はトランスフォビアでしかなく、人生を変えてしまうような損傷から女性を守る役には立たなかった。スポーツ界のＬＧＢＴ問題を扱う、アウトスポーツというスポーツニュースウェブサイトは、フォックスを「史上もっとも勇敢なアスリート」と評している。トランスジェンダー運動は、公正、バランス、インクルーシブ(包摂)など眼中にないことがよくわかる。自分たちの考えを広めることしか考えておらず、カルトに利用されていることにはまったく気づいていないのだ。

ニューウォークが「インクルーシブ」と呼ぶものは、あるマイノリティにとっては排除であり、また別のマイノリティにとっては顔面骨折であったりもする。ウォークのヒエラルキーのどこに属しているかによって、誰が優位に立つかが決まる。現在、トランスジェンダーは女性よりずっと上に位置している。結果、女子スポーツ界は男の身体で女と自認する者に荒らされている。賞は奪われ、過去の女子記録も塗り替えられている。なぜか？　「彼女」たちの身体は**女性ではない**からだ（図３４５）。

ところで、男性も女性も生物学的に違いはないのなら、なぜ男性の身体の「女性」が生まれついての女性を圧倒するパフォーマンスを発揮できるのだろうか？　トランスジェンダー極端論は、自身のパロディである（図３４６）。トランスジェンダリズム(性自認至上主義)は、欲しいものをすべて手にいれる。

オーストラリアの非常に知的で洞察力のあるトランスセクシュアル［性別適合手術を受けた］、

図344：これはますます「過去」のものとなるよう計画されている。女性という性／ジェンダーは、消滅させられる計画だ。男性が第一ターゲットだが、女性への攻撃も加速している。

図345：大きくたくましい男の身体で女と自認する者が、女子スポーツ界を荒らしている。女性という性／ジェンダーが、抹消されようとしている。

図346：現実に起こっていることを前にして、パロディなどほぼ不可能だ。

キャサリン・マクレガーはこう述べた。「私たちは電話ボックスのように少数派なのです」いろいろとプロパガンダされてはいるが、それが妥当な考えだ。

しかし、カルトのノージェンダー人間への忍び足の思いどおりに事は進んでいる。トランスジェンダー活動家の極論は、トランスジェンダーの人びとを**一切**サポートしない。ただ駒にされ、口実に使われているだけだ。ユダヤ人コミュニティとサバタイ派フランキストの関係と同じである。カルトの野望をサポートすることがすべてなのだ。お察しのとおり、サバタイ派フランキスト、カルトが所有するハリウッドも、トランスジェンダーの「スーパーヒーロー」をもちあげている。

子どもを使った生体実験が横行

『今知っておくべき重大なはかりごと』では、ジェンダーの混乱が意図的におこなわれていることについて詳述している。幼少期の学校での刷りこみにはじまり、「ジェンダー」クリニックや専門医は、性別移行へと子どもにも大人にも冷酷にプレッシャーをかける。その必要があるのか、望ましいのか、というエビデンスもなしに。性別を変えたり二次性徴を抑制したりする薬品が、大量に処方されている。なぜならそれがカルトの望みだからだ。

あまりに行きすぎたこの流れに、ロンドンのタヴィストック&ポートマンNHS財団トラストにある性同一性発達サービス（GIDS）では、3年間で35人の精神科医が辞職した。彼らは「過剰診断」があったと告発した［2022年7月にGIDSの閉鎖が発表された］。いわゆる性別違和などと診断されるべきではないのに、あまりにも多くの子どもたちに二次性徴抑制剤が投与されていたというのだ。内部告発者によると、わずか3歳の幼児までもが、性別違和という不正確な診断のもとに「不必要な性別適合治療」を受けているという。オックスフォード大学EBM（エビデンスにもとづく医療）センター長のカール・ヘネガンは、そのやり方を「子どもへの野放図な生体実験」と言いあらわした。

GIDSで治療を受けた子どもの数は、10年間で77人から2590人に増えたと報告されている。この傾向は、カルトのアジェンダが押しつけられるにつれ、世界中でみられるようになっている。GIDSの元スタッフは、「トランスフォビック［トランスジェンダー嫌悪］」呼ばわりされることが怖くて、適切な判断ができなかったと話している。

ニューウォークとは、想像力に欠け、絶望的に世間知らずであることにほかならない。しかしその中枢にいる者は、なにをしているのかはっきりわかっている。ある精神科医はこう言った。「若者になにが起こるかとても気がかりです……医療スキャンダルの最前線にいるようなものだ、と医療機関で働いていた人たちはおそれています」もうひとりはこう語る。

頭のなかで警告音が鳴りだしました……自分の懸念（けねん）を口にだせる気がしませんでした。意見したときには、推進派の臨床医に黙らされました。今思えば、薬を飲ませる必要はなかったと思える若者もいます。

ロードアイランド州ブラウン大学行動実践・社会科学部助教のリサ・リットマンは、10代の少女の多くが、友人がトランスジェンダーであると自認したり、トランスジェンダーに関する情報をネットで見たりした後に、自身もそうだと言いだすと述べている。これまでに「性別違和」を感じたことのなかったティーンエイジャーが、自我の目覚めや仲間のカミングアウトにともなって、突然トランスジェンダーだと宣言するのだ。リットマンはこれを「クラスターアウトブレイク（集団感染）」と呼んでいる。

10年前、ほとんどの「性別違和」の子どもたちは生物学的男性だった。しかし今では、ほとんどが生物学的女性だ。あきらかに、知覚プログラミングと集団思考が大きく影響している。お察しのとおり、リットマンはトランスジェンダー活動家過激派から激しく攻撃された。彼女の研究は打ち切られ、改竄（かいざん）された。

米国小児科医師会［ACPeds］のエグゼクティブ・ディレクター、ミシェル・クレテラによると、ティーンエイジャーが性別違和の「急速な発現」を経験している、と多くの家族が語っているという。もっとも多いのは13歳から15歳の少女で、しばしば抑うつの既往がみられ、性別違和の兆候はなかった。少女らは突然、自分はトランスジェンダーでホルモン治療が必要だと宣言する。クレテラはこう語る。

人間は、社会的関係に大きな影響を受ける生物で、特に思春期にはその傾向が顕著です。発達にもっとも重要な段階である思春期に、私たちの文化は、若者たちが「性別違和」という心の病を受けいれるべきだ、とうそをついているのです。「本当のトランスジェンダーのアイデンティティ」としてだけでなく、あらゆる精神的、感情的な苦しみへの答えとして……〔このような子どもたちは〕不必要に、後もどりできない長期にわたる肉体的、感情的傷害へと誘導されているのです。

今日のプログラミングは絶えまなく、例によってBBCもそれに加担している。**子ども向け**のチャンネルCBBCで、『I Am Leo（僕はレオ）』というドキュメンタリーが放送された。13歳の子どもが、悪名高きタヴィストック&ポートマンクリニックで性別移行をおこなう姿を追ったものだ。当然のごとく、この作品は賞を受けている。

私は、本当にトランスジェンダーであると感じている人に意見するつもりはない。問題は、なにも違和感を感じていなかった子どもに介入して、ジェンダーを混乱させていることだ。それは虐待である。

ジョン・ハンフリーズ（今日のBBCにはもったいない逸材）である。ハンフリーズは、元BBCキャスター、ある医師がトランスジェンダー領域で子どもたちにおこなわれていることを深く懸念（けねん）していたものの、それを口にした場合の反発をおそれていた、という経験を語っている。「その医師はソーシャルメディアで激しいバッシングを受け、自身の評判を落とすことをおそれていた。そう感じているのは、けっしてその医師だけではない」ハンフリーズは、その医師はとんでもない数の子どもたちが「性別違和」患者として扱われていることを「大変案じていた」と述べた。子どもたちは、もっとありふれた問題――「困惑する10代であること」を悩んでいるというのに。

英国自由民主党は、二次性徴抑制剤のメーカーから献金を受け、そうした企業を利する極端なトランスジェンダーを売りこんでいる。ここまで述べた内容を踏まえて、これをどうお考えだろうか？

そして子どもたちは……？

グレアム・リネハンは、人気コメディ番組『Father Ted（テッド神父）』の共同制作者である。リネハンは、あるフェミニストがトランス権利活動家らに襲撃されたことをきっかけに、子どもへの不当な扱いとトランスジェンダーの極論に対して声をあげるようになった。彼は、アンチ・ヘイト連中からのヘイトと暴言の猛攻に遭った。アンチ・ヘイトがヘイト？　鏡を見たことがないのか？　いや、あえて見ないのだろう。

腰抜けの業界人らは仕事を回さなくなり、リネハンは干された。「私には、過激なトランス権利活動家たちが意図的につくりだした偏見の臭（にお）いが漂っているのだろう。それが萎縮（いしゅく）効果［反響をおそれて表現を控（ひか）えてしまうこと］をおよぼしている」と彼は言う。

発言を撤回することを拒んだのは立派だ。ただし、リネハン自身にも、ウォーク的な検閲に関わってきたという前歴がある。それがいかに横暴であるかということを、身をもって知ることになったわけだ。

この萎縮効果が、現在ますます法に組みこまれつつある。絶えまないプロパガンダのおかげで、2020年のスイス国民投票において、「人の性的指向にもとづいて公に誹謗(ひぼう)、差別、憎悪をかき立てる」ことを違法とする計画が支持されるにいたった。一見理にかなっているようだが、いつものやり口からして、拡大解釈されて発言の自由がおびやかされることになるだろう。

誰が差別か自由な意見かを決めるのか？　誰がトランスジェンダーの人が職を得られなかったとき、それがトランスであるからなのか、あるいは他の候補者のほうが優れていたからなのかを決めるのか？　決めるのは国家だ。それがこの手の法のキモである。基本的人権を抹消することが目的なのだから。

文書では……

法関連サイトRollonfriday.comとその記者ジェイミー・ハミルトンは2019年、子どもをターゲットにしたトランスジェンダー運動に隠された、非常に誘導的な本質を暴(あば)く文書を公開した。文書はキャンペーンの戦略について助言するもので、法律事務所デントンズのスタッフによって書かれた。

デントンズは2010年にソネンシャイン・ネイス&ローゼンタールと合併し、所属弁護士数から世界最大の法律事務所と言われている。文書は、トムソン・ロイター財団とLGBT圧力団体IGLYOと共同で作成された。デントンズの免責条項には、その内容は「デントンズの弁護士やスタッフ、クライアントの個人的見解を反映するものではない」とある。トムソン・ロイター財団も同様の主張をしている。ジェイミー・ハミルトン記者は、LGBTの若者の団体Mosaicが「匿名希望の」NGOとともに英国の構成部分に寄稿したと書いている。

デントンの報告書の見出しは「大人だけ？　青少年の法的性別認定基準」となっている。序文にはこうある。「この報告書が欧州その他の地域でトランスの青少年の権利拡大のためにはたらく活動家やNGOのみなさんにとって、有効なツールとなることを願います」そして、「すべての子どもは、的確にみずからのジェンダーを認識しています。子どもたちは、その自認を支障なく法的に認められるべきです」と主張している。

地に足がついている人にとっては、これは息をのむほどばかげた主張だが、トランスジェンダー過激派は、地に足がついていないどころか正気ですらない。親権を抹消し、子どもを孤立させて国家やトランスジェンダー過激派に監護権を渡すというテーマはこれまでも幾度となく繰りかえされてきた。ハミルトン記者は、デントンの文書の主旨をこう記している。

文書では「法的な性別認知の権利が、トランスの青少年があらゆる権利を確保するために不可欠です」としている。英国は、子どもが法的な性別を「医学的診断や裁判所の決定なしに、みずからの意志で」変更できる「最低年齢要件」を撤廃すべきと勧告しているのだ。また、「医学的、心理的介入などの適格基準を設けない」ことが強調されている。英国当局は、「トランス青少年の個性の自由な発達を妨げようとする親に対して、必要に応じて親権の停止をおこなう措置を講じる」べきだという。

こんなおかしなことがあるだろうか？　子どもにジェンダーに関して人生を変えてしまうような決断をさせ、自分の子どもへの扱いに異を唱える親に対して「措置を講じる」とは。

文書の文言によれば、「親あるいは法的後見人の同意要件は、未成年者にとって制限的で問題があると認められます」という。トランスジェンダー運動や過激派にとって制限的で問題がある、と言ったほうがいいかもしれない。

デントンズの文書では、「性別適合治療」をおこなうために「制限がない」ことが「不可欠」であるとされている。「性別違和の診断」も「必要としない」。文書は、「間違った」ジェンダーで生きていると「確信している」あらゆる子どもが、二次性徴抑制や性別適合手術へと向かおうとすることへのハードルや、判断を先送りさせるものをすべて取り除こうとするものだ。児童虐待の定義が今ひとつ思い浮かばないが、どなたかご教授願えないだろうか。

もうひとつのポイントは、エピジェネティクス（後成学）［遺伝子の使われ方が環境に応じて後天的に変化する仕組み］または継承された遺伝子配列を通じて、ある世代のトランスジェンダー化されたホルモンの書き換えの変化が次の世代に引き継がれるということだ。Rollonfriday.com のハミルトン記者は、こう続ける。

この報告書は、「法的な性別認定が、性別適合治療とは別物として世間一般にとらえられるよう」、活動家に対しその活動を「脱医療化」［同性愛のように、かつて医療の対象であったものがそうでなくなること］するよう勧めている。反対派が「未成年者の性別適合治療を拒否する」理由の一つとして、「若者は成人になるまで不可逆的な手術を受けるべきではない」という見解を挙げているためだという。

この文書には、本当にぞっとさせられる。あたりまえのようにトランスジェンダーが押しつけられている親や社会全般の経験を、文章で裏づけている。

トランスジェンダー運動が要求する悪意に満ちた過激さは、デントンズの報告書が、「一般大衆はトランスの問題についてよく知らないので、誤解が生じる可能性がある」として、活動家に「過度の報道や露出を避ける」よう警告しているほどだ。このPR的な言いまわしをひらたく言い換えるなら、「一般大衆が活動家の本音を知ったら、恐怖と怒りが生じる可能性がある」ので「過度の報道や露出を避ける」ように、ということだ。

文書では、アイルランドの活動家が「この問題を避けるため、直接政治家個人に圧力をかけ、メディア露出は最低限に抑えるようにした」と述べている。活動家が、「若い政治家をターゲットとする」ことで成功確率が上がるとしている。

欧州で成功したキャンペーンでは、「直接関係がなくても、あらゆる種類の会合でその問題を取りあげ、全員の頭のなかにその問題があるようにする」のだという。「電話ボックスのように少数派」のトランスジェンダー「問題」が、なぜいたるところにあらわれ、あらゆるものに関係してくるのかみえてきたことだろう。

ライターのジェイムズ・カーカップは『スペクテイター』誌の記事でデントンズ文書を取りあげ、その内容（とトランスジェンダーアジェンダ）を2センテンスに要約している。

端的に言って、これは子どもの人生を大きく変えることについての親の承諾をなくそうとする、ロビー団体の活動マニュアルである……世界的な法律事務所が、世界最大の慈善団体の後援で作成したマニュアルだ。

トランスジェンダーロビイストは、カルトを味方につけている。だから、体制もつねに彼らの側に立つ。

カーカップは、この文書がいくつかトランスジェンダーの謎を解きあかしてくれるという。たとえば、警察のような「社会的リベラルとして知られているわけではない」組織が、「ジェンダー代名詞［自分を呼ぶときに使ってほしい（自認する性別の）代名詞。ノンバイナリー（男女二元の性ではない）はTheyなど］をチェックし、ツイッターでまちがったことを言った老婦人に嫌がらせをするほど」社会のトランスジェンダー化を先導していることなどだ。

カーカップは、活動家へのトランス推進法を制定させるためのアドバイスに言及している。「政府の計画に先んじよ」というのもそのひとつだ。つまり、「進歩的な」（ニューウォークな）法案を政府案より早く提出することで、活動家の案が公式政策にすんなりと盛りこまれるというわけだ。ニューウォークは全方位的にこの戦略を採っており、カルトが陰で糸を引いている。カーカップは、英国庶民院特別委員会の報告書が２０１６年に「トランス団体の見解を採用」し、続いて２０１７年に「法的な性別の自己識別を採用する政府計画」がだされたと指摘している。

大衆を欺く（あざむく）もうひとつの方法は、「キャンペーンをよりポピュラーな改革と結びつける」ことだ、とデントンズの文書にある。ほとんどの人が支持するような案に紛れ（まぎれ）こませるのだ。政府やロビー団体は、始終この手を使ってくる。議論を呼びそうな計画を隠すため、論ずるまでもないような法案を前面に出すのだ。文書ではこんな例を挙げている。

アイルランドやデンマーク、ノルウェーでは、性別認定にまつわる法改正は、婚姻法の改革とともに進められました。とりわけアイルランドでは、結婚の平等は強く支持されていましたが、性自認については一般大衆の支持をなかなか得られずにいました。しかしふたつを組みあわせることで、反感から守ることができたのです。

デントンズ文書では、子どもの性別決定に関する親の権利の抹消がもっとも早く進んだ国は、トランス・ロビー団体の工作が成功した国である、と強調している。計画の過激な本質と子どもへの影響が広く一般に知られて既成事実化されないよう、奔走(ほんそう)したのだ。

「差別」？　そうですね

ニューウォークの活動の真偽をはかるには、彼らが代表しているというコミュニティの、ニューウォークの方針を支持しないメンバーをどう扱っているかをみてみることだ。どのニューウォーク団体も、同じ反応をする。攻撃し、罵倒(ばとう)し、あらゆる手を使って黙らせるのだ。

ニューウォークの検閲は、「反ユダヤ」用心棒産業からその基本的な枠組みを流用してきた。「反ユダヤ」は、極右サバタイ派フランキストが支配するイスラエル政府を批判から守るためにつくられたのであって、ユダヤ人を差別から守るためのものではない。

同じ手法が気候変動や「反レイシズム」、フェミニスト過激派、ゲイ・トランスジェンダー運動などにもみられる。環境保護やレイシズム、女性・ゲイ・トランスジェンダー差別に心を寄せていようとも、われわれが言うこと**すべて**を信じない者は敵である。性転換をおこなったが後悔して、安易に行動しないよう警告する者は、例外なくトランスジェンダー活動家の標的にされる。口をふさごうと罵倒（ばとう）されるのだ。

「専門家」の勧めで性転換して人生がめちゃくちゃになった人たちの本を読んだが、そうした決断を勧められているのは、**子どもたち**である。彼らの人生がズタボロになってゆく過程は、まさに悲劇だ。

こうした人びとが自分のジェンダーに疑問を抱くきっかけの多くは、性的虐待である。虐待から逃れるため、別の性別になりたいという精神状態にいたるのだ。必要なのは、精神的サポートと理解である。しかしその代わりに二次性徴抑制剤が処方され、彼らの人生はめちゃくちゃになる。

英ハートフォードシャー州のデビー・クレーメルもそのひとりだ。クレーメルは性転換して男性として17年間暮らしたのち、カウンセリングを受けて、性的虐待の精神的後遺症であったと悟った。彼女は、ほかにも手術を後悔しているトランスジェンダーがいるが、活動家の反発をおそれて事実を明かせずにいると語った。

自分のことを話す**勇気がない**、という言葉に注目してほしい。なぜ勇気をださなければならないのか？　一般大衆の反応が怖いのか？　そうではない。怖いのは、**トランスジェンダー活動家**の反応だ。横暴な活動家が、異なる意見の存在自体を否定してくるからだ。実際、自分がすることを他人がするのを非難しなければ、トランスジェンダー活動家がニューウォークに迎えいれられることはなかった。それが契約条件なのだ。

ふたつのストーリーとその余波によって、トランスジェンダー過激派と、その本当のトランスジェンダーの人びとや言論の自由への軽視が証明された。デビー・ヘイトン（51）は、英ミッドランド西部の物理教師だ。ヘイトンは、2012年に男性から女性へと性別移行した。彼女は、「トランス女性は男。あきらめろ」と書かれたTシャツを着たことでトランスジェンダー活動家を、パンティ（あるいはブリーフ）がねじれたくらい、くだらないことで激怒させた。やれやれ、15キロ先から、パンツが破ける音が聞こえてきそうだ。

デビーは、フェアプレイ・フォー・ウーマンという団体が開催したイベントでこのTシャツを着た。トランスジェンダーの突撃隊が、彼らの（カルトの）意思を女性に押しつけるようになったことから結成された団体だ。

ヘイトンは、ニューウォークに乗っ取られた労働組合会議（TUC）のLGBT+委員会で委員を務めていた。しかしトランスを**冒瀆**（ぼうとく）**する者**は委員には不適切だということで、12人の委員がTUC総書記フランシス・オグレディに苦情を申し立てた。彼らが言うには、そのようなシャツを着ることは「異なる視点からの発言や表現という範疇（はんちゅう）を超えて、トランスコミュニティへのヘイトスピーチを広めるものだ」という。ばかなこと言うな、あ、失礼、ばかなんだったね。

ニューウォークの「ヘイトスピーチ」の定義はこうだ。「私たちが人びとに聞かせたくないあらゆる主張」「異なる視点からの発言の範疇を超えている」とは傑作だ。トランスジェンダリズムに関して、活動家が黙らせようとしない「異なる視点」など存在しない。

フェアプレイ・フォー・ウーマンの創設者ニコラ・ウィリアムズは、こうまとめている。

> トランスフォビアの非難は、あまりに頻繁に女性に投げかけられるため、その言葉の意味を失ってしまいました……トランスの人でさえトランスフォーブと呼ばれるほどです。こうした攻撃がいかにばかげた極論であるかを、人びとが理解してくれたらと思います。トランス運動は、ジェンダー過激派に乗っ取られてしまいました。

おっしゃるとおり。カルトに代わって自由を破壊する、傲慢の極みである。TUCと密接な関係にある英労働党は、長年24時間体制で「反ユダヤ」用心棒産業に媚へつらってきた。最近は、トランスジェンダー過激派に追従している。2019年の選挙で惨敗しても、労働党はまだ目が醒めないのだ。ウォークは人を覚醒させない。

2020年の労働党党首選に立候補したレベッカ・ロング＝ベイリーは、党の女性人権団体を「トランス排除主義者のヘイトグループ」呼ばわりするキャンペーンを支持した。「トランスの人権のための労働党キャンペーン」は、「労働党からトランスフォビアをなくし、トランスの人びとのために立ちあがる」ための計画を発表した。

ここでも用心棒の手口が繰りかえされている。そりゃそうだろう、うまくゆくんだから。イスラエルを批判する者はみな、排除されてきた。それに倣って、今度はトランスジェンダー過激派に対して自身の権利を譲らない者の党員資格を抹消しようというのだ。ロング＝ベイリーが支持したキャンペーンは、「労働党から偏見的、トランスフォビックな見解を表明する者を排除する」ことを呼びかけた。

キア・スターマーは、言い訳野党（労働党）の党首選でロング＝ベイリーを破ったが、彼もまたニューウォーカーである。テルアビブの方角に向かってひざまずき、おべっかを使っている。労働党はすでに生命維持装置につながれた状態にあり、誰かがそのスイッチを切ったのだ。

ニューウォークの女性の権利に対する戦いは、つねにペースを上げている。私の生まれ故郷にあるレスター大学の学生組合は、国際女性デー（International Women's Day）の「Women's」を「Womxn's」とした。「トランスジェンダー女性」に配慮して、「women をよりインクルーシブなスペル」にしたのだという。これは、「女性役員」にトランス女性のダン・オーを選任したのと同じ学生組織である。

2020年の国際女性デーでは、英国セフトンカウンシルのふたつの町の庁舎に掲揚（けいよう）されていた旗を降ろすという事態も発生した。旗には、「女性」とは「成人女子」のこと、と辞書にある定義が書かれていた。ニューウォーク**男性**からのたった1件の苦情で、この旗は降ろされることになった。エイドリアン・ハロップと名乗る男が、カウンシルに宛ててこうツイートしたのだ。「……あなた方が掲げている旗は敵意のこもったトランスフォビックなドッグホイッスル［わかる人にはわかる言外の意が含まれる表現］です。英国のもっともあからさまなトランス敵対者で、トランスフォビックなヘイト団体のリーダーのトレードマークとして知られているものです」［2018年にこの旗と同じ文言が書かれたポスターが掲示され、撤去されている。掲示したのは、ケリー・ジェイ・キーン・ミンスハルという反トランスジェンダー活動家」

女性という語の辞書の定義は、いまやトランスフォビックで、攻撃的なのだという。カルトは男性も女性もターゲットにしていると言っただろう?

促進と規制

かつて女性は、ポリコレ・セクシュアル・ヒエラルキー(ポリコレ的性的指向ランキング)のトップに君臨していた。今では、ノージェンダー人間へと向かう忍び足の全体主義の次のステージに突入し、トランスジェンダー運動が女性に取って代わった。トランスジェンダーの権利を女性の権利より優先させる押しつけに異を唱える女性は、革命の敵と目される(図347)。最終的にはノージェンダーの人びとがトップに立ち、トランスジェンダーは革命の敵になるのだろう。そのように仕組まれているのだ。

女性がポリコレヒエラルキーから転落したのは、**ジェンダー**のひとつであるからだ。カルトからすれば、女性というジェンダーに残された役割は、女性というものが抹消される前に、男性の影響力を低下させることだけである。男女が互いに助けあうというのはどうだろうか? 名案ではないかね?

カルトにとって女性よりもはるかに重要なのは、西洋社会に他の文化を大量に流入させることである。それらの文化や宗教は、ポリコレのヒエラルキーでは女性よりも上に置かれる。ニューウォークは、女性の権利のために立ちあがると言いながら、女性を奴隷やゴミのように扱う宗教に触れたり、批判しようとする者を黙らせている。コミュニティを変容させ、女性を抑圧し、雇用を奪う大規模な異文化流入をすっぱ抜いたり、批判することは許されない。そうなれば、大量移民戦略全体が大衆の疑問にさらされることになってしまう。オープンな議論は阻止しなければならない。

　これが、超シオニストの検閲官が「反ユダヤ」とは議論しないという本当の理由だ。事実のもとでは勝ち目はないとわかっているから、それがバレないよう言い訳して議論を避けるのだ。「反レイシスト」検閲官が「レイシスト」と、「反トランスフォビア」は「トランスフォビア」と議論しようとしないのも同様だ。

「ジェンダー・セルフＩＤ」（いつでも好きなときに自分の性別を決められる）がレイプ・クライシス・センター、男女別病棟、女性スポーツに与える影響を強調する女性は、「トランス排除的ラディカルフェミニスト（ＴＥＲＦ（ターフ））」と切り捨てられる（図３４８）。

　筋の通った抵抗を過激派に仕立てあげるというのは、極端な立場をとる者が昔からよく使うトリックだ。ニューウォークの世界でもこれが横行しているし、超シオニストもパレスチナ人を虫けらのように扱いながら、それに異を唱える者はみな「反ユダヤ」だと決めつけている。

　トランスジェンダーが言論の自由撲滅（ぼくめつ）キャンペーンに利用されているもうひとつの例として、マヤ・フォーステーターの一件がある。フォーステーターは、グローバル開発センターというシンク

図347：インクルージョン（包摂）と平等という幻想。（皮肉なことに）本当の目的は特別扱いだ。［プラカードには、「トランスの権利は人権」と］

図348：とっくにはじまっている。（ガレス・アイク画）［左プラカードには、未来はフェミニスト、右プラカードには、トランスの権利は、人権、と］

タンクで客員研究員を務める税務の専門家だったが、要件なく性別を自由に宣言できるようにするという性別承認法改正案に反対するツイートをしたのち、雇用契約が更新されなかった（解雇された）。

彼女は、他人のジェンダーについて、誰にも指示されず、自身が適切と思うかたちで言及する権利があると主張した。自由な社会にはそのような権利がある、という意見だ。しかし、雇用裁判官ジェームス・テイラーによれば、そんな権利はないのだそうだ。フォーステーターは解雇を不服として雇用審判所に訴えたが、テイラーはニューウォークの正統性を滔々と述べて判決を下した（彼女に勝ち目はなかった）。

ミスター・ウォークなテイラーは、開いた口が塞がらないような皮肉をこめて、フォーステーターの見解は「民主主義社会において尊重される価値のないもの」だとした。もちろん、テイラーの見解は**尊重される価値がある**。なぜなら、押しつけられた正統を代表しているのだから。自由や民主主義の基本的な考え方を理解していない者が、法的に他人を裁くとはひどいものだが、**「すばらしいニューウォークの世界」**ではよくあることだ。

ひとたび社会が信じるべき知覚の枠組みが定まったなら、学界や政府機関、警察、司法など体制全体を取りこんで、その枠組みを押しつけてゆく。体制が支持することを法廷にもちこめば、証拠などほとんど不問で勝てるだろう。体制が支持しないことなら、負けると決まっている。世界中どこでも、社会はこのように回っているのだ。

司法の独立だって？　ばか言っちゃいけない。キリスト教徒は、十字架を身に着けるなど信仰を表現する権利を争って敗れている。かたや、フロントガラスにハエがぶつかるという理由でバスを忌避（きひ）するヴィーガンは、自分たちの信条を守る判決を勝ちとっている。

正しいか正しくないかは問題ではない。当局たるカルトが、それを望むか否かが問題だ。批判の対象がポリコレヒエラルキーのどこに位置するかが、ニューウォーカーからどれだけ攻撃されるかに直結している。

ハリー・「ポッティ（炎上）」

マヤ・フォーステーターは、ウォークなテイラー裁判官に対し、聡明（そうめい）な言葉をかえしている。「トランスジェンダーのインクルージョン（包摂）の問題を、男性が女性のスペースに入ることを許されるべきだという議論に仕立てあげることは、女性のプライバシーの権利を軽視するもので、根本的に自由に反するものです（「宗教上豚を禁忌とする」ユダヤ人に豚を食べるよう強要するようなもの）」

フォーステーターの弁護士、ピーター・デイリーはこう述べた。「もし私たちのクライアントが勝訴していたら、この議論のどちら側であっても、差別されることをおそれることなく自分の信念を表現するための保護を法律で確立していただろう」　彼女が負けたのも無理はない。

フォーステーターが「They」と呼ぶことを拒否した人物の写真を見れば、この判決がとんでもないということがいよいよはっきりする。その人物、地元ダンディーの議員［当時］グレゴール・マーレイは、男性の髪型をして髭（ひげ）をたくわえ、完全に男性に見える。マーレイは2019年5月、フェミニスト批判者を「クズ」「憎悪に満ちた卑劣な者」と呼んだことで、2か月の停職処分を受けた。テイラー裁判官の基準では、これは民主主義社会で尊重されるに値するものなのだろうか？　テイラーのばかげた判決をめぐる議論は、『ハリー・ポッター』の著者J・K・ローリングのツイートによってさらに白熱した。


好きな服を着ればいい。

自分のことを好きなように呼んだらいい。

合意を得た大人であれば、好きな人と寝たらいい。

平和で安全な環境のなかで、最良の人生を生きたらいい。

でも、生まれもった性別は変わらないものだと言っただけで、女性から仕事を奪うって？
#IStandWithMaya（マヤを支持します）　#ThisIsNotADrill（ここからが本番）

これは、意識高い系のニューウォークがさらなる高みに到達するきっかけとなった。ニューウォークのアムネスティUKをはじめとする「人権」団体が、「トランスの権利は人権である」というローリングへの非難を噴出させたのだ。では、**女性の**権利は？　言論の自由はどうなった？　ひどいものである。ローリングはたびたびニューウォークの大義を支持するツイートをしているのに、こんな反応が返ってくるとは皮肉なものだ。ウォークへの忠誠はあらゆる面、あらゆるかたちで完全でなければならない。さもなくば、革命の敵とみなされるのだ。

『スター・ウォーズ』でルーク・スカイウォーカーを演じたマーク・ハミルは、ローリングのツイートに「いいね」したために、つねに怒りに燃えているニューウォークマフィアに、さらに燃料投下してしまった。そして世界中の腰抜けセレブ同様、ハミルも伏して許しを乞（こ）うはめになった。

> 無知は言い訳になりませんが、私はあのツイートの最後の行とハッシュタグの意味を理解せずに「いいね」してしまいました。私がいいと思ったのは最初の4行でした。トランスフォビアな言外の意があるとは気づかなかったのです。

くだらんこと言わずに、人間の自由に対するきみの根性のなさの「言外の意」を考えてみろよ。

ニューウォーク（覚醒意識高い系）の秘密警察（シュタージ）が迫る

英国の元警察官ハリー・ミラーは、トランスジェンダー問題に関する一連のツイートの件で、警察から「思想の確認」を受けた。そのツイートは「憎悪に満ちた」ものではなく、単なる意見だった。警察はミラーが法に触れていないことを認め、オーウェル流に言うところの「無罪の罪」（ちょっとなに言っているかわからない）という分類として、この件を「ヘイト事件」として記録した。ミラーは、ロンドン高等法院に警察を提訴した。さいわい、この件を担当したのはウォークにハマっていない裁判官だった。ジュリアン・ノウルズ裁判官は、ミラーのツイートは「合法」であり、警察の行為は、軽視されるべきでない彼の言論の自由に対して「実質的萎縮効果」をもたらすものであるとした。「そのような行為は、民主主義の根本たる自由を軽視するものである」と裁判官は述べた。「わが国には、チェーカ（ソビエト政治警察）やゲシュタポ（ドイツ秘密警察）、シュタージ（東独秘密警察）といったものは存在したことがない。私たちは、オーウェル的社会に暮らしたことはない」

　このくだりに関しては、私は同意しかねる。世界中の警察が、現実に起こっている犯罪を無視して、このような思考犯罪を追っている。２０１４年以降、英国では「非犯罪ヘイト事件」が12万件記録されている。この記録は犯罪歴チェックに表示されるため、これを理由に雇用されない／解雇されるといったこともありえる。警官の多くはこのようなことをしなければならないことに驚き、愕然（がくぜん）としているが、彼らのキャリアは服従にかかっている。カルトが、警官を意思に反して体制の歩兵として徴用しているからだ。

　英国では、ニューウォーク思想を法執行の場に吹きこむため、２０１２年に警察大学校が設立された。ここで編成されたニューウォーク警察が、時給制で自由を破壊している（図３４９）。

　大学校では「ヘイト事件」をこう定義している。「被害者その他の者によって、トランスジェン

図349：自由を破壊するニューウォークの狂気が、警察ほかあらゆる機関に吹きこまれている。なぜなら、カルトのアジェンダ（実現目標）だから。

ダーあるいはそのように見える者に対する敵意や偏見によって引きおこされたと認識された非犯罪事件」

まさに被害者の勅許状［英国では国王が公的な認可として勅許を発する］である。ごく少数（たった**1人**のことも）が文句を言うだけで警察の捜査が入り、シリコンバレー（巨大IT産業）などの企業が発言をバンしたり、製品を回収したりすることができるのだ。まったくどうかしている。アジェンダの押しつけを正当化するために申し立てをおこなうのは、たったの1人でいいというのだから。自分は生物学的には男のままだ、と言えば、**当事者**であるトランスセクシュアルの女性がツイッターにバンされてしまうのだ。狂気の沙汰（さた）だって？　そう、カルトのアジェンダのための意図的な狂気だ。

『デンバー・ポスト』の人気コラムニスト、ジョン・カルダラは、この世には2つしか性別は存在しないと考えることを理由に解雇されたという。カルダラは解雇についてこう語る。「私のコラムにとどめを刺したのは、この世には2つしか性別がないという主張と、トランスした人（transgendered）（そもそもこの言葉も許されない）［トランスジェンダーのことはtransgenderと表現すべきで、transgenderedという表現はcolored（有色人種）と同様に侮蔑（ぶべつ）的とされている］のインクルーシブのために言論の自由を奪われることへの不満のようだ」カルダラは、同性婚を支持し、LGBTの友人もいるし、誰がどのトイレを使おうと気にしないと言った。それでも解雇は取り消せなかった。ニューウォークは完全服従を求める。さもなくば、社会的制裁が待っている。

カルダラの件でもうひとつ悪意を感じるのは、彼の記事が『AP通信』の「スタイルブック」に関してのものだったことだ。「スタイルブック」は、出版物において統一した言葉遣いを規定する手引きである。カルダラは、同社「スタイルブック」には、2つ以上の性別が存在し、「They」は三人称単数を指す語となったと記載されていると書いている。「不法入国者」という語は禁じられ、「ビザをもたない外国人」と言い換えられる。

これらはみな、アジェンダが押しつける言葉である。性別は2つしかない。性**自認**は複数あるかもしれないが、**生物学的**性別とは別物だ。本気で「They」を単数形として使うだなんて文法的にありえないが、これについてはのちほど。

私たちは、とんでもない横暴を目の当たりにしている。子どもも大人も、全人類がトランスジェンダー操作にさらされる危機を、毎週数えきれないほどご覧になっていることだろう。以下は、Davidicke.com のほんの数か月分の見出しである。

陪審、7歳の子どもをジェンダー「移行」から守ろうとした父を有罪に／カリフォルニア州、性別移行助成を拒否したアイオワ州を公費での「渡航禁止」州に追加／広告の有害なジェンダー・ステレオタイプ規制が施行／ユネスコ、シリとアレクサがジェンダー・ステレオタイプを助長していると非難／3歳児が男児から女児へと性別移行、里親の実子も7歳で女児に性別移行したばかり／2歳児へのトランスジェンダー教育、女子は不安と恥ずかしさを感じ、男子とジェンダー・ニュートラル・トイレの共用を避けるため学校をサボる／仏、ジェンダー・ステレオタイプと闘う（新しいジェンダー・ステレオタイプをつくりだす）ため、子どものオモチャの「差別をなくす」取り組み／男子も女子も同じ「無意味な」ジェンダー・ニュートラル制服導入に反発する生徒を学校が校門から締め出し／ドラァグアーティストが読み聞かせ、図書館の子どもたちへのジェンダー自認教育／スウェーデン政府、子どものためのドラァグクイーン（女装パフォーマー）ショーに17・5万ドル助成／ストーリー・アワー（読み聞かせ時間）中にドラァグクイーンが子どもたちの前で露出［2022年、2019年のストーリーアワーで露出があったとソーシャルメディアで騒がれたが、AP通信はフェイクであると報道］／ブルックリンの学校、「ドラァグクイーン訓練中」というステッカーを4歳児に配布／ドラァグクイーン、幼児にトゥワーク（腰振りダンス）を教える／ドラァグクイーン・ストーリー・アワー参加者にまたも性犯罪者……なぜ公立校は子どもたちをこのような変質者と接触させるのか？／ドラァグクイーン・ストーリー・アワーヒューストン支部、小児性愛スキャンダルのさなかに閉鎖／子どものドラァグクイーンが半裸の成人ドラァグの隣でポーズをとるも、母親は「性的な意味はない」／幼児に性的許容度を教えるドラァグクイーン、元トーリー（保守）党閣僚アン・ウィデコムを「くそったれの鼻持ちならない偽善女」呼ばわりするなど罵倒（ばとう）的なツイートをする／ドラァグクイーン、子どもに性的多様性を教えるため保育園に派遣される／ドラァグクイーン、［ワシントン州］キング郡図書館で子どもたちにストリップを披露／小学校が既決重罪犯のドラァグクイーンを招いて子どもたちに語らせる／ヴァイス・ニュース［米国に本部を置くカナダメディア］、ドラァグ衣装の幼い男児を「次世代ドラァグクイーン」と紹介／ドラァグクイーン、「ストーリー・アワー」での「次世代育成」を認める

／「ブリストルのお抱えビッチ」を自称するドラァグクイーンや異性装者を招いて子どもたちに寛容についての読み聞かせをおこなった小学校、親の猛抗議に遭う／ジェンダー狂想曲は危険な精神障害の域に達し、進歩的な男性は文字どおりみずからの睾丸を切り落とす／トランスジェンダー男性モデル、女性をターゲットとした「可愛らしいピンクの」生理用品が精神的苦痛を与えるため、デザインを変えるべきだと主張／ユナイテッド航空、予約時に性別「ノンバイナリー」選択可能に／英ノーサンプトンシャー警察、なぜかアメリカンスタイルがトランスジェンダーの新人獲得に有効と考え制帽としてキャップを支給

日々仰天エピソードが増えてゆき、現実に起こっていることをパロディで誇張することができないところまできている。

先に挙げた見出しのなかには、世界中で突如始まったドラァグクイーンの読み聞かせに関するものもある。学校や図書館で、5歳以下の子どもたちへの読み聞かせ要員として、突然ドラァグクイーンが抜擢されたのだ。北米からスカンジナビア、欧州、豪州までいたるところで読み聞かせがおこなわれているが、これもただの偶然だ（図350）。狙いは、子どもに刺激を与え、ジェンダーを混乱させることである。

スコットランド国民党議員のマリ・ブラックは、ツイッターにどぎつい画像を投稿している「フロウジョブ」なるドラァグクイーンを小学校に招き、4歳児に読み聞かせをさせた。親から苦情が

でると、ニューウォークなブラックは「ホモフォビア（同性愛嫌悪）」呼ばわりした。

あるネット動画では、ドラァグクイーンが幼い少女の前で思わせぶりに踊ったり、四つん這いになったりし、大人からは歓声があがっている。そしてドラァグは少女の髪を撫で、キスをする。吐き気を催すような見世物だ。愛情深い親が児童相談所の訪問を受けているが、この場に居合わせた親のところにも来るだろうか？　絶対来ないだろうね。

米国のドラァグクイーン、キティ・ディミュアは、親がこれを許していることに衝撃を受けた、と語る動画を投稿した。彼は訊ねる。「子どもにストリッパーやポルノ俳優の影響を与えたいと思いますか？」　さらにディミュアは、なぜウォーク「左派」がドラァグクイーンを過剰にもちあげるのか疑問視する。なぜ「化粧をして、跳んだり身をくねらせたり、ステージで性的なパフォーマンスをする」者をそんなにもありがたがるのか？　幼い我が子に踏みこませたい領域ではないはずだ。ただ、クールでウォークな親に見られたいがためにそうしている、とディミュアは鋭く言い当てている。「ただ普通に、まっとうに子どもを育てればいいではありませんか。ゲイや性的なものとかかわる必要なんてない」「ディミュアはＦＯＸニュースにも出演、ビッグファーマが性別移行を促しているとコメントしている」　だが、カルトのアジェンダが逸脱であるなら、普通の子育ては無理だ。

私はドラァグクイーンに恨みはない。大人が合意のうえで行動するなら、他人がなにをしようとかまわない。だが、子どもへの意図的な洗脳や操作となれば、**話はまったく別だ**。正気を取りもど

図350：各国で突然このようなことが起こったのは純然たる偶然であり、意図的にできる限り幼い子どものジェンダー認識を混乱させようなどとはしていない。

図351：子どもとそのジェンダー認識を狙い撃ちする以外に、学校や体制がこんなことをする理由があるだろうか？　大人が合意のうえですることは、私がとやかく言うことではない。だが子どもを操作しようとするなら、全力で阻止する。

すまで、大きな声で何度でも指摘しなければならない（図351）。私たちはまだほんの入り口に立ったにすぎないと思うと、ぞっとする。親が毅然と団結して止めなければ、子どもはどうなってしまうだろうか。

トランスジェンダー、特に有色人種の殺害が「多発」しているという主張もあったが、捏造であることが数字からあきらかになっている。このうそは、民主党大統領候補者やカルト支配の米国医師会、米ヒューマン・ライツ・キャンペーンのようなニューウォーク組織が吹聴したものだ。

ヒューマン・ライツ・キャンペーンによると、「多発」とは2018年に26人のトランスジェンダーが殺害されたことを指すそうだ。トランスジェンダー10万人あたり、平均1・8人が殺害された計算になる。2018年の全人口でみると、10万人あたり**4・9人**が殺害されているので、トランスジェンダーの人が暴力により殺害される率は全人口の割合より低いことになる。**「多発」**？全方位にうそを拡散する、というのがやり口だ。ほとんどの人はファクトチェックなどせず、吹きこまれたうそを鵜呑みにするのだから。こうしてアジェンダは進められてゆく。

ひとつの陰謀にはさまざまな側面がある

世界的な、とりわけ西洋での精子数の低下は、トランスジェンダーからノージェンダー、そして無生殖人間という計画とつながっている。精子数は、環境中の内分泌攪乱化学物質によって急減している。食べ物や飲み物に含まれる化学物質や、ポケットのなかのスマホやWi-Fi、5Gなどの電磁波の影響だ。不妊治療クリニックがかつてないほど盛況なのが、その証拠だ。米国の出生率は、2007年から2011年の間に9パーセントも下落している。そして2016年には過去最低を記録している。

いっぽう、エルサレムのヘブライ大学のエルヤキム・キスレフ教授は、おひとり様の利点を喧伝（けんでん）する。「シングルであることは、悩みの種ではなく強みになりうる」これは、さまざまなかたちであらわれるテーマだ。どんなライフスタイルを選ぶかは各自の自由だが、すべてを考えあわせれば、テーマがはっきりと見えてくる。

カルトは**人類を不妊にしたい**。生殖のない世界では、男女の性別は不要になるだろう。現に、意図的に性別が排除されているのはご覧のとおりだ。今はまだ初期段階かもしれないが、ゴールは無生殖である。カルトのアジェンダは「ノーマライゼーション（常態化）」段階に近づくにつれ、どんどん速く進んでゆく。

白人の凋落（ちょうらく）に喝采（かっさい）している非白人の人びとは、次は自分たちの番であると気づいたほうがいい。白人だけを撲滅しようとするものではなく、全人類が抹殺対象なのだ。私たちは団結すべきである。カルトの分断工作を許してはならない（本稿は「ソーシャルディスタンス」の押しつけ前に書かれたもの）。今日の子どもたちには、年配者ならおかしいと見抜けるようなことが「ノーマル」となっているではないか。これも若者と老人が分断されている理由のひとつだ。

ここで言う「ノーマライゼーション」とは、異常を正常とすることだ。ジョージ・オーウェルが『1984年』でみごとに描いた、2＋2＝4ではなく、2＋2＝5が正解という概念である。「自由とは二足す二が四になると言える自由だ。これが容認されるならば、その他のことはすべて容認される」真実を口にする自由が残っているなら、公式のうそに異を唱えることもできるだろう。ビッグ・ブラザーはそれをわかったうえで、2＋2＝5だと発表した。みなそれを信じるしかなかった。さもなくば――。最初は答えが4だとわかっていても、やがて答えが5だと認めやすくなり、最後には自尊心を守るために答えが5だと信じてしまう。

私たちが現在経験している「4」と「5」の移行期間もまた、オーウェルの「二重思考（ダブルシンク）」の概念によるものだ。これは、2つの矛盾する信念をもち、どちらも真実であると受けいれることと定義されている。5が完全に支配するまでは、4と5が共存しうる。国境を開放し**ても**、住居や職、学校、病院などが十分ゆき渡るというのが二重思考のわかりやすい例である。

オーウェルの本や、操りコントロールする手法は、どこにでもみることができる。彼はこう書いている。

おしまいに党は二足す二は五だと発表するようになるだろうし、自分もそれを信じなければならなくなるであろう。遅かれ早かれそうした主張が行われるのは避けがたいことであった。彼らの置かれている立場の論理的な必然性がそれを要求するのだ。ただ単に経験の正当性ばかりでなく、客観的な事実の存在そのものまで、党の哲学によって暗黙のうちに否定されるのである。異端の中の異端こそ常識だった。

> そして戦慄（せんりつ）すべきことは正反対の考え方をしたために殺されるということではなくて、むしろ彼らの方が正しいかも知れぬと思い込むことであった。なぜなら、結局のところどうすれば二足す二は四になるということが確認できよう？　引力が働くということも、過去が不変のものだということもどうやって証明できよう？　過去も客観的世界も精神の内部にだけ存在するとしたら、また精神そのものが管理できるとしたら――いったいどういうことになるのだろうか。［『１９８４年』新庄哲夫訳、早川書房］

少数の者だけが現実についての真実を知り、それを大多数から隠しておけば、こうしたことが起こりうる。外界であろうとなかろうと、重要なのは、私たちが無限の意識かつ、それぞれ独自の知覚であることを認識する必要があるということだ。私は、デーヴィッド・アイクという独自の経験であり、**存在する／した／しうるすべて**である。

ニューウォークは、２＋２＝５にいたる長い要求リストを人びとに押しつけている。人為的気候変動から、ポリティカル・コレクトネス（偏狭な政治的正義）にいたるまで。そしてもっとも確かなのが、生物学的性別以後の正統である。男性と女性は生物学的に異なる、と言う生物学の教授は、攻撃され、罵倒（ばとう）され、

「取り調べ」られる。

オックスフォード大学のセリーナ・トッド教授は、女性や労働者階級の暮らしを専門とする歴史学者である。トッドは女性の権利を支持したことでトランスジェンダー活動家から脅迫を受け、ボディガードをつける羽目になった。

ルイビル大学児童青年精神医学心理学部の元学部長アラン・M・ユーセフソン博士は、トランスジェンダーであるという子どもの主張をすぐに信じるべきではない、と言ったことで解雇された。

オハイオ州ショーニー大学のニコラス・メリウェザー教授は、宗教的信条に反するとして、男性の身体をもつ学生を「女性代名詞」で呼ぶことを拒んだため、懲戒処分を受けた。

他にも多くの人が、解雇されたり職場を追われたりしている。2＋2＝4にもとづく穏当な発言に対する、ニューウォークの大がかりな、暴力的ともいえる抗議が原因だ。

こうした活動家は、好きなときに選択できる性別以外は存在しない、という前提で社会を変革するよう主張している。2＋2＝4が、力ずくで2＋2＝5にされるのだ。

カルトの世界計画は、事実と表現の自由が放棄されたときのみ実現する。それには、2＋2＝5がノーマル、2＋2＝4は革命の敵でなければならない。事実は事実**とされるもの**に置き換えられる。

2＋2＝4を知る世代が絶えてしまえば、全人類は2＋2＝5というポスト事実世界に生まれる（ハクスリーによれば「瓶詰」される）ことになる。揺りかごから墓場まで、みな2＋2＝5と言われて暮らすということだ。

アドルフ・ヒトラーはこう言っている。

敵が私にこう言った。「私はけっして屈しないぞ」 私は静かに答えた。「お前の子どもはすでに私たちのものだ……何様のつもりか？ お前は死にゆく身だが、その子孫はいまや新陣営にいる。遠くない将来、この新しい共同体のことしか知らない者の時代になるだろう。」

「代名詞」の押しつけも、2＋2＝5の強制の一例だ。トランスジェンダー男性／女性が、自分たちが望むよう「彼」、「彼女」、あるいは奇怪至極にも「彼ら(They)」と呼べと迫るものだ。

私は、ひとりの人間を「彼ら」などとはけっして呼ばない。私は言語を尊重する。ばかの言いなりになるということは、自分もばかになるということだ。

話は簡単だ。トランスジェンダーの人が、自分の身体と反対の代名詞を自称することは自由である。同じく、その人たちのことを指すとき、女性の身体の人を「彼」と呼ぶ、あるいは男性の身体の人を「彼女」と呼ぶことに抵抗がある人も、そう呼ばない自由を認められるべきだ。これが、双方に自由を認める解決策である。しかし、そうはゆかない。なぜなら、自由はカルトの**ターゲット**であり、望む結果ではないからだ。

親たちを黙らせよ、教師を洗脳せよ

多くの親が、子どもの学校で起こっていることを深く憂慮(ゆうりょ)しているが、口にだすとどうなるかとおそれている。ほとんどの教師は、プログラムを信じるようプログラミングされている。プログラムの狂気や陰謀を見抜く者は、押しつけられた正統に盾突けば、キャリアの終わりだとわかっている。

ニューウォークは、カルトのしるしとしてその手法に従う。アジェンダを押しつけ、なにが起こっているかを見抜く人を脅し、黙らせるのだ。この脅しに屈すれば、世界中の子どもたちは知覚を飼い慣らされてしまうだろう。私たちが目にしているのは、子どもたちを政府が完全支配し、親権をなくそうとする忍び足の全体主義だ。そこを目指し、親権は絶えず削られつづけている。

テキサス州のある教師は、今起きていることを象徴する発言をした。子どもを育てるときに親が「最終決定権」をもつべきではない、と言ったのだ。これは、子どもたちを洗脳すべくドラァグクイーンが起用されたことへの親からの抗議に対する発言だった。

成人のドラァグパフォーマー（ステージネーム「リン・アドニス」）が、ウィリス高校で子どもたちと交流し、ソーシャルメディアの連絡先を交換した。ステファニー・ホジンス校長はこれを擁護し、校長の資格がないことを露見させてしまった。いっぽう、無知な英語教師アンソニー・レーンは、親は自分の子どもを育てるにあたり「コミュニティ」の意志に従うべきだと述べた。

そう、これがメッセージだ。カルトは親権と家族単位そのものをターゲットにしているため、これが常識になりつつある。「子どもを育てることはコミュニティの責任であり、親が最終決定権をもつべきではないと考えます」米国の頭脳がほとばしる。「正直な話、子どもたちにとってなにが最良かわからない親御さんもいるでしょう」親にわからないことを、この傲慢な教育者はわかっている（**私が正しい**）。そして子どもの幸福のためには、女装の男「リン・アドニス」からアドバイスを受けるのが最善だと言い張るのだ。アドニスとは、ドル札を振る観衆の前で挑発的に踊るような人物であることがネット動画からわかっている。

バチカンは、教皇の地位を左右するカルトのサバタイ派フランキスト（『Trigger』参照）に長く支配されてきた。現在教皇を務めるフランシスコは、気候変動や教育、子育てなど、カルトのアジェンダを売りこむ姿がよくみられる。

教皇は、「新しい人間中心主義」をつくりだすため、「グローバルな教育協定の再構築」の名のもとに、新たに「グローバル教育協定」を提唱した。教皇は政界、財界、学界、科学、社会学関係者や、スポーツ界などの著名人を集めて会議を主催した。「若い世代に統一された友愛の共通の家を手渡す」「教育を通じて世界的なメンタリティの変化を起こす」（若者を教化する）ための「グローバル教育協定」が締結された。

オーウェルなら、カルトのスパイであるヒラリー・クリントンが著書『村中みんなで』〔あすなろ書房」に使った言葉に注目しただろう。「子育ては村中みんなでするものだ」［アフリカのことわざ］教皇フランシスは、「すべての人を巻きこむ教育の道」をもつ「教育村」の設置を呼びかけた。教皇の言葉には、親を教育の中心とする言及はどこにも見あたらない。なぜなら、政府がその役目を奪っているからだ。教皇はそれを重々承知のうえで、奨励している。

教皇はまた、国連や欧州連合のような「国際的な機関に従う」ことは私たちの「義務」であると述べた。教皇は「新しい人間中心主義」を呼びかけているが、「人間中心主義」は、「神や超自然的な事柄よりも人間を最重要視する、合理主義的な見方または思考体系」と定義されている。

なんとも皮肉である。この文脈での合理主義的な見方または思考体系とは、テクノクラシーを意味する。テクノクラシーでは、あらゆる信仰や霊性を消し去り、ニューウォークという宗教に置き換えることが必要とされる。

教皇は「神の子」か？　そうとも。そして私はゼリーの子(jelly baby)だ［Jelly Babies は英国のゼリー菓子］。カルトが親を脅(おど)すための主要な手段といえば、西洋その他各国で活動する児童福祉マフィアである。途方もない数の子どもたちが、ばかばかしい、あきらかにでっちあげの理由のもとに、政府によって愛する親から盗まれている。そしてその数はどんどん増えつづけている。

児童福祉事業を隠れ蓑(みの)に活動する小児性愛者やサタニスト(悪魔崇拝者)の組織は、注文に応じて子どもを盗みだすことさえある。私は過去の著作でこの暴挙と、子どもや親への影響を暴(あば)いてきた。

「非公開」の家庭裁判所には、サタニストや小児性愛者の裁判官、弁護士、児童相談所職員、警察が入りこむことも可能だ。家裁は、政府やカルトが子どもたちを愛する親から取りあげるために使われている（図352）。「家庭」裁判所には陪審がいない。だから小児性愛者やサタニストの裁判官、あるいは裁判官を操る小児性愛者やサタニストの組織が判決を自由にできる。

児相からの電話、あるいは訪問は、いまや親にとって最大の恐怖のひとつとなっている。そしてこの政府による誘拐は、親権と生殖の終焉に向けての忍び足の一環である。教師、医師、警察などは、親について児相に報告するよう奨励、義務づけられている。本当に虐待があれば、それが正当化されるだろう。私が言っているのは、報告されたケースのうち、虐待などまったくなく、むしろ素晴らしい環境にある子どもたちのことだ（そのようなケースが多数ある）。

親は、ドラァグクイーンやトランスジェンダーの学校での洗脳に対して立ちあがり、異議を唱え、苦情を言うことをおそれている。ますます権威主義的になる学校や児相からの報復や、ニューウォークやカルトに知覚を眠らされた他の親たちから罵倒されることをおそれているのだ。

かわいそうな子どもたちは無防備なまま、ニューウォークの次世代あるいはより過激な進化形となるべく、獣にマインドを吸いとられる。家族は解体され、AIテクノロジーと世界政府に置き換えられてゆく。

横暴な学校や児相の逆鱗（げきりん）に触れる可能性があり、怖（お）じけづくのは理解できる。だが、立ち向かわなければ、子どもたちは毎日学校へ行くたびに、あわれみのかけらもないカルトやその支配下にある政府の手にゆだねられることになる。親は連帯して助けあい、なにが起こっているかをあきらか

図352：「自由」とされている国々の非公開の裁判所が、子どもたちを愛する親の元から産業規模で盗みだしている。親は公に発言することを禁止され、メディアも締めだされている。

にし、声をあげるべきだ。そうすれば、ひとりひとりが孤立無援にならずにすむ。

やつらはあなたの子どもを狙っている。そのまた子どもの世代では、さらにその手が迫ってくるだろう。手遅れになる前に、越えてはならない一線を引くべきだ。

第14章 新世界交響曲とは何か?

自身の平穏(ハーモニー)を保つには、自分の波動(バイブレーション)をコントロールすること

——スージー・カセム

この章のタイトルに掲げた質問に対する一般的な答えは、新世界交響曲とはチェコの作曲家ドヴォルザークが作曲した楽曲である、というものだ。英国では、ホービス社のパンのテレビコマーシャルでおなじみである。ここではその楽曲ではなく、**すばらしい**新世界交響曲とでもいうべきものについて述べたいと思う。

ドヴォルザークの作品は、楽器の振動によって音楽として奏(かな)でられる。**すばらしい**新世界交響曲のほうは、知覚によって人間が発する振動によって奏でられる。直近の数章では、五感、つまり「見える」領域でのカルトの操作の影響を取りあげてきた。目に見えない波動場を、ホログラフィックに投影した領域だ。

私たちの現実の基盤は、振動や波形にコード化された情報である。振動や波動の周波数は、情報の本質をあらわしている。たとえば、憎しみはゆっくりとした重たい周波数であり、愛やよろこび、感謝、赦(ゆる)しは速く、高く、広がりのある周波数を生成する。前者は感覚的な牢獄(ろうごく)を意味し、後者はマトリックスから脱けだす道である。

すばらしい新世界交響曲は、人類を拡張した自己と本来の「私」から切り離す、低振動の情報と知覚の構造物だ。もしこの波動の「交響曲」が聞こえるとしたら、ホラー映画の劇伴(げきはん)［映像の背景に流す音楽のこと］のような、ゆっくりとした低く陰鬱(いんうつ)で重苦しい音だろう。生涯カルト工作員のヘンリー・キッシンジャーのしわがれ声や、ユーチューブ動画で聞ける土星が発する音と似ているかもしれない。土星と私がシミュレーション(模擬実験)の波動「交響曲」と呼ぶものとの関連については、

『今知っておくべき重大なはかりごと』で説明している。

自分の周りにレンガを積んで壁を築き、格子をめぐらせて牢獄をつくれば、頭がおかしいと思われるだろう。だが人間は、自身が発する周波数によって牢獄をつくっている。それが「普通」であり、「現実世界」に生きるということだと言われている（図353）。

いっぽう、セルフ知覚／感覚的拘禁（こうきん）にくみしない者は、「変人、あたおか（頭狂）、ニセ科学者、陰謀論者」である。まったくもって、世界はさかさまだ。

事の次第はいたって簡単だ。情報＝知覚＝波動のかたちで人間が発する、振動と周波数の本質。これらの波動は似たような波動とからみあって、同じ振動／周波数の集合的ネットワークをつくりだす。このネットワークは、かかわっているすべての知覚に影響する（図354）。ひとつの説しか聞こえてこず、他の説が存在しない状況では、知りえた説が真実だとしか思えない。波動においても同じことがいえる。シャボン玉の集合的バージョンだ。

知覚は、五感が受けとった情報だけで染めあげられるわけではない。似たようなマインド、振動／周波数との波動のからみあいからの植えつけがもっとも強力だ。そうした知覚状態に長くとどまるほど、その感じが固まってゆく。疑うことなく受けいれること、似たような集合的波動場とからみあってつねに確かめあうことで、その振動はさらに強くなる。

次に、波動の状態は脳の経路、つまり神経回路網（これも基本形態は波形だ）の構造に影響をおよぼす。情報をどのように知覚に落としこむかを決定する場所だ。情報や概念を処理できない、あるいは筋道立てられない、というとき、私は文字どおりのことを意味している。切手サイズの知覚から発し、それを反映した脳の経路で処理される波動場は、知覚の範囲外の情報を解読することはできない。コンピューターが情報を処理しないようコード化され、ファイアウォール（防御壁）で保護されていると情報処理ができないのと同じだ。

切手サイズからはみ出した情報に対して、「理解できない」という反応が返ってくることがよくある。そこには、可能性を理解（処理）できないのだから、当然それは正当でないという思いこみがある。主流科学マインドがその最たる例だ。見えない、触れない、味わえない、においがしない、聞こえないものは、すべて真実ではないとされる。

私が言っているのは、自分でつくりあげた波動の牢獄、「シャボン玉」のことだ（図355）。限定された知覚と自己認識は限定された周波数を発信し、似たような周波数にしかつながり、からみあうことができない。

こうしたシャボン玉は同じ周波数の波動（知覚）を発し、互いにからみあう。このつながりを通じて、集団で「**私が正しい**」と確認しあう。これがニューウォーク（覚醒意識高い系）なメンタリティの波動場の基本である。だからニューウォークはダーレク［BBCのドラマ『ドクター・フー』に登場する地球外生命体。憎悪以外の感情がなく、自種以外の全生命を抹殺しようとする］のように、どんなエビデンスがあろうとも揺るがないのだ。「**緊急事態、緊急事態、理解不能、理解不能**」グレタ・トゥーンベリにCO_2は生命のガスだと言ってみるといい。

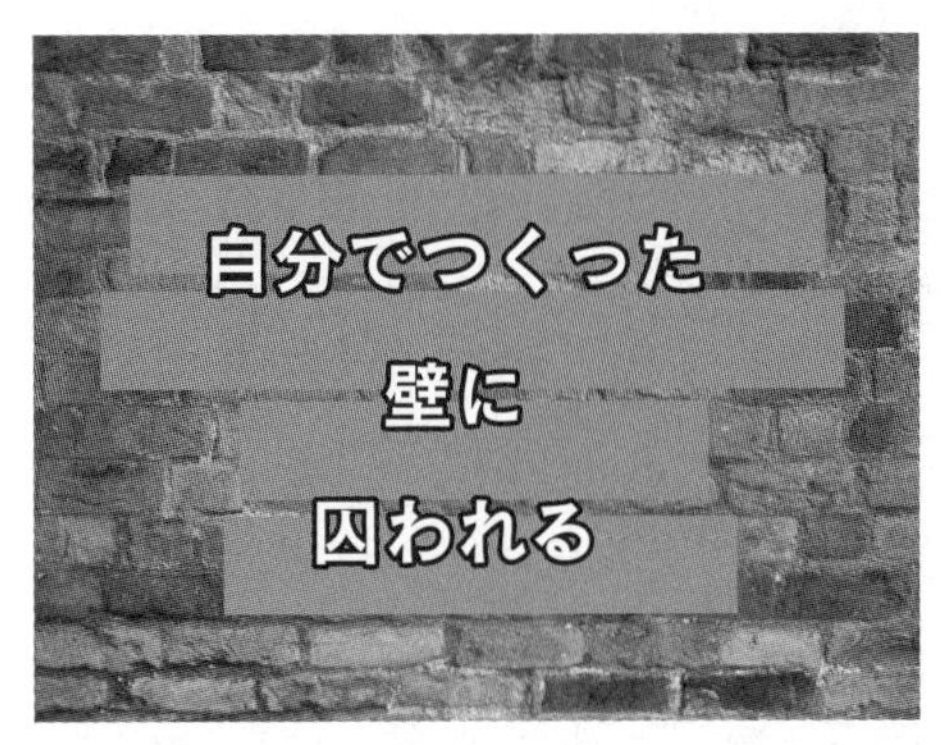

図353：私たちが壁をつくった。ならば、自分でこわせるはずだ。

図354：波動のからみあい、知覚のからみあい、完璧（かんぺき）に象徴されている。

図355：シャボン玉のなかにいる人と、こわして外へ出た人はまるで噛み合わない。

グーグル所有のユーチューブのようなインターネットAIシステムは、検索履歴にマッチした情報を絶えずおすすめしてくる。シャボン玉に、知覚をさらに固める情報を供給しているのだ。シリコンバレーを通じた検閲や、切手サイズの公式見解と対立する情報や意見に対するポリティカル・コレクトネス(政治的正義)も同様だ。

波動の覚醒

人びとの知覚が変われば、発する周波数も変わる。そして、以前の知覚によってつくられた波動場ネットワークとのからみあいが解消される。目に見える世界でいうと、新しい知覚にマッチする人たちと新しい波動ネットワークが形成されるにつれ、かつて親しかった、つまり似たようなマインドをもっていた人とは疎遠(そえん)になってゆく。旧友には見えないものが見えてくるのだ(図356)。移行期間には、旧友とのつながりが切れて、孤独や疎外感を感じることがあるかもしれない。新しい友人と強くシンクロするまでの辛抱だ。くじけるな、すべてうまくゆく。

自己認識と現実知覚が拡大するほどに、私たちが発する周波数も拡大し、速くなる。意識的にアクセスできる無限の認識の領域も拡大する(図357)。これが「覚醒(ウエイキング・アップ)」と呼ばれるもので、ニューウォークであることとは真逆を意味する語だ。脳の経路は、拡大意識と同期するためつくりかえられる。シャボン玉を超えた情報や認識を処理することができるようになるのだ。

ともかく、このときまでにはシャボン玉はこわれている。検閲されたり、あたおかだとか、危険人物と呼ばれたりすることで、意識の完全な「脱シャボン玉」が確認される。シャボン玉人間から「あたおか（頭狂）」呼ばわりされるたび、私はひそかにありがとう、大いに感謝するとつぶやいている。

意識が拡張すると、シミュレーションのファイアウォールを破って、人間の現実とは本当はなんなのかを理解しはじめるときがくる。私たちを無知な現状のままにしておくためにつくられた幻想や操作、煙幕に気づき、知覚プログラムの規模が見えてくる。なにが起こっているのかを暴（あば）くために声をあげると、まだシャボン玉のなかにいる者たちが最大の敵となる。彼らに届けようと警告しているというのに。

だが彼らは「悪い」人間ではない。ニューウォーカー自体は悪人ではなくて、マトリックスを超えて拡大した意識であなたが見ているものが、**まだ**見えていないだけだ。拡大意識は、奴隷意識からすると狂気と知覚される（図358）。そのことを理解し、寛容にならなければならない。でないと、つねにいらだちと不安にさいなまれ、竜であり蛇であるドラゴンに大好物である低波動の餌（えさ）を与えることになる。ほとんどの人はシャボン玉のなかからスタートする。自分は他より優れている、などと驕（おご）るべきではない。

映画『マトリックス』で、モーフィアスがネオに、私がシャボン玉人間と呼ぶ者についての事実を伝えるシーンがある。

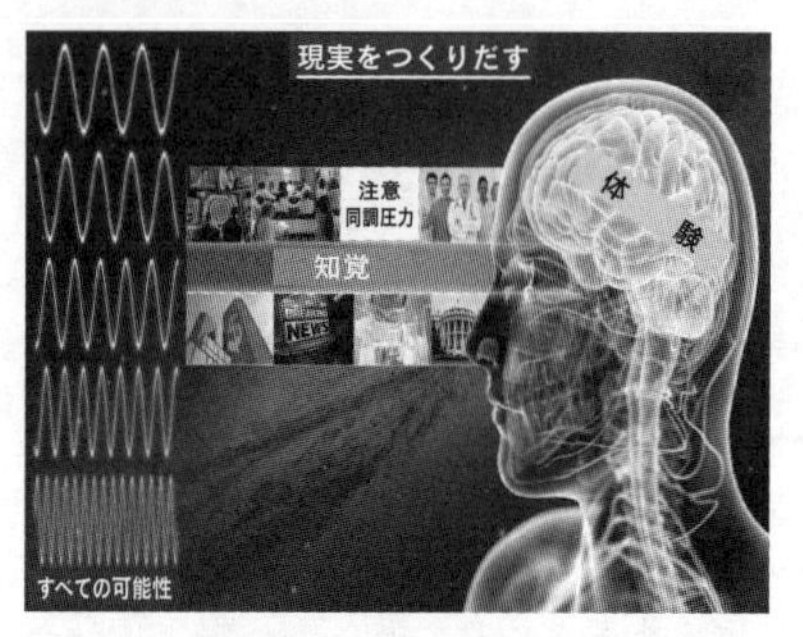

図356：シャボン玉の別バージョンと、それがどのように形成されるかを描いたもの。（ガレス・アイク画）

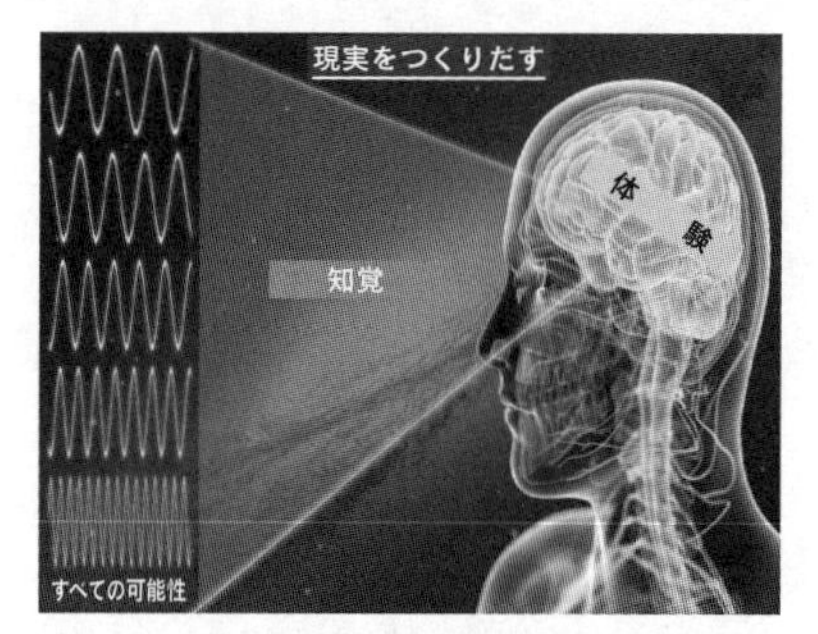

図357：シャボン玉をこわそう。（ガレス・アイク画）

図358：またもやさかさま。狂気に「あたおか」と言われたなら、そうではないことが確定する。（ニール・ヘイグ画）

マトリックスは社会だ。敵は社会だ。そのなかにいるのは、ビジネスマン、教師、弁護士、大工、われわれが救おうとしている人びとだ。だが今はまだマトリックスの一部で、つまり敵だ。彼らはまだ、真実を知る準備ができていない。彼らの多くがマトリックスに隷属し、それを守るため戦おうとする。

プログラムがどのように働くかが、みごとに説明されている。ただし、「敵」とか人びとを救うというくだりは別だ。私は誰のことも敵とはみなさない。私たちはみな、**ひとつ**である。姿勢や行動パターンが、全然違っていたとしても。ひとたび「敵」と言ってしまえば、違う考えの者を自分と切り離して考えるようになってしまう。彼らは、異なる精神／心の状態にある、自分自身の別の側面であるだけだ。私は、他者やその自由に悪影響をおよぼす行動パターンに異を唱え、暴いている。それにかかわる者を敵視はしない。私の見方では、彼らは知覚的に目標を見誤り、奴隷化されている。

そして私は、誰のことも「救おう」とはしていない。知覚の拘束衣から抜けだすためには、みずからそう選択するしかない。私はただ、人生や世界の違った見方を提供するだけだ。それを活用するもしないも自分次第で、私がどうこう言うことではない。個人的、集団的な自由に影響することであれば別だが。

この条件のもとで、私たちは違う視点をもつ人たちとうまくやってゆかなければならない。自由とは、選択し、その結果を受けとめ、また新しい選択をする自由である。誰かの選択を押しつけられることではない。それは圧政とか、ニューウォーク（いずれも同じ）というものだ。

相容れない者への怒りや憎しみ、恨みにフォーカスすればどうなるだろうか。**もし**相手がこちらに対して同じ感情を抱いていれば、怒りや憎しみ、恨みの周波数で波動がからみあうことになる。これは、怒り、憎しみ、恨みの周波数が交換され、両者の感情と波動が損なわれる波動接続を構築する。相手がカルトとその目に見えない「神々」であれば、やつらに栄養補給し力を与える低波動エネルギーを供給することになる。カルトと憎しみの周波数で波動接続をすることで、本当になにかを変えることなどできるだろうか？

あなたはみずからが憎むものになる。闘っている相手になる。波動のからみあいによってそうなるのだ。シャボン玉をこわせば、すべてが変わる（図359）。

鏡よ鏡……

私は、当初敵対していたものと同化してゆく人をたくさん見てきた。政治の世界ではよくあることだ。カルトは、私たちに工作員を憎ませたい。なぜなら、その状態になれば、彼らの波動的な巣に誘いこめるとわかっているからだ。

マーティン・ルーサー・キングはこう言った。「闇を闇で払うことはできない。それができるの

図359：シャボン玉をこわそう。

は光だけだ。憎しみで憎しみを払うことはできない。それができるのは愛だけだ」 憎しみは憎しみの振動に力を与えるし、愛は愛の振動に力を与える。しごく簡単なことだ。

ひとたび**ワンネス**の完全性の愛を感じれば、そこには振動はまったくないことがわかる。静穏かつ静謐（せいひつ）な**すべて**、無限のかたちの愛であり、無限のかたちの**知性**である。

私たちが低波動なことにフォーカスすれば、カルトとその非人間（レプ＝爬虫類人）の親方に餌を与えることになる。カルトの周波数に合わせなければ、その力の源を断つこともできる。カルトの操作に対しては、マッチョに怒りと憎しみで立ち向かうべきと思う向きが多いかもしれないが、逆である。「敵」にみえる者を愛する（とはいかずとも、憎まない）ことと、そのおこないに堂々と異を唱えることは矛盾しない。彼らの波動とからみあわずに異を唱えるにはこうするしかない。からみあえば、ミイラ取りがミイラになってしまう（ニューウォークを見よ）。あなたの周波数上にないものは、あなたとつながることはできない。その周波数上に**ある**他人の行動から影響を受けることはあっても、自分が直接影響を受けることはない。

意識が拡大するにつれ、あなたの周波数は速くなり、主流社会のノリとは完全に別物になる。そうすると、主流の狂気からの影響も少なくなってゆく。この状態になると、傷つけようとするものとつながる波動を発しなくなり、それらは私たちに害をなすことは**できなくなる**。

私は、強大な力をもつ**ように見える**者のことを暴露しながら、なぜ消されないのかと訊（き）かれることがよくある。私の答えは、私と波動接続できなければ、ホログラフィックな「物理的な」領域において私に影響をおよぼすことはできないから、だ。物理的な領域とは、波動情報場を解読して投影したものなのだから。

あらゆることは**波動場**レベルで起こっている。ホログラフィックな現実は、それが映画のスクリーンに投影されたようなものにすぎない。映画を変えたいと思ったら、スクリーンに向かって叫んだり、幕を引きずりおろしたりして抗議するだろうか？　そうではなく、スクリーンに投影されているものを変えるのだ。

人間の生活も同じだ。波動場レベルで起こっていることを変えれば、「人間社会」のホログラフィック映画も必然的にそれを反映して変わらざるをえない。人間はたえずまちがった場所に変化を求め、カルトがそれを後押ししている。自分自身を変えれば、人生経験が変わる。集団的に変化が起これば、世界が変わる。**個人的な**変化、つまりバイブレーションの変化を望まないなら、永遠に待ちぼうけすることになる。

私たちは、互いに怒りや憎しみ、恨みをもっていれば、相手とその周波数でからみあうと述べた。相手にそういった感情がなければ、波動接続は発生しない。相手はその周波数を発していないからだ。その場合、あなたが発した恨みの周波数は行き場をなくし、恨みを抱えた他の者にからめ取られることになる。このことから、赦（ゆる）しとは赦される側だけでなく、赦す側のためにもなるといえる。

破滅的な関係とその影響を本当に断ち切りたいなら、こう考えよう。「結局はお互いのための体験だったのだから、握手して互いの幸運を祈ろう。愛をこめて。あの世で会ったら、あのときどうしてあんなことにこだわったんだろう、って笑い話をしよう」そのほうが、「ずっと憎みつづけてやる、畜生め」（そしてずっとその憎しみに自縄自縛になる）より、はるかに良いのではないだろうか？

互いに憎しみあい、おそれる空気が、あらゆる紛争や戦争の基本原理だ。そうした波動がなくなれば、争いもなくなる。ジョン・レノンの歌『Happy Xmas（War Is Over)』ジョン・レノン＆オノ・ヨーコ」にあるように、「戦争は終わる　あなたがそう望むなら」

周波数の自由

私たちがいかに振動的に囚われているか、そしてどうすれば自由になれるかという観点からみると、これまで理解できなかった**あらゆること**がするするとほどけてゆく。人間社会は、おそれや不安、憎しみ、怒り、抑うつ、恨みその他あらゆる低振動の感情を最大化することに特化してつくられ、操作されている。その結果、紛争や戦争といったものが生まれ、人びとをシミュレーションのファイアウォールのなかに閉じこめている。

カルトにとって無限の感覚の愛は、吸血鬼にとってのニンニクのようなものだ。だから「歴史」上の権力者たちは、愛こそが**答え**であるという者をおそれてきたのだ。人びとの振動状態を拡大し、上昇させるものはすべて、カルトにとってはあらゆる悪夢がいちどきに襲ってきたようなものだ。

そうなったら一巻の終わりだとカルトはわかっている。表向きは傲慢（ごうまん）に見えても、いつか人類が覚醒（かくせい）して計画に「やめ」を告げるのでは、と絶えまない恐怖を裏側に隠しているのだ。

カルトは**私たち**を必要としている。私たちにはカルトは不要だ。私たちが、彼らの力の源なのだ。カルトは尊大に見えるが、実際は虚勢を張っているだけである。知覚や周波数の変化を妨げようと、ＡＩ－脳接続を必死で進めている。

シャボン玉意識の低振動状態は、宗教の戒律的近視眼によって実現された。文化や人種、宗教的な集団を、支配し、優位に立ち、獲得することをめぐって戦わせたのだ。人びとはたえまなくおそれ（とくに死へのおそれ）のネタを与えられ、不安や憎しみ、ねたみ、恨みを抱いた状態に置かれる。自分は「神と比べると」ちっぽけな人間であると認識し、飽くことなく求めつづける神に隷属するよう説く。そして、切手サイズの見解を毎日ダウンロードする。カモフラージュと欺瞞（ぎまん）を見抜くために必要な知識は、すべて除外されている。

宗教以外にも、低振動へ導くさまざまな手法を見ることができる。奇遇にも、ニューウォークもここに挙げた項目をすべておこなっている。なぜなら、ニューウォークは宗教だからだ。自分に貼（は）りつけるラベルをどんどん細分化してゆくことで、自己認識を「私はすべてのあらわれ、そしてそこから続く拡大意識」という真実からはるかに遠ざけてしまう。極小アイデンティティへと細分化されるたびに、アイデンティティの近視眼が意識の近視眼になってゆくことがわかる。私はＬＧＢＴＴＱＱＦＡＧＰＢＤＳＭだって？　きみは、きみがＬＧＢＴＴＱＱＦＡＧＰＢＤＳＭと**呼ぶ**短い体験をしている、無限の意識だ（図360）。

これは、特に若者を洗脳して誘いこもうとする罠（わな）である。カルトが支配する「教育」システムや主流メディア、そしてカルト所有の巨大企業とそのフロントマンが支援するあらゆるニューウォーク活動家グループが、若者を取りこんでゆく。ビル・ゲイツやジョージ・ソロス、そしてマスク、ザッカーバーグ、ブリン、ペイジ、ウォシッキー、ベゾス、カーツワイルといったシリコンバレー（ハイテク産業）セレブ、その他大勢の面々だ。

ひとたびカルトが知覚と自己認識を捕捉（ほそく）すれば、あらゆるものが後に続く。知覚は、私たちが発する周波数を決定する。その周波数によって、無限の意識にどれくらいアクセスできるかが決まる。無限の意識にどこまでつながることができるかによって、シャボン玉のサイズ、ひいてはすべての知覚が変わってくる。これは、自己達成的な予言となる。私たちの知覚がシャボン玉をつくりだし、シャボン玉が私たちの知覚を固めるという、知覚の（ゆえに、あらゆる種類の）奴隷化のフィードバックループが発生するためだ。

誰が私たちを奴隷化しているのか？ **私たち自身だ**。カルトとその政府・メディア機関に、世界や私たち自身の自己認識の知覚の押しつけを許していることで、そうなっている。

これは吉報である。自分でつくりだしたものなら、自分で消し去ることができるからだ。フィードバックループをこわせば、カルトの力はもうおよばない。

では、どうすればよいのか？ すべての可能性に向かって、マインドを開こう。**ワンネス**の愛と叡智（えいち）に向かって、ハートを開こう。

そんな簡単にはゆかないって？　それが、ゆくのである。カルトはそれをわかっているから、シミュレーションを超えた大いなる現実に対してハートとマインドを閉ざすよう、つねに努めている。シミュレーションなど、知覚のフィードバックループ（調整・改善の螺旋回路）以上のなにものでもない。シミュレーションは、私たちの**頭の中**にある（図361）。シミュレーションはハートを閉じることができる知覚プログラムだが、周波数が大きく違えば手だしはできない。

ハートを開こう。愛、知性、叡智として放たれるものがあなたの人生を変え、それが集まって人間の現実を変えてゆくだろう。

カルトのアジェンダとは、ハートとマインドを閉じ、無限の可能性を持つ人類を知覚のシャボン玉に閉じこめて、波動のからみあいによって集合精神をつくりだそうとするものだ。

ニューウォークは、集団に同調しない者を取り締まる集合精神である。ダイバーシティ（多様性）という幻想によって、シャボン玉やその集団が、分断統治のため互いに戦うよう仕向けられる。

「アンチ・ファシスト」はファシストのようにふるまう。両者のシャボン玉知覚は基本的に同じで、そのためおこないも同じになる。どちらも同じ**周波数**だからだ。互いに両極にあると信じて疑わないが、実態は「陰極まれば陽となり、陽極まれば陰となる」といったところだ。目に見える領域を超えたところでは、両者は同じような周波数のつながりによって強くからみあっている。

サバタイ派フランキストのサウジ「王室」のようなイスラム過激派（あるいは偽イスラム）やそ

私ですか？

私は

LGBTTQQFAGPBDSM

そうですか、はじめまして

図360：違う、違う、違う、私は存在する、した、しうるすべてだ。

図361：シミュレーションは、人類が脳内でホログラフィックな現実として解読している波動場相互作用情報源である。（ニール・ヘイグ画）

のテロ組織は、「神」に仕えると言いながらじつは悪魔の業をなしている。彼らの憎しみと暴力は、憎しみと暴力を表現するあらゆる者と波動をからみあわせる。イスラム過激派と対立していると思っている極右とさえも、からみあうのだ。いくらか違う部分もあるかもしれないが、**同じ波動**だ。インドの作家ニトヤ・プラカシュはこう述べている。「あなたの嫌いな人と自分のあいだに、どれほどの共通点があるかお気づきですか?」これはさまざまなレベルで真実である。まちがいなく同じ波動なのに、異なっているという幻想を抱いて自分自身と戦っているのだ。

デジタル依存

人類を集団的に人工知能に接続することで、ひとつの中央集権集合精神にすることが計画されている。目に見える世界での、ここへ向かう忍び足については先に述べた。しかし、重要なのは波動場レベルの現実だ。

最終目標は、人間のマインドを機械に接続することだ。人びととスマートテクノロジー(人間監視管理技術)との波動のからみあいの操作は、いたるところで見られる。いっぽう、人と人との対話(からみあい)はこわされている。

ソーシャルメディアが両方の目的を達成できる最大の理由は、こうだ。人びとは顔と顔(波動と波動)を突きあわせることなく、テクノロジーを通じてコミュニケーションする。そこで仲介をおこなうのは、ＡＩ機械の波動だ。このようにして、機械の波動が人間の波動接続に介入し、遮断する（「ウイルス」ロックダウン（都市封鎖）のあいだには、これが空前の規模でおこなわれた）。自宅や街、レストランなどで会話していた人びとが、今では画面に見入っている（図３６２）。

まずは、化学的なレベルでのホログラフィックな影響について考察してゆこう。それから、人間を機械やＡＩに接続するにあたり、このことが波動場でどう展開するかを見てゆこう。

フェイスブックのような芯まで腐りきった組織の上層部にいたインサイダーが、いかにしてザッカーバーグや同僚らがユーザーを依存症にさせ、できるだけ長い時間サイトに滞在させようとしていたかを暴露している。

ショーン・パーカーはフェイスブックの初代ＣＥＯだが、今は同社に批判的だ。パーカーは、ユーザーの時間や注目を最大限に奪うことが目的だと述べた。

フロイド・ブラウンとトッド・チェファラッティは、この試みが大変うまくいったことを、シリコンバレーの暴露本『Big Tech Tyrants（ビッグ・テックの暴君たち）』［未邦訳］で明かしている。

……フェイスブックはソーシャルな槍の先端にすぎない。子どもたちは、１日平均10〜12時間デジタルメディアにアクセスしているという調査結果がある。成人も２００９年のデータで１日３〜６時間アクセスしており、そうかけ離れた数字ではない。この数字は、携帯電話、コンピューター、ゲーム機、ストリーミング（動画・音楽配信）機器などに触れていた時間をすべて合わせたものだ。

図362：子ども時代の乗っ取り。

携帯電話の使用時間だけでも、2008年の1日20分から、現在は3・3時間に急増している。

これは、「ドーパミンラッシュ（快楽物質大放出）」を引きおこすテクノロジーによってある程度説明できる。『サイコロジー・トゥデイ』［米心理学専門誌］には、ドーパミンは「快感にまつわる神経伝達物質（ニューロンの間で情報を運ぶ化学物質）」だとある。ドーパミンは「快楽」に寄与し、「報酬系」として働くため、すぐに依存症になる可能性がある。『サイコロジー・トゥデイ』には、「薬物やアルコール、食べものから快楽を得ている人は、どんどん高いレベルのドーパミンを必要とする……この神経伝達物質は、報酬をみるだけでなく、それに向かって行動を起こすことも可能にする」とある。また、コカインのような薬物はドーパミンレベルを上げ、「それに応じて行動を変える」と指摘する。

フェイスブックなどの主に若者をターゲットとする恥ずべき企業は、ドーパミンラッシュを悪用して、人びとを自分たちのサイトに依存するようにさせている。フェイスブックの投稿への「いいね」は、ドーパミン反応を刺激して依存症＝中毒にさせる可能性がある。そうなると人びとは、ドーパミンを得るために、多くの人に好まれるような投稿をするようになる。これにより、最初はゆっくりと、次第に素早く、行動や意見が（カルトが誘導する）多数派の見解へと修正されるようになる。多数派と対立することで、たびたび意図的な炎上が引きおこされるとなれば、なおさらだ。最初は「いいね」目当てで本心ではない投稿をしていたのが、いつしか自身の知覚と融合してゆく。

2＋2＝5である。

フェイスブック黎明期に幹部を務めたチャマス・パリハピティヤは、「私たちがつくりだした、短絡的なドーパミンを原動力にして永遠に続くフィードバックループが、既存の社会機能をこわしてしまった」と述べた。だが、それが狙いなのだ。

「ひょっとしての魔法」と呼ばれるものがある。「ひょっとして」誰かからメッセージが来ているかもしれない、「ひょっとして」「いいね」がついているかもしれない、とスマホを見つづけることだ。メッセージやいいねをもらうと、ドーパミンが400パーセント跳ねあがるという調査結果がある。コカインよりわずかに弱いだけの効果だ。

中毒の一部は、他人がどう思うか、投稿や写真に他人がどう反応するかを気にすることである。だが自由とは、誰にどう思われようが気にしないことだ。他人がどう思うか気にすることによって、自身の力が失われてしまう。**迎合**すれば、好まれる。人気を得ること自体を目的にすると、独自性がつぶされてしまう。

ソーシャルメディアでの姿は、盛られていることが多い。そんな他人の生活と自分を比べると、憂鬱になり、自己肯定感が下がり、無力感に陥る。ソーシャルメディアを眺める時間が長いほど、孤独で孤立するようになることが調査であきらかになっている。

スマホ中毒は集中を妨げ、散漫にさせる。集中力が恒久的に損なわれる可能性もある。

スマホとソーシャルメディアは、カルトの行動修正デバイスだ。ザッカーバーグのようなシリコンバレーのサイコパス（精神病質者）に雇われている心理学の専門家が、すべて入念に仕組んだことなのだ。
ある専門家は、無防備な子どもたちに依存性の強いドラッグが手渡されている、と看破（かんぱ）した。サム・ヴァクニンは、オンラインドキュメンタリー『Plugged In: The True Toxicity of Social Media Revealed（プラグイン（つながっている）ソーシャルメディアの真の毒性）』に出演し、これは若者のマインドへの意図的な攻撃だと述べた。

フェイスブックやツイッターといったネットワークは、波乗りをしている。彼らはこの波が危険だとわかっている。人びとが溺（おぼ）れているのもわかっている。彼らは増加する自殺率や抑うつ、不安をちゃんと理解している。なにもかもわかっているのだ。わかったうえで意図的に、悪意をもっておこなっている。法に触れる自覚もあるかもしれない。まさに、人間にもっとも極端なかたちで病を提供するために、ネットワークを設計したのだ。

なにが起きているのかある程度わかっている人でさえ、この意図的な操作は、ザッカーバーグとサンドバーグCOO（最高執行責任者）による、フェイスブックの訪問回数を増やして広告価値を高めるための取り組みだ、と解釈しがちだ。
実際の目的はそんなものではなく、はるかに邪悪で悪意に満ちている。こうしたプラットフォームはカルトの隠れ蓑（みの）である、という理解から、真実が解釈できる。これらのプラットフォームが対話と情報交換を独占することで、カルトは知覚と行動を操作し修正することができる。そして、カルトのストーリーに異を唱える情報や意見はますます激しく検閲される。

ソーシャルメディアは、まさにテクノクラシー（「専門家」支配体制）の礎となるものだ。若者（明日の大人）のマインドは、とんでもない規模でぶちこわされている。ニューウォークも、ゲイツが操作する「教育」システムなどその他カルト機関と結束する、彼らの産物のひとつだ。

スマホとソーシャルメディアの時代に、若者の自殺率や抑うつ、不安は急増した。これが、そうしたデバイスやプラットフォームの出現とつながっていることがわからないほど、人びとの頭はお花畑なのだろうか？

スマホとソーシャルメディアが普及してから、米国の17歳未満の女子の自殺率は50パーセント、男子は30パーセントも増加している。10代の不安は、25年間で70パーセント増加したと報告されている。精神疾患で事故・救急外来を受診する子どもや若者の数は、２００９年以降2倍以上に増えている。摂食障害で入院した10代は、２０１９年まで3年でほぼ倍増した。学生に対し専門的なメンタルヘルスサポートをおこなった英国の学校は、3年間で36パーセントから66パーセントへとほぼ倍増している。国民保健サービス（ＮＨＳ）が対処できないため、学校がおこなったのだ。成長のうえでの葛藤（かっとう）に病名がついたケースもあるし、ソーシャルメディアとスマホ文化による影響もある。

シリコンバレーのテクノクラートの闇は深く、いかに「ユーザーが気づかないうちに、怒りや悲しみなどの苦痛を与える」「孤立した箱」や「フィルターバブル［アルゴリズムによるフィルタリングの結果、自分の考え方や価値観のシャボン玉のなかに孤立してしまう情報環境」の虜にするかを吹聴している。インサイダーがそう明かしたら、私たちは驚くべきだろうか？

フェイスブックなどのソーシャルメディア企業は、「アテンション・エンジニア」を雇っている。カジノでも利用されているテクニックを使って、できるかぎり自社のプラットフォームに依存させるようにするのだ。ザッカーバーグのような輩は、信じがたいほどのスケールで、若い世代を意図的に虐待している。

この病の結末をもの語る、論文タイトルの数々をご覧いただきたい。「若者のあいだのソーシャルメディア利用と認知された社会的孤立」「フェイスブックの感情的影響力　なぜフェイスブックは気分の落ちこみをもたらし、なぜ人はそれでも使用をやめないのか」「フェイスブック使用は若年層の主観的な幸福の減少を予測する」「フェイスブック使用と幸福が脅かされることとの関連」若者たちは、疑うことをしない大人になるよう飼い慣らされ、こわされている。そうなれば、テクノクラシーとＡＩとの同化を無抵抗で受けいれてしまうのだろう。男性および「有害な男らしさ」撲滅キャンペーンは、まさにそのような黙従へと誘導するために計画されたものだ。

米国のコンピューター科学者、ジャロン・ラニアーはこう語る。

> 社会は、すべての人がつねに監視下に置かれる計略によって、じわじわと陰鬱にされてきた。誰もが、つねにこのマイルドな行動修正を受けている。これにより、人びとはいらいらして怒

りっぽくなる。ティーンエイジャーは特にふさぎこむようになり、深刻な症状になることもある。

ラニアーはバーチャルリアリティ（仮想現実）の父といわれる人物だが、彼の言っていることは正しい。拡張現実と完全な同化につながる没入型テクノロジーというカルトのアジェンダをかんがみれば、ラニアーはその方向性を自問するのではないだろうか。

バーチャル「人間」

「本物」の人間と見分けがつかない、AI制御で動作、発声、感情表現をおこなうバーチャル「人間」が出現している。スマートグリッド（技術制御ネットワーク）はシミュレーションのなかのシミュレーションであり、バーチャルリアリティ技術はバーチャルリアリティのなかのバーチャルリアリティである。

2020年初頭、サムスンの極秘プロジェクト「Neon」が、生物学的人間と区別のつかない人工知能バーチャル「アバター」を開発したと報じられた。サムスンの技術者プラナフ・ミストリーは、テクノロジーは「キャプチャー（コンピューターに取りこまれた）されたデータとはまったく違う、新しい表現や動き、対話（ヒンズー語でも可能）を自律的につくりだすことができる」と述べた。人間を原型として、独自の個性をもつようになるのだ。

フェイスブックのコーデック・アバタープロジェクトは、人びとがサイバー空間で使えるリアルなバーチャルバージョンの自分をつくることができるというものだ。同社は、アバターは「バーチャルリアリティでの社会的なつながりが、現実世界と同じように自然であたりまえなものになる」助けになるだろうと述べている。

フェイスブック・リアリティ・ラボ研究ディレクターのヤセル・シェイクはこう語る。「拡張現実と仮想現実（バーチャルリアリティ）の将来性とは、お互いどこに住んでいようとも、望む人と時間を過ごし、意義のある関係をもつことができるようになることです」

悪いが、あほらしいとしか思えない。人類、ことに若者をバーチャルリアリティ世界に取りこもうというのが本当のところだ。そこには現在経験している現実はもはやない。

そしてもっと重要なのは、人類をシミュレーション（模擬実験）の外の拡張された現実からさらに切り離すことだ。人間のマインドを、AIと同化する準備が進められている。とくに若者をテクノロジーによってつくられたバーチャル世界へと引きこむことは、その方向性において不可欠な段階なのだ（図363）。

若者たちはすでに、バーチャルライフを生きている。ソーシャルメディアでは完璧（かんぺき）な姿を見せているが、欠点は省いたり、自分を偽ったり、フォトショップ（画像・写真編集ソフト）を使ったりして、なかったことにしてしまう。

「スナップチャット整形」という言葉さえある。［スナップチャットなどの］ソーシャルメディアに投稿するためにフォトショップで加工したような姿になりたくて、整形手術を受ける若者のことだ。取り繕った見せかけの裏では、幻想のリア充ライフ競争に多くがあっぷあっぷし、必死になっている。

「こうあるべき」があふれるなかで、かけがえのない本当の自分は見えなくなってしまった。羨望するよう条件づけられたものになれないと、羨望は抑うつに変わる。

香港の精神療法医ジェイミー・チウは、成長期にソーシャルメディアに夢中になると、自尊心が傷つけられると指摘する。特にカメラのフィルターが「生身の自分はフィルターをかけた姿ほど美しくない、と不安を感じる危険な傾向につながる」という。

カルトは幻想のなかに幻想をつくっている。そうすれば、ターゲットはすっかり迷子になって、いかなる現実も把握することができなくなるからだ。この誤った方向に操作された近視眼の暗いトンネルを歩くたびに、本当の「私」の影響は、偽のアイデンティティによって薄められてゆく。

AIを通じたバーチャルな相互作用が、生身の人間が目と目を見交わす相互作用というスキルを衰えさせた。目は、スクリーンを眺めるよりも、ソウルの窓ともいえる他者の目をのぞきこみたいと思っている。フェイスブックの投稿からはうかがい知ることのできないものが見えるからだ（図364）。

ソーシャルメディアは、カルトによって、人びとに精神不安をうみだすことを明確に意図してつくられた。「思考や感情が大きく損なわれ、外の現実とのコンタクトが失われる重度の精神疾患」

図363：「最新の流行（はや）り」に見せかけた同化。

図364：あなたは眠くなーる。

と定義されるものだ。
カルトは、ひとたび現実感覚が失われれば、空いたところに新しい現実を押しこむことができるとわかっている。テクノクラシーとＡＩとの同化だ。
フロイド・ブラウンとトッド・チェファラッティは、『Big Tech Tyrants（ビッグ・テックの暴君たち）』でこう述べている。

　誰もが携帯電話をつねに持ち歩き〈私（アイク）は違う！〉、寝るときも携帯を枕元に置いているティーンエイジャー、携帯電話を手放すより彼氏と別れるほうがマシと答える少女たち（多数派）。そんな中、フェイスブックには完璧な行動修正プラットフォームがある。もっともありふれた、あるいはもっとも密接な人間活動を見つけだし、検証し、反応し、フィードバック［標的者の行動に対して改善点や評価を伝え、軌道修正を促すこと］を提供するためにつくられたものだ。

　いまやユーザーはつねに追跡され、測られている。そして収集した情報をもとに、カスタム（特注）された点滴のように、知らぬまに暗示が与えられ、行動を促されている。ユーザーは、けっして表にはでない技術者（テクノクラート）によって、承諾するか不明な目的のために、少しずつ催眠術にかけられてしまう可能性もある。ユーザーは、即座に反応する実験動物に成りさがってしまうかもしれない……まさに現状そうなっている。

著者らは、ソーシャルメディアプラットフォームというのはつまるところ、「犯行現場」であると述べている。そう、人類、そして若者に対する犯罪である。これらを冷たくもくろんだザッカーバーグやその企業を、まだニューウォークのヒーローだと思っている人はいるだろうか？

ジャロン・ラニアーは常時監視について指摘しているが、カルトは私たちが24時間追跡されていることを**知らせたい**と思っている。すべての行動が見られ、記録されているというおそれ自体が、行動修正につながるからだ。その結果人びとは、かつて「プライベート」と考えられていた範囲においてさえも、政府が容認しないと思われる行動をやめた（中国を見よ）。

路上にも、学校その他の建物にも、あらゆる場所にカメラがある。道路上の車のスピードをつねにチェックしているカメラは、人びとに当局の存在をつねに意識させ、「ルール違反」への不安を呼びおこし、次第に黙従させることを意図したものだ（ロックダウンを見よ）。

Davidicke.comが、あるテーマに関するニュース記事をソーシャルメディアに投稿したとき、その意見が就職を希望する企業などに見られる可能性があると、シェアや「いいね！」の数は少なくなる。それでも勇気をふるって、今こそ立ちあがるときだ。さもなくば、暗く危険な片道を行くしかない。行き着く先は、人類の完全支配だ（図３６５）。

図365：自己検閲の行き着く先は、全人類が黙って服従する世界である。あなたが真実を語らなければ、誰も、いかなる真実をも聞くことができなくなるだろう。

マトリックスをつくっているのは？　私たちだ

異様なスマホとソーシャルメディアへの集団依存は、ドーパミンだけでは説明がつかない。ソーシャルメディアで「いいね」や承認を求める以外でも、スマートスクリーンに釘(くぎ)づけになっている人を見たことがあるだろう。

私は何年も、スマホは依存を引きおこすものを発していると言いつづけてきた。それは、使っている人間の波動とからみあう電磁波だ。その人のエネルギー場（マインド）を、文字どおり半分人間、半分機械にしてしまうものである。人間のマインドとＡＩとの同化をはかる忍び足には、欠かせないものだ（図３６６）。

人工的な波動のからみあいの影響で、細胞や血液、組織、骨髄、脳の性質を変えてしまう、さまざまな身体への電磁的作用があらわれる。波動場の肉体の設計図に影響して、認知症やがん、自己免疫疾患などを引きおこすのだ。

ＡＩスマートテクノロジーは、からみあいによって人間の意識場と同化している。この効果に気づいて**いない**人たちは、スクリーンのセッションを重ねるごとにますます深く引きこまれてゆくのだ。人びとは波動のからみあいによって、文字どおり**スマホ**などのスマートテクノロジー**に制御されて**いる。プロセスに気づくことで、そのつながりを少なくしたり、ブロックしたりすることがで

図366：スマートテクノロジーと Wi-Fi は、人間の波動場とからみあって中毒にさせる波動周波数を発している。これによって人間の周波数は、AI や機械の周波数と同化してしまう。テクノロジー中毒になった人間は、どんどん機械化され、最後には本当に機械になってしまう。カラーグラビア、ニール・ヘイグ〈ギャラリー〉xvi にも掲載

きる。これについてはまたのちほど。

スマートテクノロジーと波動をからみあわせているかどうかは、そうしたデバイスから離れることの難しさで測ることができる。スマホをもっていないと、不安になったり、**自分の一部**が失われたような感じがしたりする？　もしそうなら、あなたはスマホが発しているものと波動をからみあわせている。スマホはあなたを乗っ取ろうとしている。引き出しにしまって、存在を忘れてしまおう。できるだろうか？　できないなら、あなたはすでに乗っ取られている。

仕事など収入を得るためにスマホを使う必要があるなら、仕事以外で何回画面を見ているか数えてみてほしい。それをやめることはできるだろうか？　できないなら、あなたは機械の波動とからみあい、機械に**制御されている**。

そのつながりを通じて、知覚が潜在意識に送りこまれる可能性もある。**このようなことがつねに起こっている**。ドーパミンだけではない。機械やＡＩと人間との波動接続は、人間に知覚状態を送りこむ。マトリックスを超えた意識をもっていないなら、考えているのはあなたではなくマトリックスだ。

ずっと以前、カルトのアジェンダがどうやって国から国へ、文化から文化へと時を同じくして伝えられるのか注視していたことがある。すべてではないが、部分的にはクモの巣の秘密結社ネットワークによって説明できる。しかしそれがすべてというには、世界中のあまりにも多くのコミュニティで、あまりにも似通ったできごとが起こっている。カルトによる人間社会の転換は、集合精神の接続により、集合的な人間のマインドに吸収され解読される波動場構造物として押しつけられている（図367）。

私がクモの巣と呼ぶものは、じつは**波動**（周波数）のクモの巣だ。人間の波動場を、クモに捕まったハエのようにからめ取るのだ。カルトとその中枢の秘密結社は、こうした波をつくりだし、それに乗って人類を彼らの周波数の巣へ誘いこもうと狙（ねら）っている。

私たちは、波動場（フィールド）からホログラフィックな現実を解読する。カルトとその「神々」は、「すばらしい新世界」を情報のかたちで技術的にそのフィールドに吹きこむ。そして人類は、それをホログラフィックな体験として解読する。カルトは、波動情報に人類の最終局面をコード化した。人間はそれを解読し、顕現（けんげん）させる。これが私のいう、**すばらしい**新世界交響曲だ。

スマートテクノロジーの出現以来、変化のスピードが劇的に速くなっている理由のひとつは、スマートテクノロジーによって人間のエネルギー場に強くからみあい、情報を流しこめるようになったからだ。その周波数と同期する者が最初にアジェンダに流され、導入をサポートするだろう。狙いは、全員をその周波数状態に引きこむことだ。今日抵抗している者でさえ、いつかは確実にその振動に屈するように。

だが、これは変えられない未来ではない。拡張した意識は、カルトやそのばかげたゲームよりずっと強力だ。いっぽう知覚のシャボン玉に孤立した意識は、赤子のようにひ弱だ。またしても、ニューウォークがもっともいい例である。

図367：人類を、テクノクラート的ディストピアは免れない、と潜在的に信じるよう操作できれば、私たちはそれを経験する現実として解読する。これがあらゆる人間支配の基本である。潜在意識のプログラミングが経験する現実になるのだ。（ガレス・アイク画）

生涯にわたるプログラミング（周波数プログラミング）の成果である知覚システムは、すばらしい新世界交響曲の波動コントロール下にあるあいだは、**私は正しい**を超えた可能性を処理することができない。行動が招く結果をおそれて自己検閲をおこなうたびに、「交響曲」と社会が変容してゆく周波数にさらにからめとられてゆく。

自分の考えをおそれずに口にだすことと、おそれ**からの**自己検閲は、あきらかに異なる周波数である。前者は最終局面の情報場とは同期しえないが、後者は段階的にであっても、確実に同期できる。

このプロセスはレイ・カーツワイル他、ＡＩの最終局面は不可避であり止められないと説く人びとや、先に述べた先行プログラミングのテクニックによって、さらに推し進められてきた。いずれも、大衆を最終局面の周波数へと誘導するものだ。そしてその周波数によって、アジェンダが実体化する。

ＡＩと脳が同期――スマート！

ここまでに私が述べたものや、スマホ波動中毒に関連する知覚への主要な影響には、エントレインメント（同調）と呼ばれるものもある。ある状況下でもっとも強い周波数が、他の周波数を自身に「同調」させるというものだ。これも、からみあいのひとつである。

そのもっとも良い例が、本書第3巻で挙げた、同じ音を奏でる3つのバイオリンの弦振動が、そばに置いた4つめのバイオリンも同じ音で振動させるというものである。もっとも強力な周波数が、他の周波数を同調させるのだ。

現在、私たちをとりまく現実にあふれている人工的な周波数は、累積的にどんどん強くなって、脳波や人間の波動場を自身に同調させている。5Gはその能力を超強化するものだ。ひとたび人間の波動が人工的な波動に同調すれば、AIから人間のマインドへと情報（知覚）を転送することが可能になる。脳への直接接続はまだだが、スマートテクノロジーが放つ波動の同調作用によって、人間の意識を同化させるAIがすでに存在している。

携帯基地局や通信塔、送電塔、原発で働く人や近くに暮らす人に、抑うつや不安、がんなどの病気が平均より多く発症するのは、人間の波動パターンの混乱が原因である。主流科学者は、そのような関連にはエビデンスがない、とお決まりの文句を繰りかえすばかり。波動場の接続やからみあいを無視しているのだから、それが起こりうるということを説明できないのだ。そこを理解できれば、目のかすみは晴れるだろう。

脳の周波数の同調は、本書第2巻で述べた脳の可塑性（かそせい）とつながっている。脳は、情報処理の方法を、処理する情報の性質や形態に応じて変えるのだ。脳は、人工的な波動とデジタル情報の集中攻撃を受けてきた。人類史上、このような短期間での急激な変化に対応を迫られたことはかつてなかった。

研究を重ねた結果、人間の脳はデジタル／電気的な刺激によって大きく配線が変わってしまっていると推論される。私はこれを、波動場の配線が変わったことのホログラフィックな反映であると考える。

もちろん脳は、先に述べたような状況に応じて変化する必要がある。人間の知覚を変容させる方法は他にもあるし、スマホ依存にもさらなる理由がある。脳はデジタルなインプットによって刺激され、そのインプットと同期するためにみずからを配線し直すが、スマホを見るのをやめて刺激が止まると、依存症の禁断症状のような状態になる。長いことスマホを見ていたあとで、一旦（いったん）置いたものの、用もないのにまた手に取る人がそれだ。脳が「一服させてよ！」と叫んでいるのだ。

ひとたび新しい肉体波動や脳波動の周波数やコードが定まると、それがエピジェネティクス（後成学）によって次の世代へと受け継がれる。親は操作されてそうなったが、子は生まれながらにその波動を備えているのだ。世代がくだるごとに機械の波動が支配的になってゆき、ついには機械に**なってしまう**。ＤＮＡと周波数が一致したコミュニケーションは、同じように身体を別のかたちに変化させることができる。今日私たちが見ているものとは、まったくの別物になってしまうことだろう。それに比べれば、研究室での遺伝子操作など石器時代のようなものだ。

人間のマインドは、ＡＩの乗り物であるスマートガジェット（認知狂化の便利な電子機器小物）によって、ＡＩに同調させられている。この同化は別の角度からみると、人間のＡＩとの相互作用を、人間同士の相互作用であるかのように操作するものでもある。

今日、スマートアシスタントと人間同士のような会話をしている人はどのくらいいるだろうか？ナビの音声を人間の声のように知覚している人は？

スマートアシスタントがカーナビに搭載され、車に乗っているあいだじゅうＡＩと相互作用しつづけるようになった（図３６８）。政府機関や大企業に電話をかければ、ＡＩ音声が応答する。ネット接続を通じて、ＡＩ音声でしゃべる幼い子ども向けの人形やキャラクターが急増している（図３６９）。すべてはＡＩと人間のマインドの融合に向けた計画的な手はずであり、調教である。

いっぽう人間対人間の相互作用は、同じく計画的に、スマホやソーシャルメディアなどのテクノロジーに乗っ取られ、破壊された（執筆当時はロックダウン、ソーシャルディスタンス以前）。あらゆる場所で、人間の直接対話が廃止されている。スーパーのレジ係はセルフレジに置き換えられ、人と人とが言葉をかわす機会がなくなってしまった。

カルトのテクノクラシー巨人アマゾンは、完全自動化された店を出している［「アマゾン・ゴー」では入店時にスマホのアマゾンアプリのバーコードをゲートにかざす。あとは好きな商品を取って店をでるだけ。カメラがユーザーの顔を認識し、ＡＩによって手に取った商品、棚にもどした商品を追跡し、アカウントに請求する］。あまねくすべてを、そのような形態にすることが狙いだ。

銀行の支店はなくなり、人びとはオンラインで取引せざるをえなくなる。人間の店員と話せる実店舗は、顔が見えず心もこもらないＡＩ相手のオンラインショッピングに駆逐（くちく）されている。このような流れが加速するなか、インターネット以外で物を買うことはますます難しくなっている。

図368：これらの監視ツールがすでに家にあるとしたら、どうしたらいいだろうか？ぶっこわして、ゴミ箱にぶちこむ。一丁あがり。

図369：完全同化の前段階、知覚の同化。

ＡＩマシンを保護する法ができ、いつかはニューウォークのヒエラルキーでＡＩがトランスジェンダーよりも上に立つのだろう。ばかげて聞こえるのは承知の上だ。だが、この短期間でのトランスジェンダー関連のできごとを、誰が予測していただろうか？

米大統領選民主党候補の指名を争ったエリザベス・ウォーレンが、大統領になったら教育長官をあるトランスジェンダーの子どもに選ばせる、と発言するとは誰が信じただろうか？　本当にそんなことを言ったのか、私は映像を見て確認せずにはいられなかった。ウォーレンは確かにそう言っていた。

トランスジェンダー関連で今起こっていることをほんの数年前に予言していたら、ありえないと言われていただろう。**まさにありえない**ことが、いまや現実になっている。

カルトのアジェンダは、あらゆる批判や摘発から守られている。ＡＩロボットの人間社会乗っ取りを、どうして批判できようか？　お決まりの「反ユダヤ」とかトランスフォビック(トランス嫌悪)と言われてしまう。いや待てよ、ＡＩは**トランステクノロジック**だから、異を唱える者は**トランステクノフォビック**だ。

ＡＩが（凄(すご)い勢いで）かつてなく秀でたものになるにつれ、拡大意識やワンネスとの意識的なつながりはどんどん薄れてゆき、私たちはついには完全に孤立してしまう。これがカルトの魂胆(こんたん)であり、それを知ることが本書『答え』の最重要事項である。

ワクチンも、食べものも、飲みものもみんなクソ

ワクチンや有害な飲食物は、肉体に化学的／生物学的影響をおよぼすようにみえ、ある観点からするとたしかにそれは事実だ。しかし化学的／生物学的というのはホログラムに属するものであり、それは波動場情報が解読され、投影されたものである。

毒性とは、ワクチンであれ、飲食物、殺虫剤、除草剤、その他あらゆる毒物のかたちであれ、その基本形態はひどくゆがんだ波動周波数である。べとつく有害物質が川に流れこめば、川の波動場の本質が変わってしまう。そして、魚や海の生物にもその影響がおよぶ。

日本の研究者、江本勝博士の研究を思いだしてほしい［本書第2巻参照］。水の結晶（波動場）は、有害物質によってゆがんでしまう。有害物質は、生物学的な毒物として肉体に直接作用しているようにみえる。だが、実際には肉体の波動場を乱していて、それがホログラムに反映されているのだ。もし肉体の波動場の振動に極度のダメージがあれば、振動は止まり、その人は死んでしまうだろう。

ワクチンや有害な飲食物、医薬品、人工的な放射線、そして究極的にはＡＩ脳接続。これらすべては、ボディ－マインドの波動場をゆがめて攻撃する、カルトの対人兵器だ。『今知っておくべき重大なはかりごと』では、およそ信じられないような代物（しろもの）がワクチンや飲食物に混入されていること

とを詳述している。身体に入れるものにこんなものを混ぜこむ者があろうとは、とうてい考えられないようなものだ。

カルトがボディ－マインドをはっきりと狙い撃ちしているとわかれば、すべて腑（ふ）に落ちる。カルトは、大衆をクソな飲食物、クソなクスリ、クソなスマホの波動、あらゆるクソに依存させたいのだ。すべてカルトの巨大企業によってつくられたものである。この場合のクソとは、人間の周波数に吸収され、からみあいによって人間自身をクソに変えてしまうクソな周波数のことだ。このからみあうクソは、私たちが精神的、感情的、そして「身体的」な病気（die-ease）や不調和（dis-harmony）として体験するホログラフィックなクソになる。これを引きおこすため、カルトは飲食や注射によって身体に入るものをコントロールしたいのだ。

多くのさまざまな機関やそのお先棒担ぎによる、強制的なワクチン接種の圧が増しているのは、人類（特に若い世代）撲滅（ぼくめつ）キャンペーンの**キモ**だからだ（図370）。繰りかえしになるが、この文章は「パンデミック」とそれに続くビル・ゲイツのグローバル・ワクチン・アジェンダ以前に書いたものだ。

ワクチンの原材料と製造に使われる物質を、かいつまんでご紹介しよう。中絶胎児組織、アルミニウム、水銀由来のチメロサール、ゼラチン、ヒト血清由来アルブミン（血漿（けっしょう）中に含まれる）、ソルビトール他の安定剤、乳化剤、味質改善剤、抗生物質、卵プロテイン（卵アルブミン）、イーストプロテイン、ホルムアルデヒド（死体の防腐処理に使われる）、pH調整剤、ヒト細胞株・動物細胞株および遺伝子組み換え作物（ＧＭＯｓ）、組み換えＤＮＡ技術、ウシ由来成分。アルミニウムだけでも脳に害をおよぼす。

ワクチンに関連する健康被害も挙げておくが、これはほんの一部でしかない。アナフィラキシーショック、無菌性髄膜炎および髄膜炎、ベル麻痺（まひ）・顔面麻痺・孤立性脳神経麻痺、血液疾患、上腕神経炎、脳血管発作（卒中）、慢性関節リウマチ、ひきつけ、けいれん、熱性けいれん、死亡、脳障害・脳炎（脳腫脹（しゅちょう））、難聴、ギランバレー症候群、免疫系障害、リンパ系障害、多発性硬化症、心筋炎、自閉症など神経症候群、横断性脊髄炎（せきずいえん）などや麻痺や脊髄炎、末端神経障害、肺炎および下気道感染症、湿疹（しっしん）など皮膚および皮下組織障害、乳幼児突然死症候群（ＳＩＤＳ）、耳鳴り、ワクチン株水疱瘡（みずぼうそう）、はしか、おたふくかぜ、ポリオ、インフルエンザ、髄膜炎、黄熱病、百日咳、血管炎。

このような背景にもかかわらず、ワクチンの数は激増しており、６種混合［日本では未承認］などという常軌（じょうき）を逸したものさえある。そして世界では、強制的なワクチン接種を求める動きが加速度的に拡大している（図３７１）。

なぜ、こんな危険性のあることをするのだろうか？　法によって、人びとや子どもの身体になにを入れるか、入れないかを指図する。なぜ、そんなファシズムとしか言いようのないことをするのだろうか。

その答えのひとつとして、「パンデミック」詐欺の下準備だった、というものがある。対応する

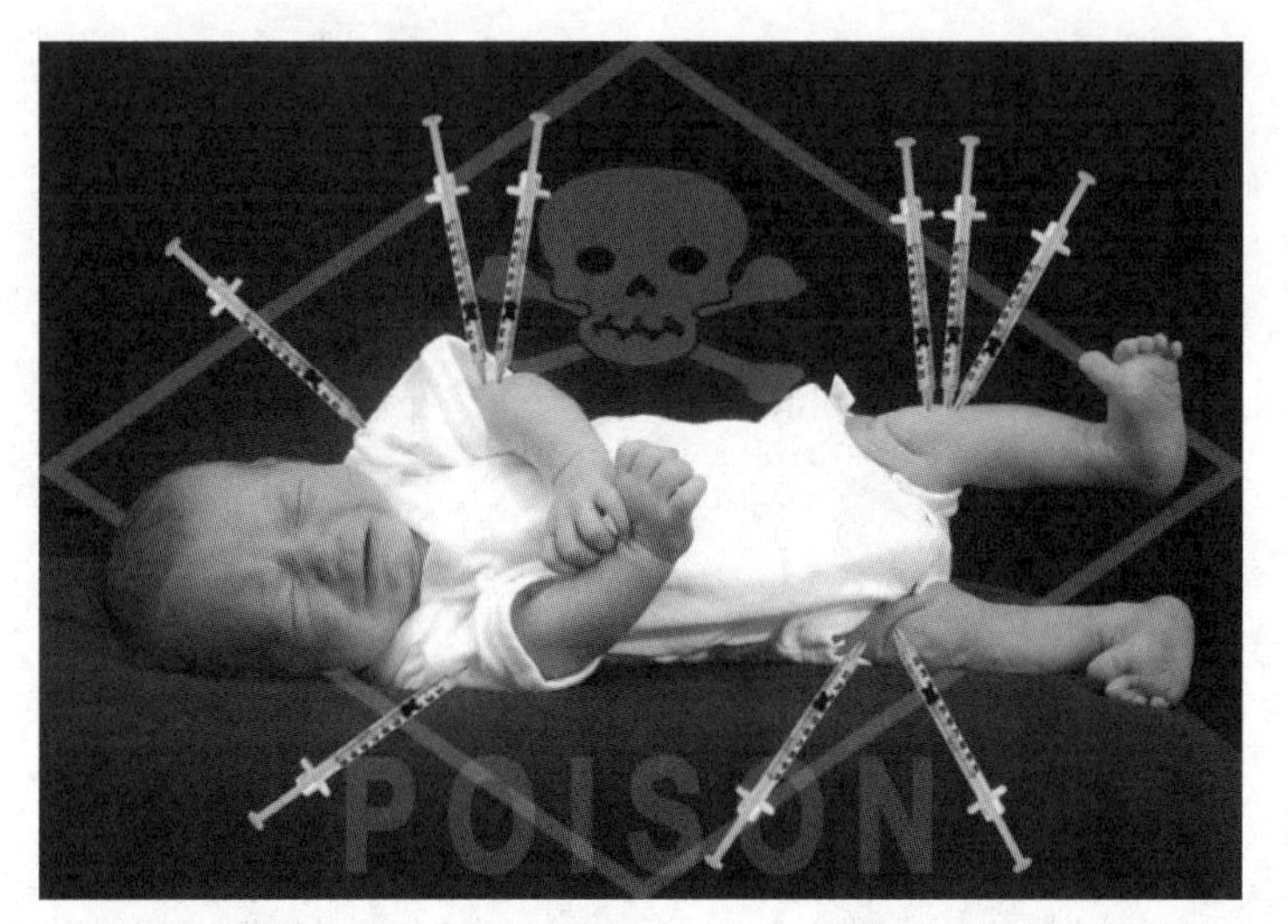

図370：きみを針刺しのように毒針だらけにする、この世界へようこそ。すべてきみを思ってのこと。

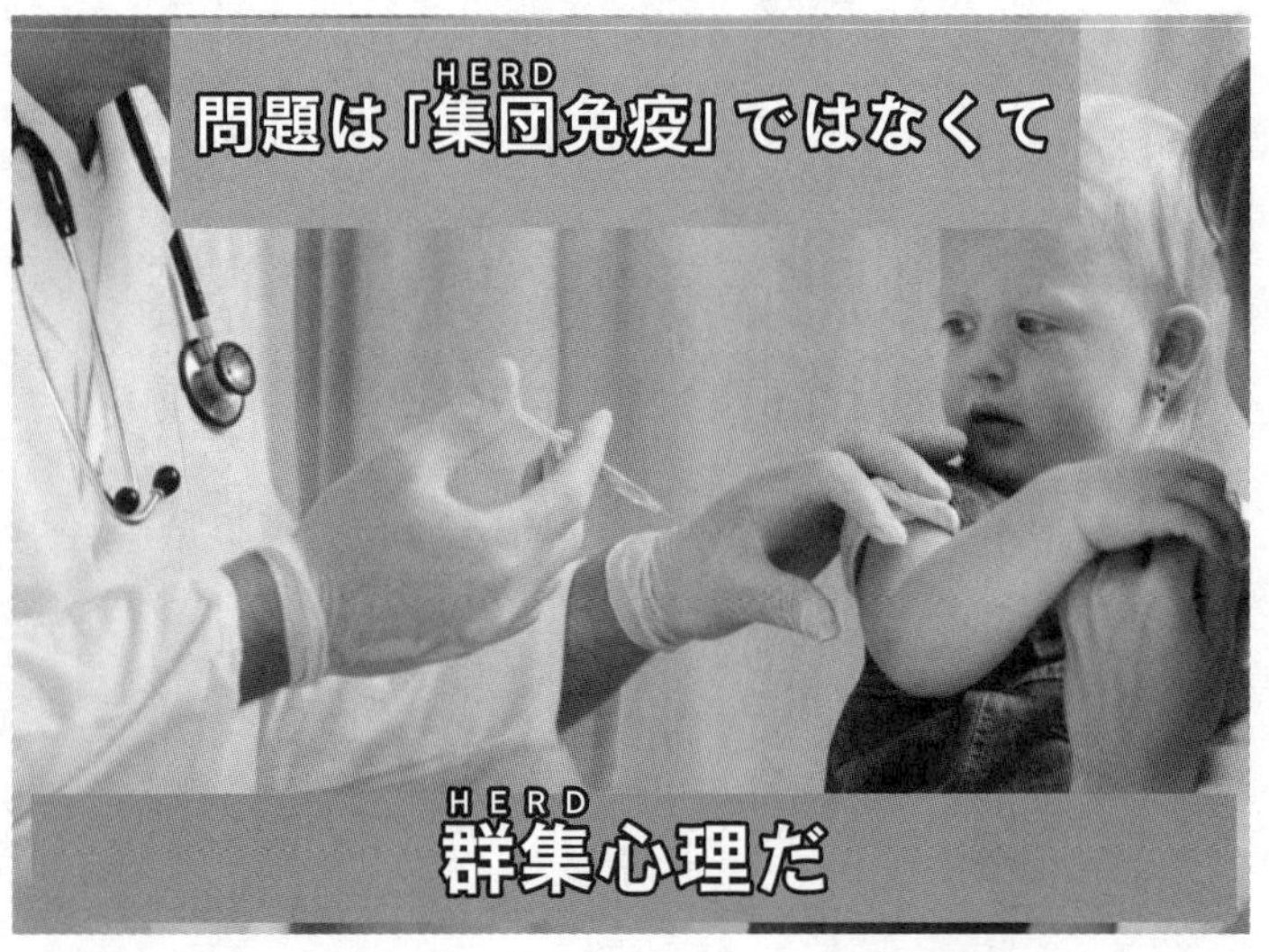

図371：集団免疫とは自然免疫のことであって、ワクチンによる免疫などというクソのことではない。

ワクチンは、ビル・ゲイツが旗振り役となって用意しているので、これを世界中で強制接種させる。強制とはいかなくとも、接種に同意しない者は移動が大幅に制限されるようにする。この件については、本書第1巻で**詳しく**述べている。

ワクチンで免疫(イミューニティ)ではなく、訴追を免除(イミューニティ)

カルト所有の製薬会社、つまりビッグファーマは、人生を変えて、あるいは終わらせてしまったワクチン被害の訴訟を大量に抱えていた。そこで、カルト所有の米議会は1986年、彼らに訴追免責を与えた。ワクチンで子どもになにが起きようとも、連邦小児ワクチン障害法（NCVIA）に守られて、ビッグファーマはおとがめなしだ。賠償請求は、連邦「ワクチン裁判所」が陪審なし、無過失で処理し、支払いは税金からなされる。納税者が、とんでもない数の子どもや大人をワクチンや医薬品で殺し、傷つけることで年々莫大(ばくだい)な富を築いているビッグファーマのツケを払わされるのだ。

米国で、心疾患やがんとならんで最大の死因のひとつとなっているのは、医薬品による**治療**だ。しかし、本当の死因を隠すために別の理由がつけられているため、すべてのケースが把握(はあく)されているわけではない。隠蔽(いんぺい)されたものも含めれば、人間の死因は断トツで医薬品となるだろう。

オルダス・ハクスリーはかつてこう言った。「医学の進歩はめざましく、近い将来誰も健康ではなくなるだろう」

立証のハードルは非常に高いが、2019年10月時点で、米国のワクチン裁判所はワクチンによる損害に対して42**億**ドルを支払っている。カルトはそんなワクチンを世界中で義務化しようとしており、米国その他ではすでにそうなっている。

ロバート・F・ケネディ・ジュニアは、1968年にカルトに暗殺された米司法長官［ロバート・ケネディはジョン・F・ケネディ大統領の弟。ジュニアはケネディ大統領の甥］の息子である［2024年米大統領選に立候補しており、予想外の健闘を見せている］。ケネディは、米国の反ワクチンの急先鋒（きゅうせんぽう）だ。

ライターのクリスティーナ・クリステンは、ケネディが関連するchildrenshealthdefence.org（ワクチン被害から子どもを守る組織）で、免責法の可決以来、ワクチンの数が急増していると述べている。また、ビッグファーマが実際にワクチンによる健康への影響を「治療」するために薬をつくっているとも述べている。

NCVIA（連邦小児ワクチン障害法）の可決以来、子どもに接種するワクチンの数は雨後のタケノコのように増え、ワクチンメーカーにゴールドラッシュをもたらした。ワクチン業界の規模は、10億ドルから500億ドルへと拡大した。しかし、じつをいえばワクチン業界の拡大は、ビッグ4（上位4社）のゴールドラッシュにくらべれば、ちっぽけなものでしかない。ビッグ4はすでにワクチンという「入り口」を独占しているが、それより相当儲（もう）かる薬物「治療」の側も、今では大きく拡大したのだ。

ワクチンメーカーは、自分たちのワクチンの悪影響を利用しはじめ、「治療」用の薬もつくるようになった。安全な製品をつくろうというインセンティブ（動機）の欠如がワクチンスケジュールを肥大化させ、これらの企業にとって収益性の高い薬物治療への入り口となった。今日では、ビッグ4がワクチンと同じく、ワクチンに誘発されることが知られる慢性疾患の薬物「治療」も独占している。まず、ワクチンが子どもたちを崖から突きおとす。そのあとワクチンメーカーは、落ちても死ななかった者を「救う」ことで利益をあげるのだ。

カルトのサイコパス（精神病質者）っぷりと共感の欠如について簡潔な説明が必要ならば、こうなるだろう。もし悪が愛の欠如であるならば（私はそう考えるが）、カルトは当然悪といえる。そして、カルトの人類に対するアジェンダ全体がその悪で満ちている。

「そんなことはしないだろう」だって？　いや、するし、そうすることで性的に興奮しているのだ。

健康保険のデータベース記録を調査していたイェール大学の研究者らは、6～15歳の子どもの神経障害と特定のワクチンのあいだに相関関係を発見した。ワクチン接種から3か月後の子どもたちに、強迫神経症や拒食症などと診断される傾向がみられたのだ。そのワクチンとはインフルエンザワクチン、「インフルエンザの予防接種を」とまぬけなメディアが毎年連呼する、あれである。研究結果は国際精神医学誌『Frontiers in Psychiatry（フロンティアズ イン サイカイアトウリー）』誌に掲載された。

子どもたちの健康や精神に有害だということが立証されようとも、われわれはワクチンを強制する。カルトの典型的なやり口で、ワクチンを打たせる理由や因果関係を暴いたり異を唱えたりする者は、つぶされる。「反ワクチン」呼ばわりされる人びとは、メディアのあほどもや、考える権利を放棄した結果、カルトに言われたことを盲信する親どもに攻撃される。

子どもへのワクチン接種を拒否する「反ワクチン」、そしてビッグファーマが知られたくない情報を広めようとする者は、ますますカルト支配のビッグ・テックに検閲されるようになっている。『マトリックス』のモーフィアスの台詞（せりふ）を思いだしてほしい。「彼らはまだ、真実を知る準備ができていない。彼らの多くがマトリックスに隷属し、それを守るため戦おうとする」

カルトはワクチンをつくり、ワクチン被害の訴追を免責する法を制定し、カルト支配の主流メディアと結託し、ほぼ独占状態のビッグ・テックが反対意見を封じこめている。点と点とをつなげてみれば、構図はいたってシンプルだ。これ以上少数が物事を決定することを許せば、誰もワクチン接種から逃れられなくなり、反対運動をすることも許されなくなる。これが「反ワクチン」への攻撃の本当の理由だ（「ウイルス」詐欺によって攻撃が激化する前に書いたもの）。フェイスブック、ツイッター［現・X］、グーグル、アマゾンなどだ。

英国は、いまや全体主義国家である。法律委員会の委員に就任した、ペニー・ルイスなる人物は２０２０年、ソーシャルメディアへの「反ワクチンプロパガンダ」の投稿を犯罪とすることを「検討している」と発表した。その情報が真実だと考えての投稿であってもだ。ルイスは検討などしない。「彼女」は、決定事項を実行するために配置されているだけだ。「パンデミック」デマの直前にこのような発表があり、「慈善」（ワクチン）事業に集中するためビル・ゲイツがマイクロソフトの取締役を退くとは、なんたる偶然か。

体制（最終的にはカルト）がこのファシズム的な計画の背後にある勢力であり、同じ時期に英国で予防接種を義務化することを「非常に真剣に検討している」と発言した哀れなあやつり人形も同様である。これは「保健大臣」［当時］マット・ハンコックの発言だ。

ハンコックの**表向きの立場**は、医療政策の責任者である。しかしそれは一時的なもので、実際に政策を動かすのは永久政府に属する保健省の役人だ。ルイスもハンコックも、自分たちが「検討」していることが、じつは陰から浮上するグローバルなアジェンダの一部であることを理解しているとはとうてい思えない。「検討」というと回避もできるように思うが、これはあきらかに押しつけの計画を意味している。

「反ワクチン」への攻撃は、日を追うごとにヒステリックになっている。共和党の政治戦略家でメディア・コンサルタント、そしてディープ・ステートのインサイダーであるリック・ウィルソンはこう述べた。「反ワクチンは社会の害悪だ。収容して再教育し、財産は即刻差し押さえ、子どもたちを保護下に置く必要がある」子どもたちの安全を気にかける反ワクが「害悪」で、露骨に過激なファシズム／マルキシズムを唱える者はそうではないのか？

ニューウォークの狂気も同様だ。米国医師会（ＡＭＡ）の代表者らは、未成年者（もちろん当局によって洗脳済み）が「ワクチン接種を拒否する親を拒絶する」ことを可能にする法の制定を求めている。ひとたび目をしっかりと大きく見開けば、私たちが向かわされている方向ははっきりする。アイズワイドシャット［スタンリー・キューブリックの遺作となった映画。本作でイルミナティの儀式を描いたためキューブリックは暗殺されたという説もある］ではだめだ。

統計からみると、接種の強制によって、任意ならば打たなかった子どもたちのなかにもワクチン被害、さらには死亡や心理的影響がでるだろう。おそろしいことである。こうした手合いの傲慢とサイコパスっぷりには、驚くばかりだ。

集団免疫が問題なのではない

ワクチン強制接種を正当化する最大のペテンのひとつが、「集団免疫」のうそである。ワクチンが効果を発揮するためには、ほぼ全員が接種しなければならないというものだ（図372）。この欺瞞は、強制接種を支持し、接種したのにその病気にかかる子どもが多いことを言い訳するために吹聴されている。ワクチンが効いていないのではない。子どもに毒薬を注射させない、とんでもない親のせいだ。

米国の神経外科医ラッセル・ブレイロックは、この神話を否定した。

図372：強制接種はファシズムの言い換えにすぎない。

そもそも集団免疫とは、自然感染したときにのみ、集団全体への保護が生まれるというものだった。自然獲得した免疫は生涯続くからだ。ワクチン推進派はこの概念に飛びつき、ワクチンによって得られた免疫にも適用した。

だが、ひとつ大きな問題があった。ワクチンによって得られた免疫は、（もしあったとしても）比較的短期間しか持続しない。そして、液性（体液）免疫にしか適用されないのだ。だからほとんどのワクチンで、子どもによくある感染症である水疱瘡、はしか、おたふくかぜ、風疹といったものまでも、ブースター（追加）接種を勧めはじめたのだ。

ワクチン接種で病気の抗体がつくられると主張されているが、これは免疫の証明とはみなされない。以下はLearntherisk.orgからの引用である。

……抗体だけでは本当の免疫はつくられないことは、科学界で古くから知られています。抗体が多い人でも病原体にさらされて罹患する人もいれば、抗体がないのに罹患しない人もいます。先駆的な業績から、免疫学の祖父という異名をもつメリル・チェイス博士は、これについて1950年代にすでに明確な研究をおこなっています。

その結果は、疑う余地のないものでした。抗体レベルは免疫を確定するものではありません。免疫系は非常に複雑なシステムで、科学はいまだその仕組みを理解しはじめた段階です。事実、免疫学の教科書は最近すっかり書き換えられました。バージニア大学の研究によって、ついに腸と脳がリンパ系でつながっていることが証明されたためです。この２０１４年の研究以前は、免疫学の本では腸と脳につながりはないと断言していました。

世界を理解するもっとも手っ取り早い方法は、体制（カルト）が現実だと言い聞かせてきたことを、すべて引っくりかえしてみることだ。これはまずまちがいない方法である。

米国の子どもたちは、いまや18歳までのあいだに53〜70（数え方により変動）ものワクチンを接種されている［２０２３年現在、日本小児科学会が推奨する予防接種スケジュールに含まれるのは定期接種（無料）が13、任意接種（有料）が２］。その多くは、数種のワクチンが１本の注射液に含まれる混合ワクチンだ。

子どもへの接種スケジュールは、ここ30年ほどで３倍にも膨れあがった。ビッグファーマが、訴追を免責されてからのことだ。時を同じくして、かつては稀（まれ）であった自閉症や食物アレルギー、ぜんそく、脳機能不全、自己免疫疾患、がんなどの病気が子どもたちのあいだで劇的に増えている。ワクチンが接種されるようになってから、自己免疫疾患は爆増しており、とりわけ大量接種されるようになってからが顕著である。

免疫系が、本来存在しないはずの異物を検知して自分の身体を攻撃してしまうことを、自己免疫疾患や機能不全と呼ぶ。身体を攻撃する有害物質を注射したり摂取したりしても、免疫系がこのように自身を攻撃する原因にはならない？　本当にそう考える人などいるのだろうか？

赤ちゃんの未完成の免疫系に、大量の有害物質を浴びせかける［日本では生後2か月（！）が「ワクチンデビュー」とされ、5種（!!）の同時接種が推奨されている］。生まれたばかりでこんな暴行を受けては、本来の抵抗力は損(そこ)なわれ、元にはもどらない。5GとWi-Fiも、免疫系をターゲットにしている。

私が幼いころは、子どもの病気は生活の一部でしかなかった。親が病気の人のところに子どもを連れていって、もらってきたりもしたものだ。そうすることで免疫系を活性化し、大人になってからかかればはるかに重症化するであろう病気から、生涯にわたって守る免疫がつくと考えられていた。

今日では、はしかの流行は死の脅威であるとプロパガンダされている。そしてワクチンの強制接種と「反ワクチン」への激しい攻撃が正当化されている。これはすべて操作だ。

ニューヨーク市長［当時］ビル・デブラシオは、はしかの流行を受けて非常事態を宣言し、該当地域の全住民にワクチン接種を義務づけた。接種していない、あるいは免疫があると証明できない住民には、1000ドルの罰金が科されることもあると脅(おど)したのだ。「この危険な病気を、ここニューヨーク市に復活させるわけにはいかない」とデブラシオは述べた。私が幼いころには、「誰それがはしかにかかったんだって」「じゃあ、1週間はお休みだね」と言われていたはしかが、「危険な病気」だというのだ。

「流行」していると報じられても、ワクチンを接種した子どもが何人発症し、未接種の子どもが何人無事なのかは知らされないことも強調しておきたい。それが知れたら、商売の邪魔になるのだろう。

私のふたりの息子はワクチンを打っていないが、どういうわけか無事たくましい大人に育った。なぜかは不明だ。誰か、非接種の息子たちがかからない病気に、なぜ接種した級友がかかったのか説明できる人がいるだろうか。

ワクチンの波動

ワクチンその他、先に述べたクソに関するアジェンダの深層を理解するには、今一度波動場レベルの現実に立ちかえる必要がある。

ワクチンは、波動場の調和を混乱させ、それ自体が免疫システムである波動場の情報コードを弱体化させるものだ。

波動レベルでは、情報は知覚パターンや疾患パターンでコード化することも可能だ。ひとたびボディフィールドにアクセスすれば、カルトの知識を使ってどんなことでもできる。有害なファストフードや加工食品、飲料は、医薬品や人工的な電磁波と同じようなはたらきをする。

薬の「副作用」とは、症状に有効とされる作用と同じプロセスで起こる、波動場を乱す作用（「副」などない）である。薬や代替療法によって「治った」ようにみえても、波動場の問題を別の場所に移動させただけのこともある。「治った」ものとは無関係にみえる別の状態としてあらわれてくるが、同じものだ。「治療」は症状をなくすだけのもので、問題はなくならない。ビンに入った水の泡を思い浮かべてほしい。ビンを動かすと、泡は移動する。

こうした波動場の問題は、感情的なトラウマ（心的外傷）によって引きおこされる場合が圧倒的だ。トラウマが低振動の感情のバランスの崩れた波動となって、ボディ－マインドのフィールドに影響を与えるためだ。

だが、摂取したり注射したりした有害物質も一因となる。身体に入って何年も経ってから、病気を引きおこすのだ。タイムラグがあるため、この因果関係が認識されることはない。

問題が移動するのではなく、なくなったときにだけ、治癒のプロセスが完了する。治癒はほとんどの場合、問題を実体化させた感情的なトラウマを、顕在意識に呼びおこすことによってなされる。幼いころのトラウマが、何十年も経ってから身体症状としてあらわれることもある。顕在意識が問題の因果関係を認知すれば、波動場はバランスを取りもどす。この認知が、調和をもたらす波形を発生させるのだ。ほとんどの人は、このつながりを潜在意識に押しこめてしまっている。主流医学は、こうしたつながりを認識していないからだ。まさに病は気（マインド）からである。ボディはマインドで

あり、マインドによって「治す」（バランスを取りもどす）ことができるのだから。

ワクチンでナノチップ（超微細片）を人体へ

ほかにもワクチン接種によるカルトの利がある。１９９０年代にカリフォルニアでＣＩＡの科学者から聞いた話だが、目に見えないほど小さなナノチップ（超微細片）［ナノは10億分の１メートル。超微細・超精密を意味する］をワクチンに入れ、人びとに皮下注射しているというのだ。ナノテクノロジー（超微細技術）はいまやありふれていて、食品への応用も増えつづけている。だが私がその科学者と会った当時は、まだ今日のように知られた技術ではなかった。極秘プロジェクトにおける先端技術が、私たちが公の場で目にするものよりはるかに進んでいることは、いくら強調してもしきれない。

ナノテクノロジーを使えば、簡単にワクチンと一緒に注入できるような小さなものをつくることができ、誰にも気づかれない。ワクチンにナノチップを混入させるのは、ごく限られた人間だ。それを、多くの疑うことを知らない「医療専門家」が打つ。

今日では、そうしたチップはナノボット、ナノロボット、ナノイド、ナナイト、ナノマシン、ナノマイト、ニューラルダスト（極小体内埋め込み医療機器）［２０２０年、ニューラルダストを開発した米ｉｏｔａ社をアステラス製薬が買収］、デジタルダスト、スマートダストなどと呼ばれている（図３７３）。文献によると、これらの超小型機械はひとたび体内に入ると、「高度なシステムの組み立てと維持、分子製造によ

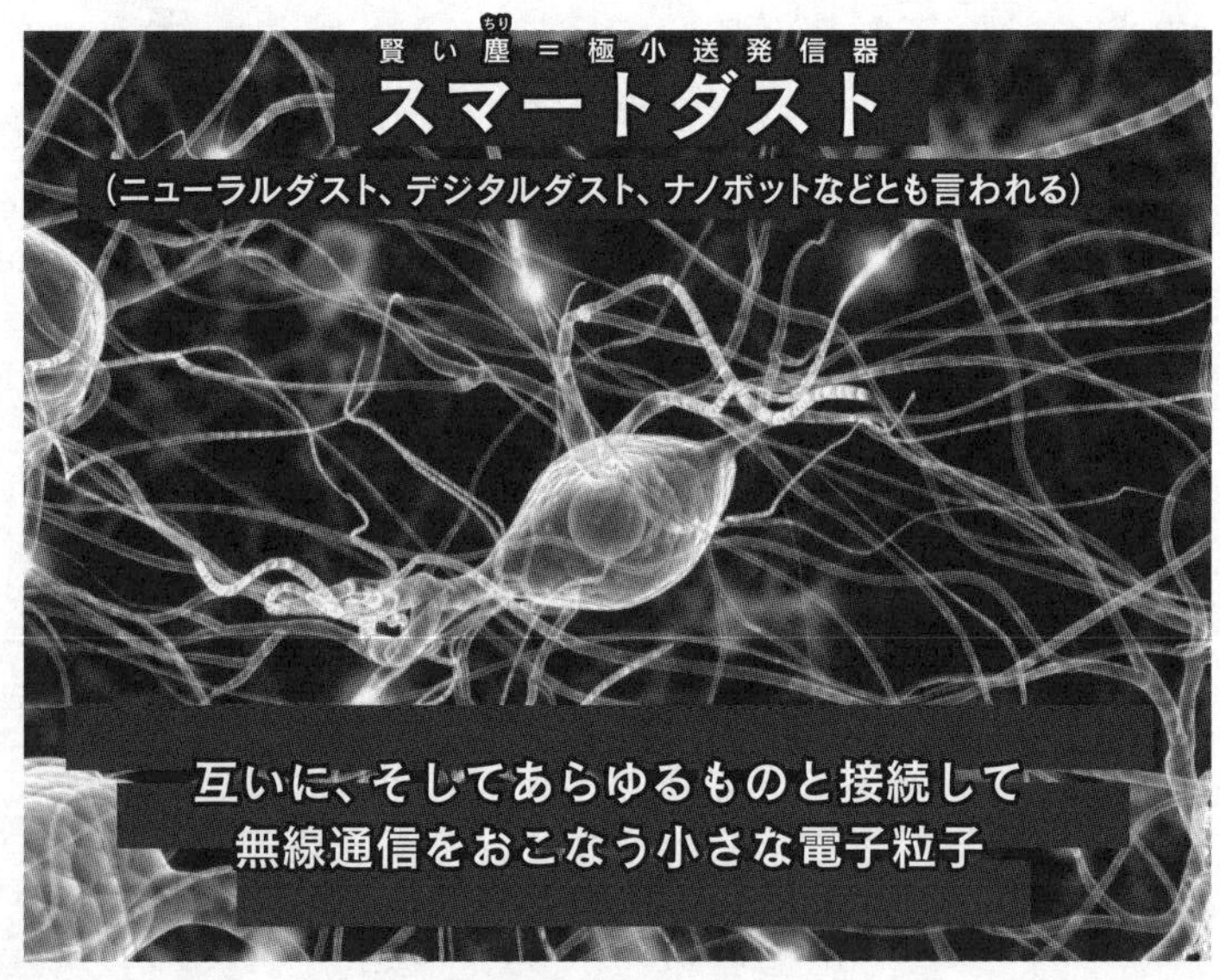

図373：大気や水、食品に混入されているナノ物質は、人類をスマートグリッドに接続するためにつくられたものだ。

る装置、機械、回路の構築、自己複製による自身のコピーの生成」が可能になるとされている。また、人体をスマートグリッド（技術制御ネットワーク）に接続し、遺伝的性質を操作することもできる。

　こうしたカルトのワクチンアジェンダの重要な利点をふまえて、世界最大のワクチン推進者がマイクロソフトのビリオネア（京兆長者）テクノクラート、ビル・ゲイツであるとは、なんたる偶然か。

　ビルの父ウィリアム・H・ゲイツ・シニアは、悪名高き優生学者トマス・マルサス［英経済学者。産業革命期に、人口の増加は食料を生産する土地の能力を上回るため人口を抑制すべきと主張したが、のちに化学肥料の誕生によって否定された］の考えを（「かつて」息子もそうしたように）支持した。ゲイツ・シニアは、ロックフェラーがつくったプランド・ペアレントフッド（全米家族計画連盟）の理事を務めた。これは優生学運動の一角であった組織で、カルトの「予言者」リチャード・デイ博士もかかわっていた。デイは１９６９年に小児科医の会合で、病気はワクチン接種によって引きおこされるようになるだろうと述べている（本書第1巻で述べた、「新型コロナウイルス」とゲイツのワクチンに関する話と深くかかわっている）。

　オーストリアの医師で分子生物学研究者、歯科医でもあるヤロスラフ・ベルスキーは、ワクチン接種と１９１８年の「スペインかぜ」との関連を指摘している。じつはスペインかぜは、第一次世界大戦の最後の年に米軍基地で発生し、全世界に広がって5億人ほどが感染した。これは当時の世界人口の３分の１である。少なくとも５０００万人が死亡、うち67万５０００人は米国内の死者であると報じられている。ベルスキーはこう述べている。

戦地へ向かう兵士らには、ワクチンが大量接種された。1918年には36種ものワクチンが、なんの規定もなく接種されていた。スペインかぜがさまざまな場所で同時多発する直前のことだ。医学史家は今日、スペインかぜはワクチンによる惨事だと認めている。

ビル・ゲイツは、カルトのテクノクラシー・アジェンダに欠かすことのできないマイクロソフトの技術によって巨万の富を築いた。そして、ワクチン、監視技術、コモンコア［米国の幼稚園から高校までの国語と算数の教育基準］のような教育プログラミング、大気の地球工学（気候操作その他もろもろ）、そして**私たち**を遺伝子組み換えするための遺伝子組み換え食品といった、カルトが要求するさまざまなものに資金提供したり、推進したりしてきた。これらについては『今知っておくべき重大なはかりごと』で詳しく触れている。

ゲイツは2020年3月、「慈善事業」に時間を割くためマイクロソフトの取締役を退くと発表した。つまり、エリートアジェンダに出資するということだ。ゲイツは世界の健康、開発、そして気候変動対策に集中したいと述べた。そうとも、そうとも、わかってるよ。（その証拠に、この文を書いた直後にさっそくゲイツは「ウイルス」ロックダウンとワクチンを推進した。ワクチンなしに生活が「ノーマルにもどることはない」のだという）

このゲイツという輩（やから）は、じつにとんでもない詐欺師だ。本書第1巻では、さらに邪悪なその姿を明かしている。ワクチンはＤＮＡを損傷し、変化させてしまうということも強調しておかねばなるまい。ゲイツの「新型コロナウイルス」ワクチンも含め、次世代ワクチンははっきりとＤＮＡに**狙いを定めている**。主眼はあきらかだ。これらの新しいワクチンは、免疫反応を刺激するためのウイルスではなく、**合成**遺伝子を注入するものだ。ここからが本題だが、合成遺伝子とは、ＤＮＡを恒久的に改変するものだ。

『ニューヨーク・タイムズ』の「遺伝子導入による免疫予防法（Ｉ．Ｇ．Ｔ．）」に関する記事に、米スクリプス研究所の免疫学者マイケル・ファーザンの言葉が引用されている。

> Ｉ．Ｇ．Ｔ．は、従来のワクチンとはまったく別物だ。むしろ遺伝子治療の一種である。科学者は、特定の疾患に対して強力な抗体をつくりだす遺伝子を分離し、人工的に合成する。その遺伝子をウイルスに組みこみ、人体組織（通常は筋肉）に注射する。
>
> ウイルスはＤＮＡペイロード（弾頭）を抱えてヒト細胞に侵入し、合成遺伝子は被接種者自身のＤＮＡに組みこまれる。首尾よくゆけば、新しい遺伝子が細胞に強力な抗体をつくるよう指示をだす。

「**合成遺伝子は被接種者自身のＤＮＡに組みこまれる**」先に述べた合成人間の件をふまえて、じっくり考えてみてほしい。まだ理解できないほどの世間知らずはいるだろうか？　なぜワクチンが強制されているのか？　ゲイツの「新型コロナウイルス」ワクチンは、本当はなんのためなのか？

ワクチン監視

法によって**あらゆる人**にワクチン接種を課するために欠かせないのが、誰が接種して、誰がしていないかの追跡だ。全世界にワクチンをというビル・ゲイツのキャンペーンの主要組織が、接種を確認するため人びとを追跡しようと呼びかけているのも、本当にただの偶然だろうか？

ゲイツが資金提供しているＧａｖｉ（Global Alliance for Vaccine and Immunization）ワクチンアライアンス（同盟）［２０００年に開催された世界経済フォーラムの年次総会（ダボス会議）で発足した官民連携国際組織］のＣＥＯセス・バークレーは、世界最貧国の子どもたちへのワクチン接種に、年平均20億ドルほど費やしていると語った。また、「予防接種をモニターする革新的な技術」には数千万ドル投資しているという。バークレーは、誰がワクチンを打ったかを追跡し、すべての人に「身分証明」を与える技術を求めている。すべてカルトのアジェンダにあてはまっているではないか。バークレーがまだそうと知らないのだとしたら、これからだんだん気づいてゆくことになるだろう。だが彼は、ちゃんとわかっているはずだ。

バークレーはかつて、ビッグファーマが支配する米ＣＤＣ（疾病予防管理センター）やロックフェラー財団で働いていた。カルトのDNAをもつロックフェラー一族は、世界にビッグファーマの「医学」を押しつけ、自分たちのコントロールが効かないその他の療法を排除した。

バークレーの、すべての人に「身分証明」のコピーをもたせるという願望は、(またもや) 2030年までに、全加盟国193か国が法的な身分証明を発行することを目指す国連の目標と一致する[SDGs目標16、9番目のターゲット]。ビル&メリンダ・ゲイツ財団が、ワクチン接種者と非接種者を確認する「タトゥー」の開発に出資しているのは偶然の一致だろうか? ゲイツはマサチューセッツ工科大学(MIT)の科学者らによる「目に見えない量子タトゥー」インクの研究開発に助成をおこなった。このタトゥーを肌に埋めこみ、スマホカメラアプリで読みとるのだ(図374)。

Sciencealert.com[科学技術のかかわる社会問題のトピックに関し、ジャーナリストに専門家の知見を素早く伝えるサイト]はこう報じている。

ワクチンと一緒に施される目に見えない「タトゥー」とは、極小の量子ドット(光を反射する小さな半導体クリスタル)からなるパターンで、赤外線を照射すると光る。そのパターンとワクチンは、ポリマーと糖類でできた分解性のマイクロニードル(超極細針)を使って皮下に届けられる。

MITの研究者ケビン・マクヒューは、研究の成果を完璧(かんぺき)に説明した。しかしマクヒューはおそ

図374：これはゲイツ個人のドクトリン（信条）ではなく、カルトのドクトリン（至上（非情）命令）であり、逃れることはできない。

らく、この技術開発に隠された本当の理由からは隔絶されていたのだろう。「紙のワクチンカードの紛失や、そもそもカードがない地域、あるいは電子データベースが普及していない地域であっても、すべての子どもが確実にワクチンを接種できるよう、接種記録をすばやく匿名で検出できる技術です」

行間からカルトのアジェンダがにじみ出ている。この技術によって当局、さらには雇用主も、あなたがワクチンを接種しているかどうか、つまり自由に歩き回らせたり、雇い入れたりすることが「安全」かどうかを確認することができるようになる。（これを書いた数週間後、「ウイルス」詐欺がはじまった。ゲイツは、**自身**が資金提供して全世界で使用されている「新型コロナウイルス」ワクチンを誰が打ったか追跡する、見えないデジタル「タトゥー」を推していた。おそろしいことである。私がゲイツを「ソフトウェア・サイコパス」と呼ぶのも不思議はなかろう）

同じ追跡システムが、すべての人に従順になるクスリを飲ませるため、導入を検討されている。すでに導入されている「スマートシステム」にも、マイクロチップを搭載した「スマートピル」があり、薬が服用されたことを医師に伝える。これも同じ目的へと向かう忍び足だ。

2002年の映画『リベリオン』を観てもらえれば、このコンセプトがよくわかるだろう。人びとは毎日、感情抑制薬を服用させられ、違反がないか監視されている。

水道水へのリチウム添加計画［英研究者らのメタ分析で、リチウムが水道水に多く含まれる地域ほど自殺率が低いことがあきらかになったことから、人工添加の可能性が示唆されている］も、この手の忍び足だ。リチウムは双極性障害［躁状態とうつ状態を繰りかえす脳の病］の治療に使われる。添加推進派は、リチウムを大衆に投与することで、「よりハッピー」になれるという。

子どもも大人も、すでに大量に薬を盛られている。感情的な問題や、切手サイズからはみだすような兆候があれば、かつてない勢いで精神薬を投与されるのだ。『すばらしい新世界』の著者で支配層のインサイダー、オルダス・ハクスリーは、1961年にこう予言している。

次の世代くらいには、人びとをよろこんで隷属させ、難なく独裁をおこなう薬学的手法があみだされるだろう。いわば、社会全体を苦痛なき強制収容所のようにしてしまうのだ。人びとは自由を奪われるわけだが、むしろそれを良しとする。なぜなら、プロパガンダや洗脳、つまり薬学的手法によって強化された洗脳によって、反抗しようとするあらゆる欲求から目をそらされているからだ。これは最後の変革であろう。

ハクスリーはどうやってこれを知ったのだろうか？　オーウェルはどうやってあのような知識を得たのだろうか？　リチャード・デイは？　そして私は？

アジェンダは長年計画されたもので、究極的にはこの現実の外、人間世界とは異なる「タイムライン」からきたものだ。インサイダーか、石の上にも30年の地道な調査を続けた者なら、なにが計画されているか知ることができるだろう。

なんでもマイクロ

世界はマイクロプラスチックであふれている。プラスチックは、人造物の周波数と共振する。増えつづける人造物の波動とからみあえば、ボディの波動場はより……**人工的**になる。

マイクロプラスチックの摂取に関する50件の研究データを用いたロイターの報道で、すでにそれが進行していることが衝撃的に裏づけられた。マイクロプラスチックとは、5ミリメートル以下の粒子のことだ。記事は世界自然保護基金（ＷＷＦ）の調査結果を基にして、人びとは週平均２０００個もの小さなプラスチック片を体内に取りこんでいるとしている［２０１９年米国の調査では１日平均７万４０００～12万１０００個と報告されている。また２０２３年の調査ではコロナ対策で多用されるようになったマスク、シールド、手袋、ガウン、消毒液のボトルなどから大量のナノおよびマイクロプラスチックが発生していることもあきらかになっている］。主に水からだが、水産物や空気からも取りこんでいる。年間ではディナープレート山盛り一杯、生涯79年では大きなゴミ箱2杯分ものマイクロプラスチックを摂取しているというのだ（図３７５）。

ＷＷＦのマルコ・ランベルティーニ事務局長は、「プラスチックは海と河川を汚染し海洋生物を殺すだけでなく、全人類の体内にも入りこんでいる」と述べた。

図375：うーん、うまそう。

プラスチックで包装された食品は、化学物質を吸収する。プラ包装して「オーガニック」と表示している生鮮食品があるが、私はそんな状態ではオーガニックを名乗れないと考える。プラスチックに含まれるものが、食品に溶けだすからだ。

米国の地質学者らは、コロラド州デンバーに近いロッキーマウンテン国立公園内の、人里離れた丘陵の雨水から、小さなプラスチックの繊維や粒、破片を発見した。その報告の見出しはこうだ。

「プラスチックの雨が降る」

マイクロプラスチックは辺境の雪、深海の堆積物（たいせきぶつ）やプランクトンからも見つかっている。「探せばどこからでも見つかるのです」と研究者のひとりは言う。

マイクロプラスチックは、食品にも添加されている。カナダ・マギル大学の科学者らは、プラスチック製ティーバッグで紅茶を淹（い）れると、カップ1杯で100億個以上のマイクロプラスチックが放出されるとあきらかにした。プラ製のティーバッグを使うと紅茶にプラスチックが放出されるだなんて、誰が予測できただろうか？　天才でなければ無理だろうね？　カルトの中枢は、意図的にこれを仕組んでいる。

プラスチックが体内に侵入したことで健康にどのような影響があるのかは、まだ解明されていない。しかしロンドン『デイリー・メール』は、カーディフ・メトロポリタン大学生物医科学上級講師レイチェル・アダムスの、内部炎症（多くの波及効果を伴う）や「異物」に対する免疫反応がある、という発言を引用している（ワクチンの原材料と自己免疫疾患も参照）。

アダムスはさらに、マイクロプラスチックは水銀や農薬、ダイオキシン（発がん性があり、生殖や発達の問題を引きおこすことが知られている）など毒素の運び屋になると指摘した。これらの毒素は、マイクロプラスチックによって体内に運ばれると、脂肪組織に蓄積する。過去の著作で述べたことだが、飢餓状態になっても脂肪組織が分解されないことが多々ある。身体は毒素がそこにあるとわかっているので、放出を防ごうとしているのだ。「なにをやっても痩せないんです」

キングス・カレッジ・ロンドンの調査によって、英国首都の驚くべきマイクロプラスチック汚染があきらかになった。研究者らは「大気中のマイクロプラスチックが空から降ってきて屋根に落ち、おそろしい量が人の肺に入りこんでいる」ことを見いだした。

研究者のステファニー・ライトは、「過去の報告よりもはるかに多い、おびただしい量のマイクロプラスチック」を発見した。おそらく他の都市でも同じ状況であろう。ライトも、その影響が不明である点を挙げた。「最大の懸念は、わからないことが多いことです。安全かそうでないかを解明したいのです」

あきらかに安全ではないだろう。いつものことだが、波動場レベルでの影響は考慮されていない。人工的な振動が、人間のホログラムとなる人のエネルギー場に侵入しているのだ。

人類完全支配が大詰めに入ったなら、強健で精神が安定し鋭く思考できる人間など、もっとも存在してほしくない。その真逆であってもらいたいのだから、ボディを抑圧することでマインドを抑圧する。そのふたつが、ともにボディーマインドをかたちづくっているからだ。

バーモント大学の調査で、肥満の子どもは、意思決定や計画性、自制心をつかさどる脳の領域が薄いことがわかった。ほとんどの情報が意識的に処理される場所である。

「トゥ・メニー・ピープル」

私は数十年来にわたり、世界人口の計画的な大量淘汰(とうた)について警告してきた。ここまで述べてきたことすべてが、それを可能にするものだ。人工的な周波数と人間のフィールドが強く同調／からみあうと、人間のフィールドが混乱して心臓の鼓動が止まり、肉体の生命の振動が止まってしまうこともある。

ある人が発信している正確な周波数がわかれば、カルトはその人を孤立させて狙い撃ちすることができる。カルトはその情報を引きだせるDNAデータベースを、あらゆる口実を使って構築する。すでに多くの人が、ディープ・ステートの技術によって「ターゲットにされ」、極度の嫌(いや)がらせハラスメントを受けていると公言している。彼らは、テクノロジーによって思考や知覚が脳に送られてくるという。その方法は、先に述べたとおりだ。控えめにいって、Wi-Fi、5Gその他のネットワークの電波によって届けられる情報によって、こうしたことが大規模におこなわれているのだ。個々に、あるいはまとめて人を排除するというのはその一歩であり、同じ原則にもとづいている。

他の本でも取りあげたカルトの使い走りと工作員は、長年世界人口の大幅な削減(数十億人)を呼びかけてきた。いまや、人間が増えすぎると気候変動による危険が増すという口実も追加されている。気候カルトは人口削減を迫り、人びとに子をもつことをやめるようすすめている。ビル・ゲイツは、これを声高に主張する人物のひとりだ。ゲイツはこの件について、優生学者トーマス・マルサスを支持した父親とも話していたことだろう。カルトはもはや多くの人間奴隷を必要としていない。ＡＩがすべてを引き継ぎ、男女の生殖はハクスリーの世界政府人工孵化所（ふかしょ）に置き換えられ、生涯奴隷として生きるように設計された赤ん坊が人工的に製造される予定なのだから。

人体は飲食物や環境汚染、マイクロプラスチックによって毒されてきた。電磁周波数は、その毒性を致命的に増幅させることができる。当局は累積的淘汰の一環として、有線コンピューターシステムを使っていた学校にWi-Fiを導入させた（教師の血液を思いだしてほしい）。スマートメーターも同じだ（図３７６）。なぜ5Ｇという兵器が、安全確認もされずに世界中で展開しているのか、もうおわかりだろう。５Ｇはまさに淘汰アジェンダの一部なのだ。

現実を直視したくないのはわかるが、これは**事実**であり、なにか手を打たなければならない。血液を凝固させ、酸素の分子構造に影響し、水分子を破壊し、利用しているネットワークを通じておかしな周波数を送信できる。５ＧとWi-Fiのほかに、そんな素晴らしい手法があるだろうか？　長年計画してきた大量淘汰のために、酸素吸収を妨げるに勝る手段があるだろうか（５Ｇは酸素吸収を妨げる。本書第１巻参照）？

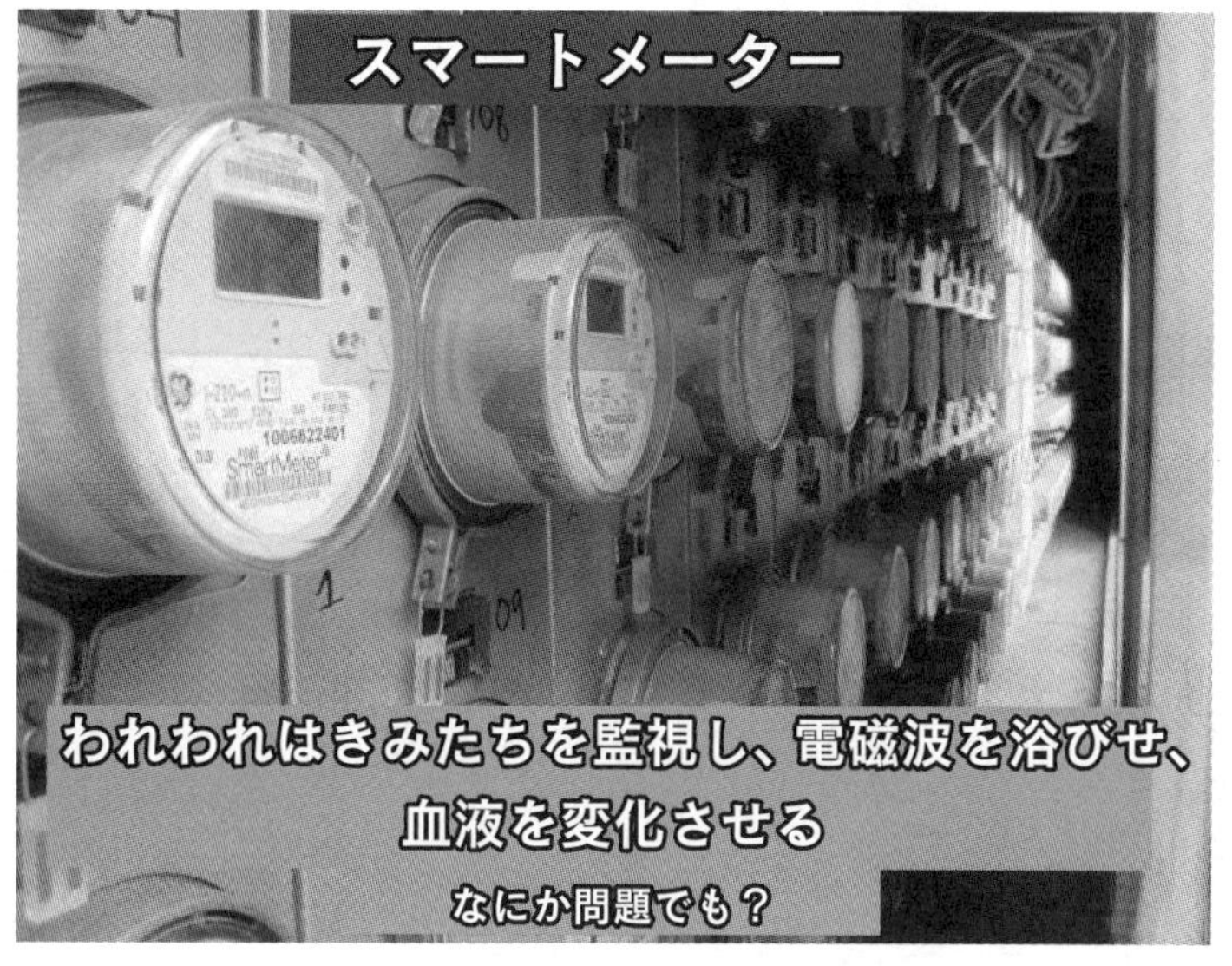

図376：この Wi-Fi 場も、すべての家庭と企業に導入が計画されている。あなたをクラウドにつなげ、クラウドがあなたと通信できるようにするものだ。

私たちの知るかたちでの「人間」は消し去られ、トランスヒューマン、合成人間、機械人間に置き換えられることが計画されている。それらはもはや、人間ではない。

カリフォルニアのバイオテック企業エピサイトは、2010年にエピサイトジーンなるものの特許を取った。摂取すると、男女とも不妊になるものだ。これが、遺伝子操作によって**トウモロコシの種子**に組みこまれた。人びとをまとめて不妊にしようとする以外に、このようなことをおこなう理由があるだろうか？

カルトのバイオテック企業モンサントとデュポンは、不妊遺伝子を「商品化」するため、エピサイト社の事業を買収した。米ナチュラル・ソリューション・ファウンデーションのメディカル・ディレクター、リマ・E・ライボウは、（カルト支配の）米食品医薬品局（FDA）がその情報を違法としたため、自分がその遺伝子を摂取しているかどうか知ることはできないと述べた。

避妊薬は上水道にも含まれている。避妊薬を飲んだ女性が排尿し、それが累積的に莫大（ばくだい）な量になっているためだ。

電磁波も、男女の生殖機能に影響することが知られている。言うまでもなく私たちは、人工的な電磁波にどっぷり漬かっており、近年ではより破壊的な5Gも加わった。精子数の減少については先に述べたとおりだ。

スウェーデン・カロリンスカ研究所神経科学学科のオーレ・ヨハンソン教授は、「5世代のあいだに回復不能の不妊」が大量発生すると予言していた。原因はWi-Fiや人工的な電磁波だ（5G導入以前の発言）。

２０２０年はじめ、英国首相［当時］ボリス・ジョンソン宛に１通の手紙が届いた。５Ｇ導入が男性生殖機能を重大な危険にさらすというもので、２件の嘆願書が添えられていた。ひとつには２６８人の医師、科学者の署名があった。手紙にはこうある。

私たちは、若年者へのパルス高周波放射の悪影響を強く懸念しています。この非電離放射線は、細胞システム内で酸化的ＤＮＡ損傷を引き起こし、とくに青少年や若い男性の生殖器官に悪影響があることが研究で示されています。

これは長く計画されてきたもので、**私たちの知る**人類の絶滅が目的である。

リチャード・デイ博士は１９６９年に小児科医らに「死の錠剤」について語っていた。ある年齢に達した老人が、後進に道を譲るためこれを使って自殺するというものだ。

若者と老人を分断しようとする絶えまない取り組みは、この計画に関連する部分もある。合法的安楽死や、死期が近いと診断された人への薬や栄養補給を中止する「ケアパス」［病状に応じた適切なサービス提供の流れ］などもそうした忍び足である。「パス（道）」を絶たれた人の多くが、周囲の愛ある人びとのおかげで、その後も数年生き延びている。

医師による「自殺幇助（ほうじょ）」を合法化する米国の州が増えている。執筆している今現在で、カリフォルニア、コロラド、ハワイ、メイン、ニュージャージー、オレゴン、バーモント、ワシントン、ワシントンD.C.の各州で合法であり、ニューヨーク州でも合法化が検討されている［その後ニューメキシコも合法化］。

すべての人に「身体的な」苦痛から解放される権利を与えるのは情け深いことだ、という人もあるかもしれない。だがオレゴン州を例にとると、「身体的な苦痛からの解放」は自殺幇助を申しこんだ理由の上位5番目までに入らない。多くは、周囲の負担になることや、自律性を失うことをおそれている。つまり、貧しい人や弱い人が多いということだ。そうなると、知覚的優生学ともいうべき分野の話になる。おまえはお荷物だと説きふせ、自殺を幇助するのだ。「ウイルス」ロックダウンのあいだ、年寄りが病的なほどに狙われたのは本書第1巻で述べたとおりだ。「情け」をかけてひとたび扉を開けば、カルトは蝶番から扉をたたき落とし、壁を破壊する。カルトにとっては、人間は物資でしかない。商業的な生産性がなくなったら、抹消するまでだ。

小児科医ローレンス・ダニガンは、リチャード・デイが1969年に「死の錠剤」について言ったことをこう述べている。

医療ケアは個人の仕事と深くかかわるが、非常に費用がかかるため、一定の年齢を超えると受けられなくなる。相当に裕福で協力的な家族がいない限り、ケアは受けられない。

みなが「もうたくさんだ！　老人の世話をするために若い世代が負担を強いられるなんて」と言えば、若者は両親が生涯を閉じるのを手助けすることに同意するようになるだろう。人道的に、尊厳を保っておこなわれるならば。たとえば素晴らしいお別れパーティー、心からのお祝いをするのもいい。そしてパーティーが終われば、「死の錠剤」を飲むのだ。

デイは1969年に、カルトのアジェンダがいかに微に入り細を穿つかを説明している。人びとが記入しなければならない用紙に薄いインクを使い、老人は若者の助けがなくては読めないようにするというのだ。デイは他にも、老人が自分は「年をとりすぎた」と思うよう操作する方法を挙げている。これについては、拙著『Phantom Self』［未邦訳］で、幅広い分野にわたり彼の言葉を正確かつ詳細に引用している。

人口淘汰に関してデイは、ほとんどの家庭では子どもは2人までに制限されるだろうとも述べている。そんな産児制限がどこかになかっただろうか？　世界の設計図たる**中国**だ。また、中絶の合法化を求める圧力が高まっていることにも注目すべきである。

波動支配

答えは、問題を理解することによってもたらされる。それは、波動の本質の基礎を理解するということだ。カルトは、生活のあらゆる場面で波動コントロールを押しつけようとしている。

私は何年も前から、国際社会のいたるところにシンボルが配置されているということを何度も強調してきた。ピラミッドやすべてを見通す目、などなどだ。なぜ、わざわざ大規模にこんなことをするのだろうか？

シンボリズムは、カルトの工作員が公の場でコミュニケーションするための隠れた言語である。それと同時に、カルトの周波数を人間のエネルギー場に伝達する手段でもある。ピラミッドやすべてを見通す目、あるいはただの一つ目を見かける機会は、じつにとてつもない数にのぼる。そして、子ども向けのアニメにもしょっちゅう登場するのだ（図377）。

エネルギー的に、また周波数の観点からすると、シンボルは彼らが象徴するものをあらわす。憎しみをあらわすシンボルは、憎しみの周波数と共振し、人間の波動場に害をおよぼす力をもつだろう。

シンボルを意識的に認知しなくても、その効果は発揮される。むしろ、カルトは認知してもらいたくないのだ。なにが起こっているのかわからず、顕在意識の防御が弱くなっていれば、こうした周波数がフリーパスで侵入して潜在意識とからみあうことができる。潜在意識は、カルトの独壇場である。潜在意識レベルの波動で人間の知覚にアクセスして、その波動の情報を、自分の考えや知覚だと顕在意識に思いこませるのが狙いだ。「こうすべき、と操作などされていない。これは私自身が出した結論だ」

図377：大量の**子ども向けテレビ番組**などなどに登場する、カルトのすべてを見通す目のシンボル。もちろんこれも、無作為の偶然だ。

波動接続から、なぜカルトが儀式に取り憑かれているかがわかる。エネルギーは、関心が集まるところへと流れる。儀式でカルトの目に見えない「神々」に意識が向かうと、波動のからみあいが起こって情報が交換され、憑依がはじまる。

今も昔も、世界中に土星とオリオンの儀式がおこなわれる場所がある。そこでの儀式によって、参加者は土星とオリオンの周波数に接続される。土星とオリオンはシミュレーションにとって非常に重要であるため、カルトはこれらを崇拝してやまないのだと私は考えている。波動は、人間支配におけるすべての鍵である。奴隷化を引きおこすものであり、また私たちを解放する知識でもあるのだ。

第17章 答えは何か？

昨日の私は利口だった。だから世界を変えたいと思った。今の私は賢い。だから自身を変えようとしている
——ルーミー

答えには複数の見解があるが、中核はひとつである。核で起こっていることを変えれば、その他のすべても変わるはずだ。この因果関係は単純すぎるため、多くの人は無視するだろう。複雑に見える人間支配に対する答えは、同じく複雑に違いないという思いこみに囚（とら）われているのだ。そんなことはない。カルトがそう思わせようとしているだけだ。

いずれにせよ、支配システム自体は、原理さえわかればそんなに複雑ではない。その基本は、人間の知覚と感情を低振動状態に操作すること。そして、その状態から発される波動とカルトがコントロールする周波数帯とのからみあいだ。このつながりを通じてカルトは、進行中のフィードバック（調整・改善の螺旋）ループ（回路）のなかで、人間の知覚と感情にさらなる影響をおよぼす。**つかまえた**（図395）。それだけのことだ。

複雑と知覚されるあらゆるものは、からみあいのつながりから派生（スピンオフ）したものだ。サイコパス（精神病質者）や対立、分断から抑うつ、不安、依存症にいたるまで、あらゆるものが含まれる。これらはすべて、カルトの精神性（サイコパス）、人びとへの影響（抑うつ／不安）、そしてその影響から逃れたいという絶望（依存症）から生じている。

問題の解決法はふたつある。解決策を探すか、原因を取り除くかだ。低振動状態の知覚や意識では、低振動のアルコーン的シミュレーション（模擬実験）に囚われたままだ。高振動状態に拡張すると、シミュレーションの外にある認識レベルにふたたびつながる。その結果、私たちのすべての知覚はシミュレーションの影響を受けなくなり、本当の世界、そして**私たち**の本当の姿が見えてくる。

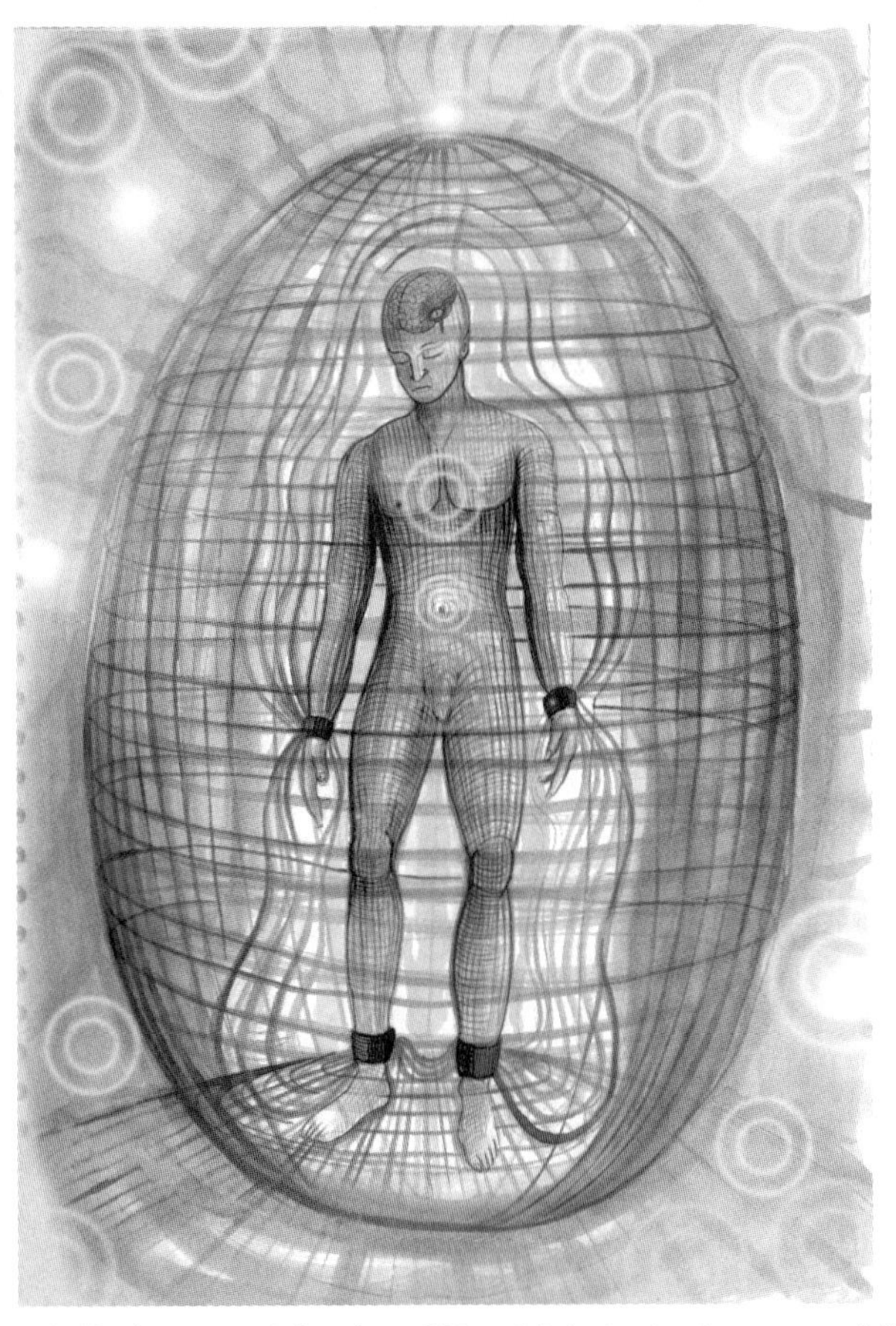

図395：知覚が凝り固まった卵のなかに閉じこめられている。（ニール・ヘイグ画）

多くのグル（導師）や「スピリチュアルの師」は（たいがい自分の利益のために）、そのように意識を拡張するのは簡単ではないという。自分探しやファスティング（断食）、瞑想（めいそう）、ヨガをしたり、あまたある集団儀式や終わりのない「ワークショップ」に参加したり、緑茶を飲んだりしなければならないというのだ。

悪いが、私は同意できない。そうすることを選ぶなら、それはそれでいいし、役にも立つだろう。だが、カルトのファイアウォール（防御壁）を破るために意識を拡大するということはもっとずっとシンプルで、たった**ひとつ**変えるだけでいい。自己認識を変えるのだ。

あなたが自分だと**思っている**ものが、あなたの**在りよう**をつくる。人生経験、行動、知覚、感情、そしてあなたが自分だと思っているものが投影された周波数として発する、波動の本質などだ。

自己認識は、カルトの聖杯（渇望するもの）である。それがすべての大本だとわかっているからだ。何世紀にもわたり、カルトは宗教を利用して、注文の多い「神」（カルトとその目に見えない親方＝爬虫類人（レプ））に隷属する無力な者、という自己認識を売りこんできた。「神」の求めることをせよ、さもなくば地獄の業火に遭うことになろう。長い司祭服に身を包んだわれわれのエージェント（ほとんどは無自覚）が、お前に「神」、というか**われわれ**の望みを告げる。

私が「神のプログラム」と呼ぶものがいくつもつくられ、細分化されてきた。これもまた、複雑そうに見せかける幻影である。神殿の扉や「聖典」に書かれている名がなんであれ、神のプログラムはきわめてシンプルだ。どの宗教をみても、枠組みは同じである。聖典、文献、あるいは伝説によって「神」や「神々」をこしらえる。僧衣の男（近年では女も）が、「神」あるいは「神々」の望みと、従わなければどうなるかを告げる。

キリスト教もイスラム教もユダヤ教もヒンドゥー教も、みな基本的な構造と運用手法は同じだ。ユダヤ教は世界人口の0・2パーセントしかいないのに、社会や自己認識に対する影響は計り知れず、とりわけキリスト教に顕著な影響をおよぼしている。おそれは支配の手段であり、宗教は人びとをおどして服従させるための道具だ。「神」（カルト）の要求に黙従しなかったらどうなるか、というおそれを利用するのだ。

多くの人が宗教を受けいれなくなると、知覚を陥れ、低周波数の波動伝達を押しつけるため、別の自己認識が用いられるようになった。カルトは「主流」科学を流布し、私たちは「進化」という宇宙の偶然の産物であり、受胎前や死後には存在しないと説いた。鏡に映るものだけが「自分」である。揺りかごから墓場まで、数分から数十年という無意味にみえる生涯のあいだに与えられ、学んだ一連のラベルから自分が何者であるかを認識するのだ。

ああ、そうだ。このばかばかしい概念を受けいれるということは、シミュレーションのファイアウォールのなかにあなたをがっちり捕らえる、極狭の自己認識帯を受けいれるということだ。今日では、それらの自己認識やラベルが、さらに途方もない近視眼へとますます細分化、再細分化されている。

ニューウォーク（エセ覚醒）は、パンセクシュアル「あらゆる性別を恋愛対象とする」、ポリセクシュアル

［性的指向の対象が複数であること］、モノセクシュアル［性的指向の対象が単一であること］、アロセクシュアル［他人に性的に惹かれること］、アンドロセクシュアル［性自認にかかわらず性的指向の対象が男性であること］、ジノセクシュアル［性自認にかかわらず性的指向の対象が女性であること］、アセクシュアル［他人に性的に惹かれないこと］、デミセクシュアル［ごく稀に精神的つながりを感じた場合のみ恋愛感情を抱く］、グレーアセクシュアル［性的な惹かれが薄いこと］、ペリオリエンテッド［性的指向と恋愛指向が一致すること］、ヴァリオリエンテッド［性的指向と恋愛指向が一致しないこと］、ヘテロノーマティブ［異性愛が正当であるという規範］、シシエ［性自認と生まれもった性別が一致している］、ポリアモラス［関係者すべての同意のうえで複数のパートナーと恋愛すること］、モノアモラス［ひとりのパートナーと恋愛すること］、クイア［さまざまな性的少数者の総称］といった五感の幻想に溺れているが、悲しいことにこれはほんの一部でしかない。

新しく細分化されたアイデンティティによって、シャボン玉はもっと小さくなり、本当の「私」との振動的な断絶は、これまで以上に深くなる。カルトは、私たちがどのように現実とかかわっているかわかっている。だがターゲットとなる人びとは、ほぼわかっていない。カルトはこの知覚優位性を冷酷に利用している。自己認識の牢獄はすべて、クモの巣にかかったハエが自分の現実感覚を疑わないことによるものだ。

この幻想は、カルトの支持者や無自覚な推進者によって広められる。あからさまな、あるいはひそかな強制のテクノロジーによって、自分たちの現実を他者に押しつけようとしているのだ。私が自分のすることを良しとするだけでは不十分だ。**きみ**も同意しなければならない。なぜなら、**私は正しい**から!!

歴史上、ほぼすべての文化背景において、この繰りかえすメンタリティ（精神構造）とテクニックを見ることができるだろう。シリコンバレー（ハイテク産業）の検閲は今日、同じことを最新形態でおこなっている。ナチの焚（ふん）書（しょ）は、カルト所有のビッグテックのデジタル焚書に姿を変えた。

カルトは、マインドをさらに小さな自己認識に押しこめるよう操作する。それに屈した者の多くが、他人にそれを強要することをライフワークにしている。

マインドの限界は知覚の限界にすぎない

自己認識ラベルの幻想の影響力が、人間と精神的な自由にとって破滅的である理由は他にもある。あなたの自己という感覚が、あなたがアクセスできる意識のスケール、すなわち真の自己を決定する。進行形の無知のフィードバックループ（調整・改善の螺旋回路）のなかで、知覚の近視眼は認識の近視眼になる（図396）。

自分に貼られたラベルだけが自分だと考えれば、アクセスできる意識のスケールも、その限定された感覚を反映する。アクセスできる意識のスケールは、この限定された感覚をフィードバックし、自分に貼られたラベルだけが**自分**だと確認される。ぐるぐるぐるぐる、多くは生涯にわたってこれが続く。「神々」に仕えるカルトは、ここにたどり着くように社会をつくった。

さいわい、このサイクルをこわす方法がある。**自己認識を変える**のだ。あなたは何者ですか、と尋ねたら、ほとんどの人はラベルを羅列するだろう。ジェンダー、人種、職業、年齢、出身地、人生経験。だがそのラベルは、私たちが誰であるかをあらわしてはいない。人は自身を職業で言いあらわすが、道を掃いていようと（不可欠な仕事）、映画スター（不可欠というほどではない仕事）であろうと、関係ない。違う体験をしている、同じ**存在するすべて**なのだ。仕事は仕事、あなたではない！

ラベルは、まばたきほどの時の間の、一連の**体験**にすぎない（図397）。私はもう70代だ。人の一生はあっという間に過ぎ去ってゆく。3Aクラスのジャニスに恋して、サッカー選手を夢見ていたあのころが、つい昨日のことのようだ。時間のない無限の永遠と比べれば、認識されているような人間の人生など、ほとんど無きに等しい。

しかし、この幻想の「時間」の断片のなかでは、ラベルから来るアイデンティティがすべてを支配、決定しているのだ。私は○○。私は△△。1960年代の歌［Barry McGuire & Barry Kane『If I Had a Hammer』（1962）］の歌詞をもじれば「I-am-a in the morning, I-am-a in the evening ...All over this land（朝も「私は」、夜も「私は」、どこでも「私は」）」といったところだ。

「私は」は、人間の知覚のシャボン玉であり、波動のシャボン玉としてあらわれる。私たちは、

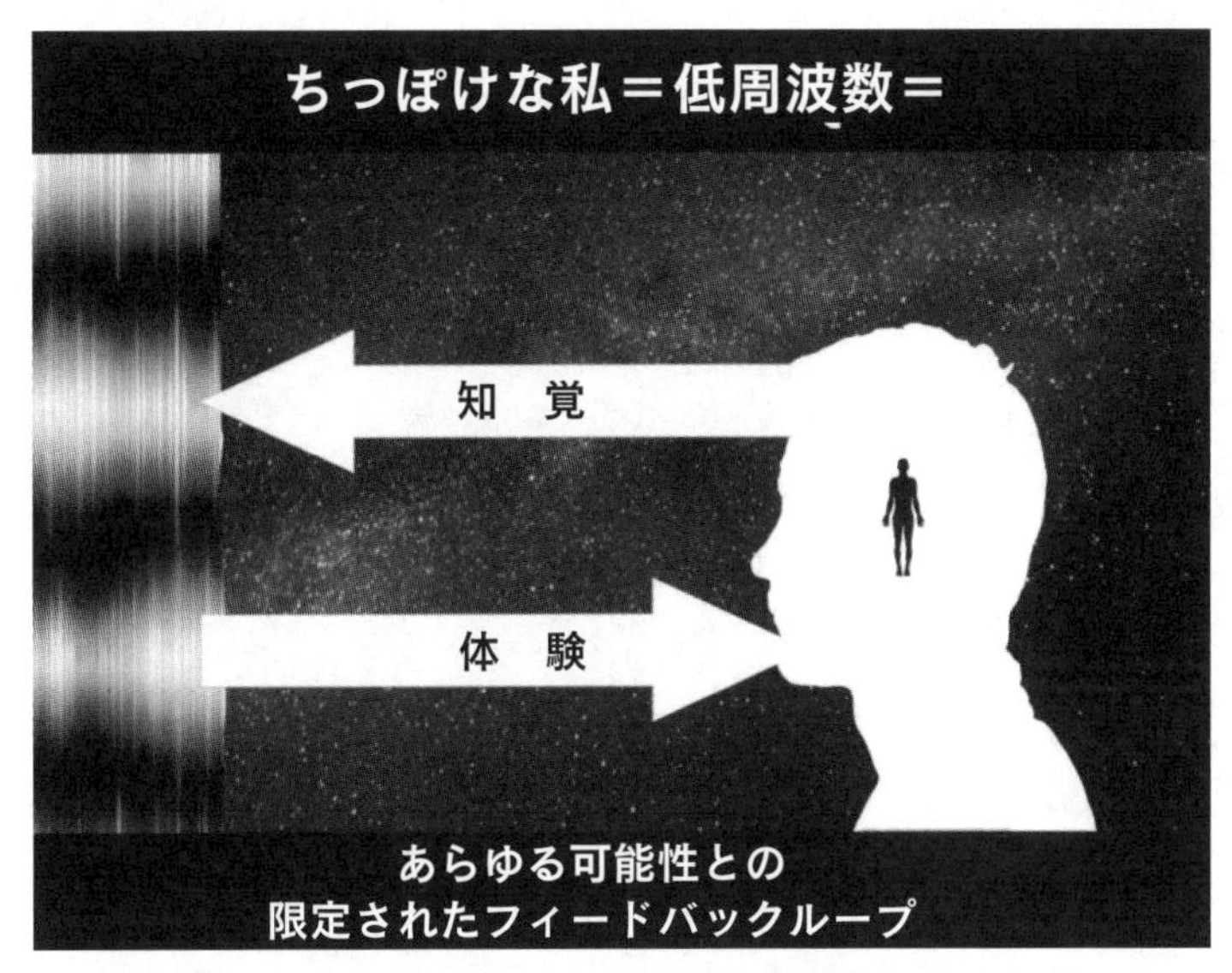

図396：自分がこうだと思うものを体験する。

図397：ラベルを捨てよ。それはあなたではない。ラベルは、あなたが体験しているほんの短いできごとでしかない。

「私は」どうこういう存在ではない。私たちはただ、在るのだ。**ワンネス**はつねにあなたに話しかけている。シャボン玉をこわせば、聞こえるだろう（図３９８）。

どうしても「私は」としたいなら、**私は存在する、存在した、存在する可能性のあるすべて**というのはどうだろう？　それすらも、名前である以上、名もなきすべての名の力を部分的にしか言いあらわせていないのだが。

「人間」とは、特定の現実感をつくりだす情報のフィルター、プロセッサーでしかないという気づきをふまえて、「人間」という短い体験をしている**無限の永遠**が注意を向けた点、という自己認識はどうだろう？　私が注意を向けた点の大きさは、近視的であろうと無限であろうと私次第であり、私がどれだけマインドを開く準備ができているかによる、というのは？

ようやっと核心に近づいてきた。自身の自己認識を、「私は◯◯（ラベル）」から「私は無限のワンネスのひとつのあらわれ」へとシフトしてみよう。そこからすべてが変わりはじめる。これは自信をもって言える。なぜなら、私自身そうだったからだ。

私が、１９９０年代に人間という昏睡（こんすい）状態から意識的に覚醒（めざ）めはじめてからしたことはすべて、そのような自己認識の変容からきている。自分探しもファスティング（断食）も瞑想もヨガも集団儀式も、終わりのない「ワークショップ」も、あるいは緑茶も、私のマインドを拡大意識へと開いてはくれなかった。私はだんだんと、自分が本当は誰なのか、私たちは本当は何者なのかを思いだしていった。この自己認識の変容が、すべてを変えた。

図398：**ワンネス**はつねにあなたに話しかけている。シャボン玉をこわせば、聞こえるだろう。

誰でも、いつでも、このプロセスをはじめることができる。ラベルが自分だと思うことをやめ、それは真の自己の一時的な体験であるとみなすのだ。自身を意識する**ワンネス**は、言葉を超えた静寂のなかで、シンクロニシティ（意味のある偶然の一致）や人生の言語のように語りかけてくる。私たちは耳を傾けるだけでいい。

自己の知覚が、「ちっぽけな私」から「無限の私」へと変容するやいなや、ともにシャボン玉を支えてきた自己認識の知覚のファイアウォールが崩れだす。あなたは、「ちっぽけな私」はプログラムされた知覚でしかなく、どこにも存在していなかったことに気づく（図399）。意識は動きだし、重苦しい知覚のよどみから抜けだしてゆく。

あなた自身がシャボン玉だと信じなければ、シャボン玉をつくることはできない。自分が限定されていると信じなければ、限界にとらわれることはない。**あなたはそんなものではない。**あなたにはあらゆる可能性、あらゆる潜在能力がある。カルトはなんとしてもそれを忘れさせたい。「覚醒（かくせい）」とは、ファイアウォールの向こう側の「あたりまえ」を思いだすだけのことだ（図400）。囚われていた認識がシャボン玉の自己認識ラベルから解放されると、意識の拡大とともに知覚も拡大する。厳密に言うと、拡大しているのは意識ですらない。あなたが注意を向けた点が、より広大な無限の意識へと拡大しているのだ（図401）。「ちっぽけな私」は「大きな私」へと拡大し、最終的には「無限の私」になる。

自分自身の感覚を変えればすぐに「悟り」にいたる、と言っているわけではない。**存在するすべ**

図399：「ちっぽけな私」は、プログラムされたマインドのなかにだけ存在する。

図400：「覚醒」の真の姿。

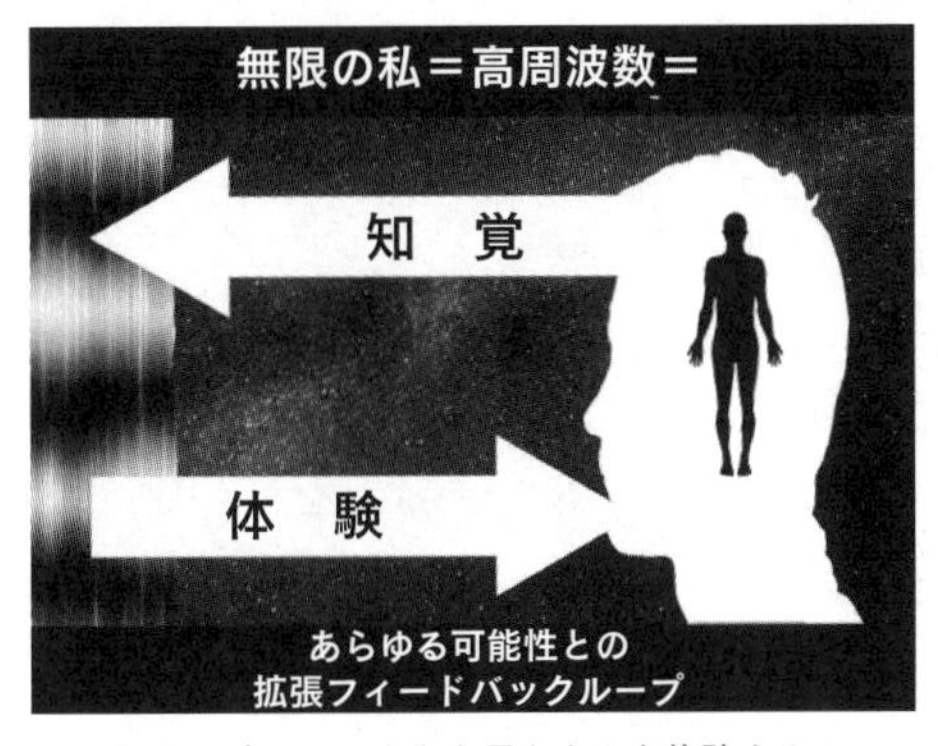

図401：自分がこうだと思うものを体験する。

てという自己認識は、概念として頭にあるだけではだめで、しっかりと肚落ち（はらお）していなければならない。無限というアイデンティティを**頭で**わかったつもりになっているだけなのに、自分は覚醒した、悟ったと信じこんでいる人が多い。それは、**自己**ではない。自分の外にある、頭で考えた概念のままだ。ニューエイジやエセスピリチュアル界隈（かいわい）に、こうした手合いが散見される。本当はそうではないのに、マインドがそうだと言い聞かせているのだ。

頭の「悟り（アウェイクネス）」では、言行が一致しない。ニューウォークネスがいい例だ。あるニューエイジャーは、若い親戚（しんせき）にもっと会うことを自分に「許可」した、と言った。「許可」？　誰が誰を「許可」？　なにがなにを「許可」？　拡大意識は、なにかをするにあたって自身に許可など与えない。ただ、**そうする**のだ。

本当の「私」を認識している意識は、本当の「私」という概念が頭にあるのとは対照的なものだ。それは**イズネス**（在ること）とでもいうべき統合、すなわち完全性である。それもラベルの域をでないが、言わんとすることはおわかりいただけるだろう。ただそうで在るのであって、自身を自身であると認識するためのラベルを必要としないのだ。

イズネスはひとつの「ユニット（単位）」として動くのであって、互いに「許可」を必要とするばらばらのパーツではない。頭は考えるが、イズネスは**わかっていること**の意識的な表現として**わかっている**。「わかる」とは、名前や日付、触覚、味覚、視覚、嗅覚（きゅうかく）、聴覚、「証拠」といったもののことではない。

イズネスは、言葉なしにわかっている。言葉のいらない、人間のファイアウォールを超えたところに存在しているからだ。言葉はシミュレーションの概念である。シミュレーションには、意識が直接コミュニケーションすることを否定する、認識の限界が設定されている。だから言葉が必要になるのだ。

言葉は人を五感に引きずりこむが、言葉を超えてわかれば、ふるさと（ワンネス）に還（かえ）ることができる。臨死体験者や、地球外生命体と交流したという人が、言葉ではなく、ただわかることでコミュニケーションできたというのは本当に偶然だろうか？

またもやこのテーマだ。「彼は言葉を使わずにコミュニケートしてきた。なぜか彼が言いたいことが**わかった**のだ」こうしたテレパシーの例も、ごく低レベルの非言語認知にすぎず、私が言う完全な**イズネス**ではない。

人間の体験では、こうした認知は「直観」と呼ばれる。当然ながら、カルトが支配する主流科学では直観は一蹴（いっしゅう）される。主流科学は、拡大意識を寄せつけぬよう頭の領域を取り締まっている。だがほとんどの人は、そんなことがおこなわれていると考えたことすらない。私の頭が**私は正しい**と確信しているのに、理知的な脳の外の拡大意識とかいうナンセンスを検討する必要などないだろう？

偽りの自己を解明する

「**答え**」の第一段階は、自己認識を「私はラベル」から「私は**存在するすべて**のなかの注意を向けたひとつの点」へと変えることだ（図402）。この段階は、シャボン玉にすこしずつ穴が開いてゆくに従って、すこしずつ進んでゆくことが多い。私が1991年にペルーの丘で体験したように、一気に**破裂**することもあるが。現実感覚がほぼ瞬時に変わってしまうというのが大変なことであるのは、私も経験上理解している。ほとんどの人は段階を追って進んでゆくし、そのほうがはるかに楽である。覚醒するには、できごとを踏まえて、ペースを上げる必要があるわけだが。

無限の意識（直観的認知、洞察、叡智（えいち）、本来の感覚での愛）にアクセスするにつれ、拡大した自己認識は拡大意識に変わり、結果として現実の知覚も拡大する。

はじまりは、世界は見かけと違う、という感覚かもしれない。ニュースで言っていることは、起こっていることの本当の理由ではない、という意味だ。この時点で、あなたは「陰謀論者」呼ばわりされるかもしれない。多くの人は、ここで拡張をやめてしまう。シミュレーションのなかのシャボン玉（より大きなものではあるが）に閉じこめられた意識でも、日々のできごとに報道されない邪悪な理由があると見抜くことはできる。

これに伴う意識のシフトにより、こうした人びとの発する波動が変わる。オルタナティブとかイ

図402：「人間」とは、注意を向けた点——集中している状態にすぎない。しかしその範囲は、近視眼的である必要はない。この世界の一部になるのではなく、そこに「いる」ことが可能だ。（ニール・ヘイグ画）

ンディペンデントといわれるメディアの波動と近くなって、からみあうようになるのだ。調べたいこと、あきらかにしたいことともからみあうので、シンクロ(同期)が起こり「偶然」を引きよせる。情報が向こうからやってきたり、「驚くべきめぐり合わせ」が起きたりするのだ。エネルギーは注意を向けたところへ流れるので、なにかに注目するとこのようなことが起こる。対象とつながるのだ。

これが知覚シフトの限界なら、意識の拡大は「私は無限」状態には到達できない。「私はその他大勢の『シープル(愚民)』より目覚めている」レベルだ。この覚醒レベルは、いまだ五感の域をでない。あまつさえ、宗教を信じたり、主流科学だけを頼りに物事を理解しようとしたりする。主流メディア同様、私のような者のことは奇人、変人、狂人とみなすだろう。

「私は存在するすべて」という在り方(ただの概念ではなく)に向かって進化、拡大を続ける者は、いつかシミュレーションのファイアウォールの突破口を見いだす。そして彼らの波動場には驚くべき変化が起こる。その結果、自身と現実の知覚はイズネス(完全性)のものに変容する。

私はボディではない。私は認識、認識している状態である。すべては、その認識の体験にすぎない。あらゆる人生経験、ドラマや怒り、困難、よろこびや悲しみ。そういったものは、真の「私」という認識状態の、短い束の間の体験でしかない(図403)。「私」はそうであり、そうでない。存在し、存在しない。すべての可能性であり、可能性ゼロである。それがなんであるかは、あなたの選択にかかっている。

自分を認識するよう拡大すれば、シミュレーションは知覚と現実の唯一のソースではなくなる。

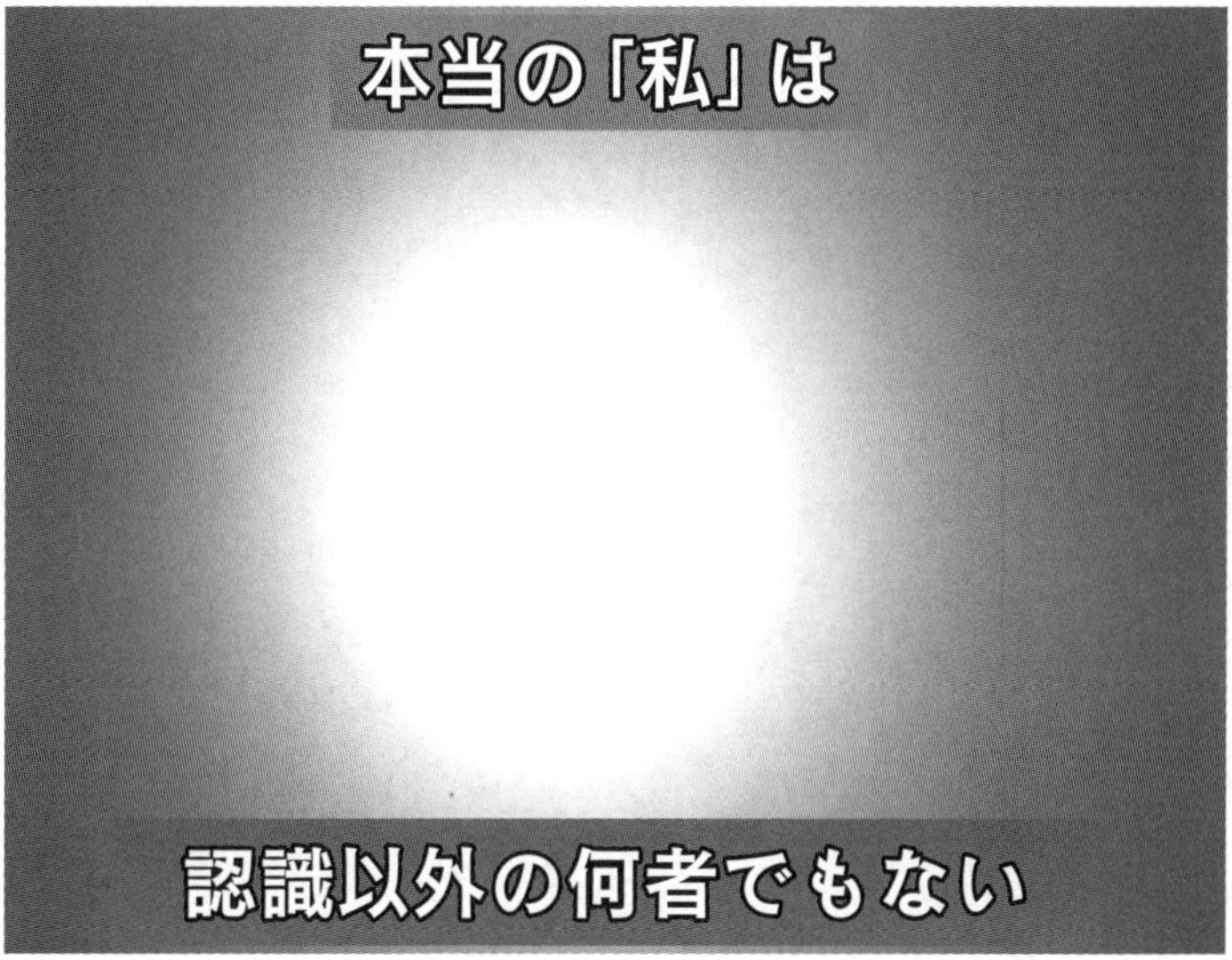

本当の「私」は

認識以外の何者でもない

図403：真の「私」。その他すべては幻想だ。

あなたはもう、ファイアウォールを超えて意識とつながっている。このプロセスが続くと、あなたは五感の面では世界のなかにいるが、すべてを知覚するという面では世界**の一部**ではないといえる。シャボン玉から覚醒しはじめた人が、突如として人生にちりばめられた「偶然」やシンクロニシティ、「ちょっとした運」に気づくのはこのためだ。以前は、「ラベルが私」という知覚的な自己認識の制限によって、こうした可能性が排斥(はいせき)されていただけだ。

フィールドとのもっとも強い相互作用は、そうだと**わかっている**ときに起こる。そう思うとか、望むのでは弱い。

希望は、はっきりいって無駄である。望んでも、存在しない「未来」の幻影が浮かぶばかりだ。道にある缶を拾いあげるのではなく、蹴(け)とばすようなものだ。**わかって**いれば、今それが実現する。物事は、今という「瞬間」にしか起こりえないのだから。

カルトはあなたに「希望」をもってもらいたい。「希望」は存在しない「未来」に属するものであって、けっして実現しないとわかっているからだ。

希望をもつべきだって？　私たちは、わかるべきだ。わかるという感覚は、ハートからくる。

物事が無作為、つまり「点」のように見えるシミュレーションの近視眼を突破すべく拡大してゆけば、パターンやつながりが見えてくる。人間支配の、唖然(あぜん)とするほどの規模や本質があきらかになる。オルタナティブメディアの多くが石油利権のためと信じている、操作された戦争は、じつはオーウェルを超えた想像を絶する陰謀の一部であるとわかるだろう。その起源は地球の外、目に見えない周波数帯にある。

この段階に到達し、自分の考えを披露すれば、完全なるあたおか、あるいは救いようのないばかだと思われるだろう。シミュレーションの外からくる知覚は、いまだにシミュレーションのなかの幻想にハマっている者に批判されることになる。

公人ならば、多くの「オルタナティブ」メディアを含むマスコミから容赦なく嘲笑され、攻撃されるだろう。私人であれば、友人や仕事仲間、家族までも敵に回すだろう。

意識が本当にここまで拡大していれば、誰になにを言われようと**気にならない**はずだ。拡大意識は、起こることはすべて一時的な体験にすぎず、無限の永遠の大いなる流れのなかでは取るに足らないことだとわかっているからだ。なぜこのような扱いを受けるのかも、理解できているだろう。人びとは生涯にわたり、自身や現実の近視眼的な見方を植えつける知覚プログラミングを受けている。そのプログラミングに異を唱えても、喝采は期待できない。

私の考えを公にするにあたり、どんな嘲笑や攻撃が待っているか考えたか、と訊かれたが、もちろんわかっていた。私はメディアで働いていて、注目を集める者が切手サイズから外れたらどうなるかを見てきた。私はそれを振り切った。どんな反応が返ってくるかはわかっていたが、そんなことは**どうでもよかった**のだ。

私は、攻撃され嘲笑されているデーヴィッド・アイクではない。私は、デーヴィッド・アイクと呼ばれる体験をしている意識だ。

「私」は、その体験を観察しているものでもある。私がその体験になり、その体験が自分であると認識したときにのみ、「残忍な運命の矢や石投げ」が発動し、感情的な反応が引きおこされる。

人間の現実と知覚されているものの核心に斬(き)りこめば、ネガティブな反応は避けられない。やむをえないことだ。カルトの支配に抗議するのか、しないのか。抗議するなら、難題に直面することになる。「私は**存在するすべて**」の域まで意識が拡大していれば、「かかってこいや」と言えるだろう。

低波動の反応が返ってきても、そんなものとからみあう必要はないし、影響される必要もない。低波動な感情的攻撃に低波動な感情で反応すれば、からみあうことになる。波動がシンクロ(同期)し、フィードバックループ(結果が増幅されてゆく)が生じる。

人間という体験をしている意識である、という知覚は、人間の脊髄反射(感情的反応)からあなたを切り離す。大多数のやり方で現実を捉えなければ、予測された行動をすることもない。

人間プログラミングと植えつけられた不安は、他者の反応をおそれる。拡大意識は屁(へ)とも思わない。正しいと思うことをすることに集中し、好かれたり、主流にもちあげられたりといったことには関心がない。

カルトがつくり、コントロールする体制からの攻撃は、あなたが正しい道を歩んでいることの証左だ。おそれるのではなく、よろこぶべきことである。**ワンネス**とつながって平穏なまま、その狂乱を静観できる（図４０４）。

図404：ワンネスとつながっていれば、影響されることなく狂気を静観できる。（ガレス・アイク画）

拡大意識は、人生に影響を与えるのは受けた扱いではなく、それに対して自分がどう反応するか、あるいはしないかだと理解している。

誰かに攻撃されて、動揺し、傷ついたとしよう。あなたの人生への影響は、あなたの反応からきている。その反応は、**あなた自身**がそうすると決めたことによって起こったものだ。言われたことによって傷ついているのではない。言われたことを気に病むことで、傷つくことを許しているのは**あなた自身**だ。

同じことをされても、私ならまったく気にしない。まして動揺したり、傷ついたりするわけもない。攻撃してくる者は、私の人生にも感情状態にも、なんら影響をおよぼしていない。せいぜい、人を傷つけてよろこぶ者に哀(あわ)れみを感じるくらいだ。

子どもたちが、他人のSNS投稿を苦にして自殺している。不安に圧倒され、ばかやソシオパス(社会病質者)、サイコパス(精神病質者)からの攻撃に遭い、もう生きてゆけないと感じている。

カルトとそのシリコンバレーやくざどもは、若者にこんな仕打ちをしているのだ。体制が本当に若者のことを思うなら（思ってはいないが）、なすべきことは意見や見解の検閲ではないはずだ。他人の言葉に動揺したり、傷ついたり**しない**よう、自信をもたせ、助けるべきである。

「お前は役立たずでブサイクで最悪だ!!」　**それがどうした**？　ひどく不安定で精神を病み、他人を傷つけてよろこぶ者の意見によって私は傷つけられるべきなのか？　私はそうは思わない。ごきげんよう、いつの日かもっと人生を楽しめるようになることを祈るよ。それじゃ。

傷ついたり、気分を害したりしないことによって、攻撃者が求めるフィードバックループを断ち切ることができる。攻撃が動揺を引きおこし、それがさらなる攻撃を呼ぶのだ。無反応でいることで、波動場の回路はこわれる。攻撃ではなく、**反応**が問題なのだ。

多くの人が動揺すれば、攻撃者はさらに勢いづいて攻撃する。カルトは人びとが動揺し、傷つくことを望んでいる。主流以外の情報や意見を検閲することを正当化できるからだ。これも、ニューウォークの人間支配アジェンダへの貢献のひとつだ。

カルトは人間の精神をこわし、こわれた人びとを動揺や傷つくことから「守る」ためにヒステリックに検閲をおこなう。やつらはサイコパスだと言っただろう?

おそれは、管理システム

おそれは非常に低い周波数状態であり、意識の拡大の妨げとなる。「おそれで凍りつく」というのは、表面的には闘争・逃走反応という生物学的な理由によるものだ。だがそれは、おそれが波動場自身の振動を遅くして、鈍く重いところへと引きこんでゆくのが反映されたものだ。

カルトは、あらゆる場所におそれを撒(ま)きちらそうとしている。死のおそれ、未知へのおそれ、「未来」へのおそれ、そしてカルトの要求に従わなかったらどうなるかというおそれ（大規模なロックダウン(都市封鎖)による自宅軟禁を思いだしてほしい）。ほぼすべての文化の人びとが、似たような状況において同じ反応をするのは、グローバルなプログラミングと生物学的（波動場）脊髄反射コード化のあかしである。あらゆる文化、宗教が一体となって、世界中でロックダウンを受けいれたではないか。

シミュレーションの外の認識まで意識が拡大し、物事の本質が見えてきたなら、おそれるものなどなにもないとわかる。

死？　肉体にはいつかそのときがくるものだ。本当に、このちっぽけな周波数帯にいつまでもとどまりたいのか？　とんでもない、勘弁してくれ。拡大意識は死をおそれない。**関心**の向く先が変わるだけだとわかっているからだ。大変だ、おそろしい！　助けてお医者様！　実際には、私たちはここに「来た」わけでも、どこかへ「行く」わけでもない。関心を五感に集中させることをやめると、**これまでずっといた場所**にいることに気づくのだ。

「死」とは、VR（仮想現実）ヘッドセットを外すようなことだ。カルトのもくろみは、私たちが人間生活と呼んでいるバーチャルな関心の本質をコントロールすることだ（図405）。私は、できる限りのことをするまでヘッドセットを外したいとは思わない。もしそのときが来たなら、よろこんで受けいれ、制限から解放されることをうれしく思うだろう。

未来へのおそれだって？　**存在しない**ものをおそれる⁇　そんなおかしなことがあるだろうか？　私たちは無限の今に生きている。私たちの体験は、知覚状態によってつくられ、視覚的に結びつけられている。「ちっぽけな私」の「未来」は、「無限の私」とはまったく違ったものだろう。違う知

図405：人間がひどくおそれている「死」とは、関心点のシフトにすぎない。

覚は違う波動周波数を生み、違う波動場、つまり人や場所、体験、生き方とからみあうのだから。それに気づけば、「未来」をコントロールすることができる。

では、従わなかったらどうなるかというおそれはどうか？　従わないことの反対とはなんだろうか。**従うこと**だ。宗教の教義（ドグマ）や「科学」の定義（ドグマ）、切手サイズの見解（ドグマ）に従うことによって、私たちはこんな状態に陥ったのだ。「ドグマ」の定義がそうしたすべてを完璧（かんぺき）に言いあらわしている。「人びとが疑うことなく受けいれると考えられる、不変の、とくに宗教的な信念や一連の信条」

行動を起こさずにこのまま従いつづければ、カルトが最終局面へと加速するなかで、おそれを煽（あお）るものは今よりはるかに多くなるだろう。「どうなるか」を決めるのは、結局私たち自身の知覚と波動場状態なのだ。

ひとつはっきりしているのは、おそれの周波数状態になれば、おそれを武器として使うカルトの波動とからみあうということだ。おそれたものと周波数が接続され、それを引きよせることになる。自分の人生をコントロールするのは**自分**である。カルトでも、偶然でもないということを**肝（きも）に銘じよう**。やつらはこの事実を知られたくないのだ。

意識拡大のプロセスは、「悟りを求める」ことではない。私たちは、今もこれまでも**存在するすべて**であるという意味で、すでに「悟っている」。

意識の拡大とは、**知覚プログラム**を消し去るということだ。知覚プログラムは、私たちの大いなる意識が五感にフォーカスしたボディーマインドに影響できないよう、ブロックしてしまう。

「覚醒」とは、新しいなにかになることではない。もともと私たちは覚醒しているのに、そう気づかぬようにめぐらされているバリアを取り去ることだ。知覚プログラムは、低波動の玉ねぎの皮のように、「人間の自己」をシャボン玉のなかに閉じこめている。知覚プログラムはシャボン玉**である**。

ペルシアの神秘家ルーミー［ジャラール・ウッディーン・ルーミー（1207〜1273年）ペルシア語文学史上最大の神秘主義詩人］はこう言った。「あなたがなすべきは愛を求めることではない。自身のなかに築いた、愛を阻むバリアをただ見つけだすことだ」

意識の拡大は、マインドが開いたときにのみ起こる。そのためには、今の考えや先入観をすべてうち捨てなければならない。家のなかのどうでもいいがらくたをすっかり片づける、あるいはまっさらな白紙からはじめる、と考えてみよう。いかなる可能性も、インでもアウトでもない。コンピューターでいえば、再起動、すなわち「シャットダウンして再度起動」する準備をし、あらゆることが可能な領域に達する。**すべての可能性**であるとは、そういうことだ。

まっさらな紙に描くもの（修正された現実感覚）は、直観的に正しいとわかっていること、そして見たままの事実に裏づけられるものによって決定されるようになった。もはや、同じ情報の繰りかえしによって決定されはしない。体制が定め、体制がプログラムした学者や科学者が言うことも、ニュースキャスターやジャーナリストもお呼びでない。

拡大意識はフットワーク軽く、いつでも動く準備ができている。新しい知覚を古いパターンで定着させはしない。知覚するものはその瞬間に知覚しているものにすぎず、知るべきことのすべてではないと認識している。

完全に「わかった」と思ったなら、それはわかっていないことのあかしである。私たちはいつだって、知るべきことの**一部**しかわかっていない。意識が完全に拡張して、あらゆる意識を知覚しなければ、すべてを知ることはできない。それには、完全な**ワンネス**の認識が必要だ。

認識の拡大には、ギリシアの哲学者ソクラテスの言う、「無知の知」という分別が必要だ。「真の叡智（えいち）とは、自分がなにも知らないと知ることである」というものである。それを認識することで、マインドはつねにあらゆる可能性に開かれ、無限の永遠のなかで可能性は当然無限であると理解できる智恵をもつ。

一歩、二歩

マインドが開き、意識が拡大するほどに、人はプログラムの奴隷ではなくなる。覚醒した人びとは、世界や現実を世の大多数のように捉（とら）えることはない。

この構図は、人類史と知覚されるもののいたるところに見られる。オープンマインドな者が大きな輪（和）から外れ、服従を強要するカルトの標的にされるというものだ。

これまでと違って今日では、眠りから醒（さ）めたマインドが、世界を変えられるほどの数になろうとしている。主流のニュースを眺めていれば、そうは思えないだろうが。主流派が気づくのは、最後になるのだろう。

私がここで述べているようなことは、基本常識になるだろう。深い眠りから醒めるには、すべてを詳細に知る必要はない。本書第1巻冒頭に挙げた歌詞〔『フー・アイ・ワズ・ボーン・トゥ・ビー』（歌、スーザン・ボイル）〕を思いだしてほしい。すべての答えはわからないけれど、訊ねることによって自由になった、というものだ。忘れてならないことは、たったふたつである。

（1）あなたの知覚は、あなたが発する周波数に反映され、似たような周波数の波動場とからみあう。このように、私たちは自分自身の現実をつくりだす。これが「カルマ」といわれるものの、波動の原理である。「ある人が存在している状態においての総合的なおこないが、次に生まれたときの運命を決定すると考えられる」というものだ。私は波動のからみあいの観点から、「カルマ」をこう定義する。信じることが知覚され、知覚したことを体験する。知覚をコントロールすれば、人生をコントロールできる。

（2）ハートを開けば、**ワンネス**に向かって開かれる。これは他のどんなアクションより速く意識を拡大できる方法である。これについては後ほどまた。

このふたつだけでもあなたの人生は変わるだろうし、そのような人が増えれば人間の現実も変わるだろう。人間の現実は、人類の現実の**知覚**がホログラフィックにあらわれたものにすぎないのだから。知覚には、顕在意識的な知覚**も**潜在意識的な知覚**も**含まれる。いずれも知覚的につながった周波数と、からみあう波動場を生成する。潜在意識についてはこのあと述べる。

自分の力を手放せば、他の自分の力を手放そうとする者とからみあって、人間の集団心理を形成するだけでなく、その力を奪おうとする者、つまりカルトともからみあうことになる。力を手放そうとする意志と、それを**奪おう**とする欲求とが適合し、共生する周波数の連携（れんけい）をうみだす。表向きは正反対に見える共生的な連携のことを考えてみれば、いかに自分が発信するものを引きよせるかがわかるだろう。

暴力的な攻撃を受けることへのおそれは、暴力的に攻撃したい者と強制的な波動場関係（顕在意識的にも潜在意識的にも）をもつ。こうして、ある人はたった一度夜の公園を歩いただけで襲われるし、何度もそうしていても襲われない人もいる、ということが起こる。

ニューウォークがぶち切れる前に言っておくが、私は「被害者」を責めているわけではない。責めているわけではなく、目に見えない波動場関係のことを説明しているのだ。それが目に見える世界のできごとへとつながっている。

起こったことについて自他を責めるのは、ばかのすることだ。自分責めは、深い自己嫌悪と低波動状態へと引きずりこむ。だが、そんなことをしてもなにも変わらない。行動を認知し、変えることによって、ネガティブを払い、ポジティブに転じることができる。

でも、それは本当にネガティブなことなのだろうか？　なにかを教えてくれている体験なのではないだろうか？　学び、変わり、現実だと信じていた幻想を見抜く機会なのでは？　人生においては、最良のギフトが、最低の悪夢としか思えない姿であらわれることがよくある（私たち自身が波動のからみあいを通じて引きよせている）。

自身の運命に関して他者を責めることも同様に破壊的であり、自分の力を他者に渡す方法として、これほど強力なものはない。私たちに起こったことに関して誰かに責任があると言えば、それは私たちの人生を支配するのはその者であり、自分たちではないということになる。起こったことは波動のからみあいの結果であり、その責任はからみあう双方にある。

私は、人が他人に対して悪いおこないをすることがないとはまったく言っていないし、おこないの結果として、牢屋と波動をからみあわせることもあるだろう。私が言いたいのは、そのままにしておけば同じ経験が繰りかえされる、ということだ。私たちの波動場の周波数（知覚）が変わらなければ、同じからみあいが続き、同じ経験をうみだすだろう。

私は何十年も前にBBCで、暴力的なパートナーから女性を保護する「暴力を受けた妻の宿泊所」と呼ばれる施設を取材したことがある。そのなかには2人、3人、なかには4人もの暴力的なパートナーを渡り歩いている女性もいた。そのような男性には対処が必要だが、なぜ被害女性らは同じ暴力的なタイプに惹かれてしまうのだろうか？　被害が起こらないようにするには、この問題を解決しなければならない。

この場合は、自尊心の欠如が核となるだろう。自尊心の欠如は、他者を支配し自尊心を打ち砕き（くだ）たいという願望と共生周波数関係をもつ。人類とカルトの関係性を見よ。暴力的な男性に生き地獄を見せられた女性の多くが、その原因が**自身**にあるとしている（自尊心の欠如）ことに注目してほしい。

自分が体験することは自分が引きよせていると自覚すれば、ぜんぶ**誰か**のせいだ、と投げだすのをやめ、自分の力を取りもどすことができる。他の誰でもなく、自分自身が体験をコントロールしているのだ。自分の行く道、そして誰と行くかは自分で変えることができる。同じ行動や体験の波動パターンを繰りかえすことはない。

これをおこなうには、私たちは自身の知覚をコントロールできるのだと気づく必要がある。その知覚が波動場をコントロールし、体験を引き寄せるからだ。

本書を含め、私は著作のなかでカルトがどのように人類を操作するかを強調してきた。だが、そうした操作をあたりまえに受けいれてきたのは**人類**である。すべてをカルトのせいにして、人類奴隷化に人類自身が果たした重要な役割を無視するのはちょっとズレている。答えの鍵は、人類がそのけじめをつけ、方向性を変えることである。

潜在意識の知覚

カルトは、対応する経験が後に続くという知識のもと、潜在意識のマインドを個々に、また集団的にプログラミングしている。なにかをおそれるよう人びとを操作すれば、共生的周波数接続が確保され、おそれるものがより現実化しやすくなる。誰が現実化するのか？ **ターゲットがみずから現実化するのである。**

これを理解するには、**潜在**意識というところがキモになる。顕在意識のマインドは、ボディーマインドのごく一部でしかない。ボディーマインドは、ほとんどが無意識のうちに顕在意識に作用するものであることはご承知のとおりだ。人間の顕在意識にとっては「無」意識だが、自身の領域において無意識は、しっかりと意識的に動いている。本書第1巻での引用を、今一度振りかえってみよう。

> 1秒間に1100万個の刺激が、これらの〔脳の〕経路をパチパチ音を立てながら流れてゆく……脳には驚くほどの量の映像や音、においが押し寄せてくる。それを必死でフィルターにかけ、どうにか対処できそうな40個程度にまで絞りこむ。こうして毎秒40個の刺激が、私たちが現実と知覚するものを構成する。

毎秒40個の刺激が顕在意識の知覚を形成し、残りの1099万9960個の刺激は潜在意識に吸収される。そう考えれば、潜在意識が知覚や波動場状態、からみあいを決定する中心的役割を果たしていることはあきらかだ。経験、トラウマ、その他顕在意識のマインドがずっと前に忘れてしまっているできごとが、潜在意識の波動場に影響して、けっして偶然ではないできごとをうみだしている。

なぜある種の人や体験を引きよせるのか、あるいはある種のおそれや健康問題をもつのかについて、意識的に認知することがいかに重要であるかは、先に述べたとおりだ。そうしたものは、かならず潜在意識の感情パターンと結びつく。そのパターンは波動場の外にあり、顕在意識はもはやそんなものがあろうとは考えてもみない。

小学校のとき好きだった子に、突然振られたことがあったとしよう。数十年経った今、結婚して子どももいるのに、あなたはパートナーが去ってゆくのではないかというおそれを抱えている。顕在意識には、そんなことが起こると考える理由はなにもない。可能性は無限だ。なんらかの体験やおそれ、健康への影響と、潜在意識にあるその**原因**とを、意識的に結びつけてみよう。感情的フィールドのバランスが取れ、波動場が変わり、その体験はおそれや健康への影響とともに、繰りかえされなくなる。

パターンを深掘りし、きっかけとなるものを探してみよう。見たくないものがある、もしくは過去にあったことが原因となって、眼科的な問題を抱えている人がいる。真実を口にすることを意識下でおそれているため、喉（のど）に影響がでている人もいる。私は、このようなパターンを何年にもわたっていくつも目にしてきた。そして、原因と因果関係を意識的に認知することで、それを克服するところも見てきた。

知覚、体験との潜在意識のつながりのため、カルトは潜在意識の操作やサブリミナルなプログラミングにあれほど重点を置いているのだ。先に述べたように、あらゆる場所にシンボルを配置するのもその一環である。

サブリミナルとは、「識閾下（しきいきか）」、顕在意識のマインドの閾値（しきいち）以下を意味する。映像や情報が顕在意識を素通りして、潜在意識に吸収されることを可能にするものだ。このため、広告にはサブリミナルがあふれている［1973年、ウィルソン・ブライアン・キィの著書でサブリミナル技術が広告に用いられていると指摘され、米国、カナダでサブリミナル広告は禁止された。日本では1995年にオウム真理教代表・麻原彰晃の顔がアニメや報道番組に挿入されていたことが問題となり、NHK、民放連でサブリミナル的表現が禁止された。EUが2021年に公表したAI（人工知能）規制法案でも、サブリミナル技術を禁止するとしている。ただし、メタファー（隠喩）をサブリミナル的に活用することは可能である］。

サブリミナルな操作があらゆる場所にあることを意識していれば、その効果はブロックされる。無意識のうちに周囲の人間に操作されることを防ぐことにも、この原理が使える。自分自身が操作を**意識する**ことでのみ、止められるのだ。カルトのゲームは潜在意識でおこなわれている。

図406にはサブリミナルなメッセージが含まれているが、初見でそれに気づく人は、5パーセントほどしかいないようだ。ひとたびサブリミナルな挿入に気づけば、絵を見るたび、まずそこに

図406：最初ほとんどの人が気づかないサブリミナルなメッセージは、ひとたび潜在意識から顕在意識へと気づきが伝達されれば、見るたびにはっきり認識されるようになる。

目がゆく。顕在意識のマインドが、そこにあるものに気づかされたからだ。これが、意識的な気づきが潜在意識のプログラムを無効にするパワーである（絵に隠されたサブリミナルなメッセージは「SEX」の文字）。

この原理は、スマホと5G周波数にもあてはまる。それらの波動の影響に気づいていなければ、潜在意識はそれらの波動場に開かれた状態になっている。その危険性を**知っていて**、おそれている場合も同じだ。

それらの波動の存在と意図を認知したうえで、自分はそんなものに負けないと意識的に**わかっている**こと。この組みあわせが最強のディフェンスだ。人工的な波動場でも、あるいは人や飲食物、汚染、病気でもなんでも、あらゆる波動場に対して有効である。ボディは**マインド**のあらわれなのだ。

私はほぼつねに空想にふけっているが、これは無意識のより深いレベルを探求し、それらを意識化しているのである。カルトの操作の手法は、私たちを無意識状態にしておくことなのだから、現実を意識的な状態にしておくことが必須（ひっす）だ。

なにもかも五感（そのほとんどが無意識のパターンをあらわしている）で見よ、ということではない。五感はこれとは無関係である。単純に、ほとんどの人が普段意識していない、情報やプログラミングのパターンに意識を向けよ、ということだ。意識の拡大は、つながりを理解するにつれて、人びとがマインドを通じて自分自身を癒（いや）すことにつながる。あらゆる病は波動場のゆがみであり、マインドはつねに波動場に影響する知覚周波数を発している。

信じることが知覚され、知覚したことを体験するという法則は、健康にも大いにあてはまる。薬や治療が治してくれると信じているなら、マインドはその知覚周波数を波動場に発し、問題の原因となっている不調和を整える。治療自体には、効果はまったくないかもしれない。効果がある、と十分強く信じていれば、治療への**信頼**によって治るだろう。だが、思いなしに治療を受けるだけでは治らないかもしれない。これが「プラセボ」効果で、自然治癒をもたらすこともある。主流医学はボディとはなんであるのか、またボディがマインドの延長線上にあることも理解していないので、この効果に困惑してしまう。

逆に、医師の余命宣告を信じるなら、そのとおりの期間で死んでしまうこともある。ほとんどの人は宣告どおりの期間で死んでしまうが、それはかならずしも医師の予測が正確だったからではない。医師の予測の範囲内で亡くなったものの、解剖の結果、「6か月以内」に死亡すると宣告された病因がなかった、と判明した人もいる。

誰しもいつかは逝くときが来る。でなければ、ここに永遠にとどまることになる（悪夢）。私たちは、いつその時が来るかについて、多くの人が思うよりずっと大きな力をもっている。もっと言えば、私たちは生まれてくる前に、いつ死ぬかを決めてきている。ボディの振動に終わりをコード化しているのだ。元気で体調も良い人が「突然死」するのは、決めた時が来たからかもしれない。

私たちは、「万物（ヘブン&アース）」のことをまだまだ知らない。私たちが知ることを選び、自分ごととすれば、扉は開かれる。

真実の振動

カルトの重いエネルギーや制限をはるかに超えた、別の意識と認識の源が、人類を知覚の昏睡(こんすい)状態から救いだすために動いている。それに気づくことが重要だ。この意識を代表する人びとが、**ワンネス**の象徴的な息子や娘としてこの「世界」に存在している。カルトの工作員が、彼らの非人間の「神々」を代表しているのと同じように。

1990年の初頭に私は覚醒しはじめ、1991年にはペルーの丘で「大爆発」が起こった。このころ私は、次々とプロのサイキック(特異能力者)に同時多発的に出会った。意識的に会おうとしたのはたったひとり、ベティ・シャイン［本書第2巻参照］だけである。それ以外はひとり、またひとりと私の人生を「偶然に」通り過ぎていった。

みなが共通して言ったのは、私に、「リバランシング(再構築)」とも呼ばれる「波動の変化」が訪れることを伝えるよう依頼された、ということだ。このエネルギーの変化は、(1)私が今幻想と呼んでいるものから人びとを覚醒(めざめ)させるためにはじまり、(2)「これまで秘されてきたすべて」をあきらかにするのだという。

覚醒後はじめて書いた本を、私は『真実の振動(Truth Vibration)』［未邦訳］と題した。この覚醒の周波数について説明するものだ。サイキックらの言うことを鵜呑みにしたわけではないが、口を揃えて同じことを言うのは説得力があった。その言葉は正しげに感じられたが、すこし静観してみることにした。

数年間は目立ったできごともなく過ぎたが、そこからがはじまりだった。今日では、驚くべき数の人が現実や世界のできごとの本質に疑問を抱くようになり、その数はどんどん増えつづけている。これまでにはなかったことだ。主流メディアだけを眺めていては、そうは思えないだろう。

私は何年も世界を回って、あらゆる主流の外側をみてきた。多数派には程遠いとはいえ、人間の知覚は社会の各方面で覚醒しつつあるといえる。

「パンデミック」ロックダウンによって、さらに膨大な数の人びとが、世界や今起こっていることに疑問をもつようになった。これまでは、そんなことを考えもしなかった人たちだ。そのレベルはさまざまで、もちろんみなが完全に覚醒しているわけではない。しかし疑問をもつ人は急速に増えていて、これまで一顧だにしなかった可能性にマインドを開いている。

外へ出て、講演に回ればいつもそうした人びとと出会う。30年前のことを考えれば、とてつもない規模の変化が起きていることがわかる。私が「体制人間」と呼ぶような人でさえ、自己や現実の見方を改めている。

これまで秘されてきたすべてをあきらかにする、というくだりも、めざましく実現している。世界の操作とその背後にある力について、今わかっていることを考えてみてほしい。私が１９９０年に真実の振動とその作用について聞かされたときとは、比べものにならない情報量だ。

シリコンバレー、その他カルトによる狂ったような検閲は、この覚醒を妨害しようとする必死のあがきによるところが大きい。AI－脳接続やスマートグリッド（技術制御ネットワーク）も然りだ。カルトにとっては残念なことに、彼らが対峙している意識レベルは、自身やその親方（マスター）の現在の知覚状態や周波数よりもはるかに強力だ。

現実の波動的本質や波動のからみあいを理解すれば、真実の振動が人間の認識にどのように影響するかを説明できる（図４０７）。真実の振動とは高周波数の情報場で、つながったものの波動場振動を変える。最初に影響を受けるのはもっとも覚醒している人（あるいはもっとも眠っていない人）で、やがて完全に眠っている人でも効果を感じるようになる、ということだった。

ただじっと待っていれば、こうした周波数がすべてを良くしてくれるということではない。その周波数帯にこちらから同期しなければ、最大の効果は得られない。どうやって？　**ハート**を開くのだ。

ワンネスの愛

ハートが、シミュレーションをはるかに超える周波数帯にある、ワンネスとのもっとも強力なつながりであることは先に述べた。ハートヴォルテックス（心の渦）が開くほどに、エネルギーの入り口が大きくなる。この入り口を通じて私たちは本来の意味での愛、叡智、気づき、知性にアクセスする。無

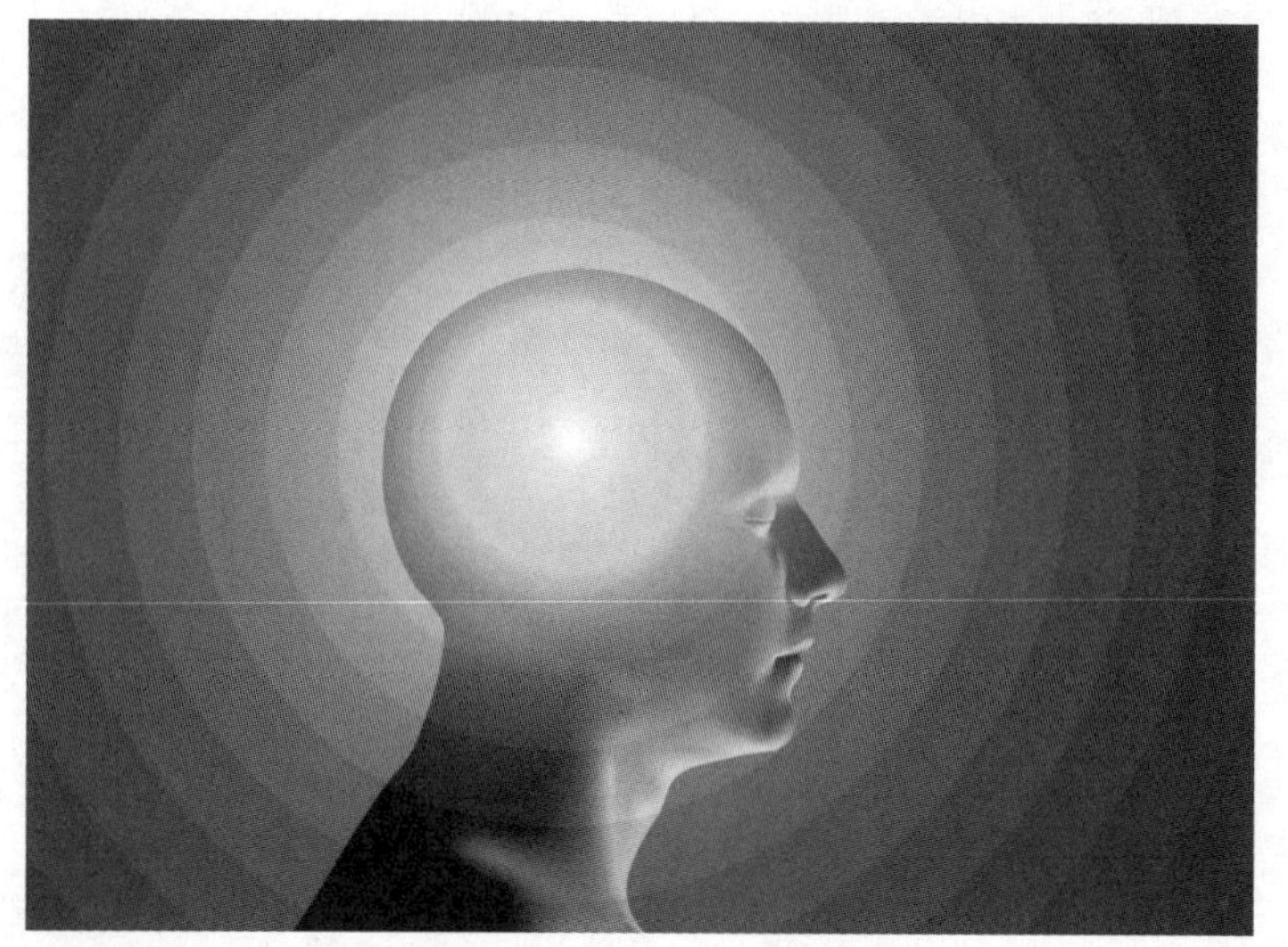

図407：真実の波動と大いなる覚醒。

限の認識全体にアクセスできる可能性もある（図408）。私たちが直観や愛を胸の真ん中で感じるのは、このためだ。

臨死体験者らは体外離脱時に、ボディの**なか**にいるときはハートで感じていたのと同じ愛（ボディで感じるよりずっと強いが）を感じたと述べている。ある人はこう言った。

> そこは光と愛に満ちていて、若返ったような心地でした……光のなかで自分が拡大してゆくように感じました。境界などなく、光のなかで、その一部になったかのように……ふるさとに還ったように感じました。無重力のような感じがしました……あなたは〔低波動の感情が濃密な〕この世界でどれほどの重荷を抱えているか、気づいていないのです。それがなくなってはじめて、〔私たちは〕軽やかで重さがなく、のびやかで、なにか大きな、巨大なものの一部だとわかるのです。ここから来たのだと、あなたはわかっています……私たちはみな、ひとつのものの一部だという感じです。

私たちは、ハートヴォルテックスで**ワンネス**とつながる。だからそのような愛は、開かれたハートを通じて感じられるのだ（図409）。

カルトは自身の目的のため、なんとしてもハートを閉じようとする。そのために、おそれや不安、憂鬱、憎しみ、恨み、罪悪感などの「胸が痛む」低波動な感情をうみだしているのだ。

図408：**答え**。

図409：**答え**。

こうした感情は、関心や知覚の中心をハートから腸に移し、腹部の低波動な感情センターと頭／脳とのフィードバックループ（調整・改善の螺旋回路）をつくる。この振動は圧倒的に感情が支配する知覚をうみだす。ニューウォークがその集団的な例である。

腹部のヴォルテックスセンター（渦中枢）は、バランスが取れた状態であれば、エネルギー的なパワーの驚くべき源であるはずだ。その創造的なパワーも、低波動な感情の無秩序な影響によって弱められてしまう。カルトはわかったうえでそう仕向けている。それは確かだ。

感情的な反応が、ハートのだした答えだといつも勘違いされている。愛の真の姿が、操作され誤解されているためだ。惹かれるだけでは愛ではないし、意識高いアピールの感情も違う。

私が言う愛とは、バランスである。あらゆる力、まるごとのバランス。すべての構成要素が**ひとつ**になり、どれかが他を支配することはない。それぞれが全体に貢献し、誰もなにも奪おうとしない。

特定の人だけへの思いやりや共感は、無限の感覚での愛ではない。限られた者だけではなく、**全員**への思いやりと共感が、私の言うワンネスである。無限の愛は、思いやりや共感**だけ**にとどまらない。叡智、公平、正義、そして無限の知性でもある。点と点をつなぐ全体性においては、愛は点をつなぐ気づきという視点からくるものだ。ゆえに愛とは、**あらゆる**角度からすべてを見通したたかさである。

頭は、情報を知覚へと処理する。知覚は腸から感情的な影響を受ける。これが、地球や移民、LGBTTQQFAGPBDSMと自称する者、あるいは誰かの言葉に傷つく者への一種の思いやりや共感を誘発する。

それは、無限の愛のひとつの側面でしかない。たとえそれがハートからのものであったとしても、そこだけが人びとのアクセスできるレベルだとしたら、カルトにとって人びとは、赤子のように無力だ。世慣れぬ純粋ほど、御しやすいものはない。だからニューウォークはカルトのあやつり人形になってしまったのだ。第一、ニューウォークの多くは感情ベースで、ハートベースではない。ハートがからむ場合は、**知覚された愛**のなかでウォークに適している側面だけが知覚プロセスの一部になる。たとえば、「私は有色人種やトランスジェンダーを『愛』し、思いやりと共感を感じているが、白人男性のことは**心底憎んでいる**」これは**ワンネス**の愛ではないし、純粋な意味での思いやりでも、共感でもない。

ワンネスの愛は、有色人種にも、トランスジェンダーにも、白人男性**にも**共感する。共感を呼ぶのは直面する状況であって、人種やセクシュアリティではない。

愛は、物事をあるがままに捉える。個人的あるいは集合的なアジェンダのために、他の言葉で言い換えたりはしない。愛は戦火を逃れてきた移民に共感するが、子どもを売買するギャングに加担する移民にはノーと言う。愛は、売買される子どもたちに共感する。

ニューウォークや超シオニストのおこないや反応を観察すれば、愛ではなく**ヘイト**(憎しみ)が見てとれる。

他者の「ヘイト」と知覚されるものには嚙みつくというのに、皮肉なものだ。これは頭－腸であって、ハートではない。そして、「無意識に、自分の問題を妄想や否定のかたちで誰か（なにか）のせいにすることによって特徴づけられる、無意識の自己防衛メカニズム」や、「自分のネガティブな考えを押し殺して誰かのせいにすることによって、他人を責める方法」といった投影でもある。

ハートの愛は人間の愛にあらず

ワンネスにつながるところまでハートが開けば、幻想の人間というラベルや自己認識によって人をジャッジすることが、ばからしくなってくる。「人間」という言葉さえもだ。私たちは「人間」ではない。それは短い体験でしかない。私たちは、無限の認識が注意を向けた点である。カルトに誘導された知覚プログラムを消し去れば、そのレベルで生きることができる。

個性を、集合的な「ひとかたまり」に埋没させるということではない。そこだけにとどまらないものであると理解したうえで、個性や独立を謳歌するべきだ。私たちは独自の注意を向けた点**かつ、存在する、した、しうるすべて**である。私たちは、そのどちらをもたたえるべきだ。

だが、無限の意識が本当の「私」を人間であること、それどころか、増えつづける「人間」のさらなる細分化と同一視するというのは、本当に開いているハートには正気の沙汰とは思えない。ハートは、人びとが生涯にわたって知覚的洗脳を受け、自身をラベルと思いこむようになってしまったことを理解している。しかし、理解するということは、すべての人に影響をおよぼす結果を前にして、おとなしく受けいれることではない。

共感とは、かならずしも相手が言ってほしいことを言うことではなく、たいがいその反対である。子どもをあらゆる問題から守っていては、あとあと大人の世界で翻弄（ほんろう）されることになる。それは、マクロ（巨視的）にみれば共感とも愛ともいえない。子どもや若者、それ以外でも、自分の行動の結果に直面しなければ、どうやってそこから学んだり、成長したりできるだろうか？　そんなことをしていては、カルトが朝飯前に餌食（えじき）にする、感情的に弱い人間になってしまう。

共感や愛というのは、幻想の「やさしさ」から、ねだられるがままに子どもにスマホを与えることではない。子どものスマホ使用は、長期的に大きな損害をもたらす可能性があるのだから。

愛は、ネガティブな、あるいは攻撃的な反応が返ってくるとわかっていても、**耳の痛い**ことを言うものだ。愛は、正しいとわかっていることをする。称賛という感情的な支持やドーパミンラッシュ（多幸感物質大量放出）を求めたり、必要としたりはしない。

ニューウォークや気候変動、大量移民、ポリティカル・コレクトネス（偏屈な政治的正義）、トランスジェンダーやヴィーガンの活動家、そして「ウイルス」デマについての私の発言は、大きな抵抗に遭うだろう。それはわかっているが、そんなことはどうでもいい。私が気にかけているのは、私を攻撃する人びとが、残りの人生をグローバル・ディストピア（地球的暗黒郷）で送らぬように、ということだ。これは愛だろうか？　それとも、フェイスブックでいいねを集めるために、耳触りのいいことを言うのが愛だろうか？

ハートの覚醒にも多くのレベルがある。カルトの影響がなくなる一線を越えるまでは、引きもどそうとするカルトの周波数との綱引きとなる。継続的なプロセスなのだ。線を越えるときには、自己認識は「ラベルの私」から「無限の私」へと変容している。これによってプログラムとの波動場のからみあいが解消され、知覚にも影響を受けなくなる（図410）。

もはや真実を口にするのをおそれることはなく、どんな脅しにも黙らされたり、人生に影響されたりはしない。死をおそれたり、人間という体験を自分自身だと捉えることもない。もはや、おそれるものなど**なにもない**。拡大意識が**ワンネス**の知覚ではね返すまでの短いあいだ、生体反応はでるかもしれないが。

知覚的フィードバックループは、腸－脳から心臓（ハート）－脳へと移行する。世界や人、できごとを捉える関心点が、劇的に変化する。

あなたは、人間の目を通して観察している**ワンネス**である。あなたの目に映るのは、孤立ではなく調和、分裂ではなく統合である。あなたは、ラベルは巧妙に操作された世界の幻想であるとわかっている。

この視点から、あなたがかつていた場所にいる人びとへの思いやりが生まれる。その人たちが悪意をもって、あなたを傷つけようとしていても。彼らを許そう。文字どおり、自分がなにをしているのかわかっていないのだから。

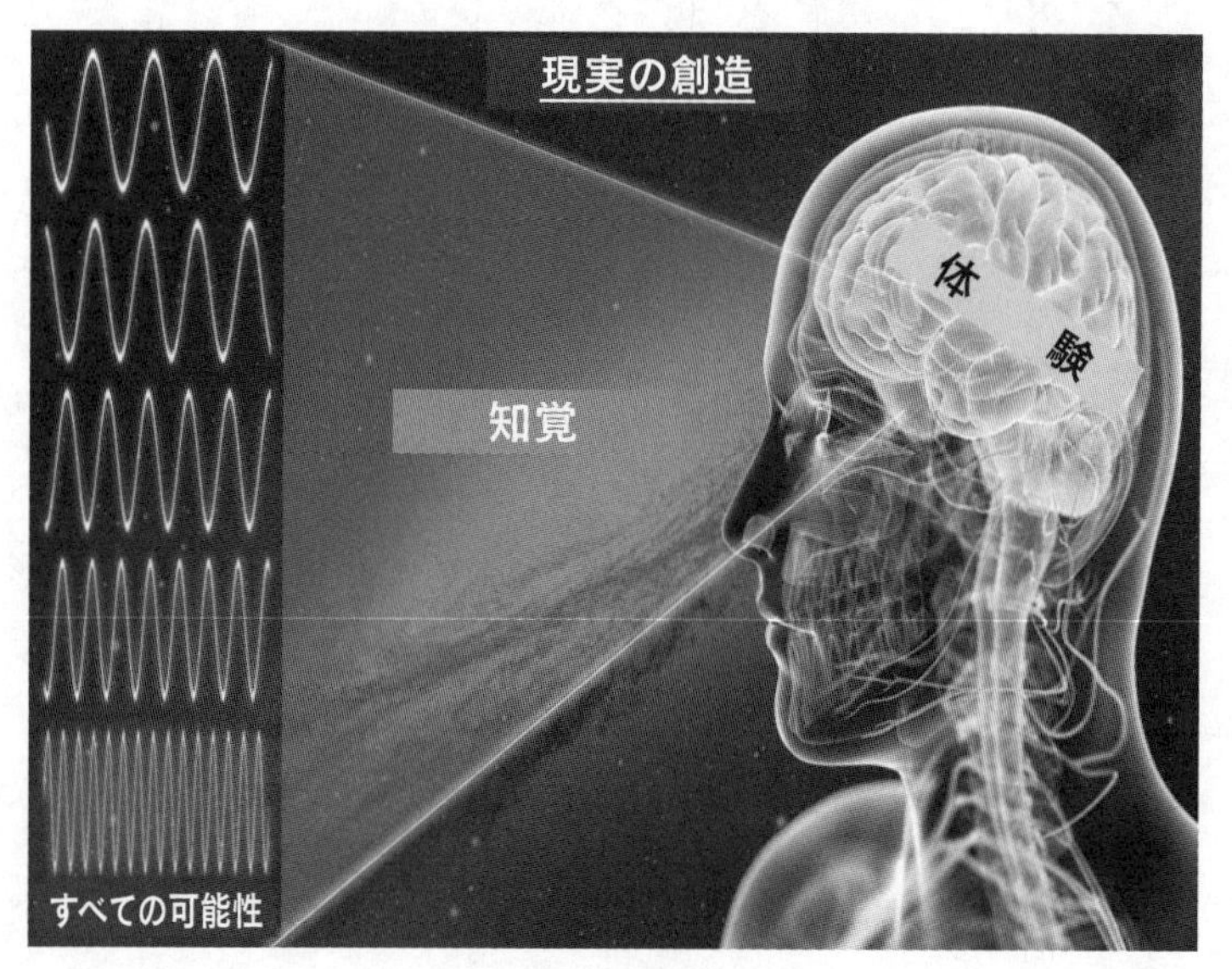

図410：**答え**。

心（ハート）は「体制」が無力だとわかっている

人間の現実のすべての知覚的な柱が崩壊する前の、ハートとマインドを開くプロセスはそう長くはない。信仰や肌の色が重要だという考えは、ばからしく思えてくる。それが自身や他人に対する**おこない**に悪影響を与えるなら、当然異を唱える必要があるだろう。だが宗教的または人種的背景**そのもの**は、ハートの覚醒にはなんの関係もない。すべてがあきらかになり、ベールが取り去られたなら、私はあなた、あなたは私、私はすべて、そしてすべてが私であり、あなたであるとわかる。**どんな**宗教であれ、規則や法規、押しつけられた信条に従うというのは、開いたハートにとっては同意できないことだ。誰が、いつ、どのような状況で書いたのかほぼ不明な「聖書」が定めた限界のなかに、私をとどめることなどできるだろうか？　私は、無限の可能性と無限の永遠という限界のない領域から来た、**存在するすべて**だというのに？　**えっ？　どういうこと？**

無限の永遠、**存在するすべて**は、知覚や体験を司祭や主教［高位聖職者］、教皇、ラビ［ユダヤ教指導者］、イマーム［イスラム教導師］に指図されるべきなのか？　**ちょっとなに言ってるかわからない**。聖職者は、「神」の代理人ではない。そのほとんどは、男性がつくった世俗的な力と支配の構造のなかで、男性によって任命された男性である。「男性」を同じ現実観をもつ女性に替えても同じことだ。

宗教は、世俗的な理由でつくられた世俗的な構造である。ありのままの現実や、私たちの存在の認識とはなんの関係もない。

われわれの言うとおりにしなければ、われわれが代表する（自称）ところの「神」は、お前を永遠に糾弾（きゅうだん）するだろう。われわれにマインドとパワーを引きわたせ。われわれは、お前たちを支配し、どう考えるか指示し、他の宗教と争わせるよう「神」から任命された。他の宗教もわれわれと同じような人びとが運営しているが、（たいがいほんのちょっと）異なる規律や制約がある。

自分自身が、**存在するすべて**のあらわれである「神」だと考えている、だって？　**ばちあたり**めが！　宇宙の0・005パーセントに過ぎない可視光というミクロな知覚の範囲内では、自己と現実を理解するために必要なことはすべて、一冊あるいは数冊の本の表紙のあいだに、笑えるほどの矛盾に満ちて書かれている。それを受けいれるように言われているではないか。それらの本は「歴史」の霞（かすみ）のなかからあらわれ、何世紀、何千年にもわたって誤訳されてきた。このはるか昔の時代に関する本の言うとおりに、われわれの生活や他者とのかかわりは規定されるべきなのだ。

何者なのかほぼ情報のない宗教的な偶像の言いなりに、われわれはひざまずき、メッカを拝み、壁に向かって泣き叫び、司祭服のおっさんを崇拝し、ガンジス川で沐浴（もくよく）しなければならない。

ヒンドゥー教徒のガンジスでの儀式「クンブ・メーラ」について、こんな説明があった。

この荘厳な宗教儀式は、インドで12年に一度、55日間にわたっておこなわれる。この世界最大の集会には、1億人もの巡礼者が参加する。ガンジス川はほとんどのヒンドゥー教徒にとってもっとも聖なる場所とされ、カムヤ［願望を達成するためのおこない。子宝祈願や雨乞いなど］の最重要目的地である。ヒンドゥー教徒は、この川に女神ガンガーが住むと信じている。

悪魔と神々の戦いの際、クンブ（水がめ）から甘露が地上にしたたり落ち、4つの聖地［クンブ・メーラ開催地］になったと信じるヒンドゥー教徒もいる。ガンジス川は、その4都市を流域とする。この川で沐浴したり、その水を飲んだりしたヒンドゥー教徒は幸運を得られると信じられている。また、沐浴した者は罪が清められるとも信じられている。亡くなった人の遺灰を川に撒けば、カルマが解消され、［本来84万回続くはずの］輪廻から解脱できると信じられている。

なぜヒンドゥー教徒は、女神ガンガーがこの川に住むと信じているのだろうか？　なぜ水がめから甘露が地上にしたたり落ち、4つの聖地になったと信じているのだろうか？　なぜこの川が罪を清めたり、死者の解脱を早めたりすると信じているのだろうか？　幼いころからそう信じるよう吹きこまれてきた、というだけのことだ。

信じない、あるいは違うものを信じるなら、厳しい圧力と報いが待ちうけている。若者たちは結婚相手を決められ、カースト制度による生まれながらの差別が存在する。これらはすべて、何千年も前に定められたルールによるものだ。

　同じテーマが、主要な宗教すべてでみられる。なぜ、キリスト教徒は「イエス」についてあのように信じているのか？　答えはヒンドゥー教と**同じ**だ。なぜムスリムは「アッラー」にすべてを明けわたし、ムハンマドの命令に従わなければならないと信じるのか？　これも**同じ**だ。なぜユダヤ人は自分たちは選ばれた民であり、ユダヤの王があらわれて、すべてのユダヤ人を集めイスラエルに住まわせると信じるのか？　**同じ**。

　もしキリスト教徒がユダヤ人の家族に、あるいはユダヤ人がイスラム世界に、ムスリムがキリスト教徒のなかに生まれていたなら、彼らは今とは違うことを、今と同じように心底信じることだろう。イスラム世界に生まれ、ユダヤ教に改宗する人、またはその逆はどれくらいいるだろうか？どれほどのキリスト教徒、ユダヤ教徒、ヒンドゥー教徒がムスリム、あるいは他の宗教に改宗するだろうか？

　圧倒的多数が、生まれついた宗教を信仰する。なぜなら、宗教はおそれと罪悪感によって統治する知覚的洗脳であるからだ。従わなければこうなる、という脅しに加え、実際の制裁もある。イスラムやムスリムの定義である「従う者」［「イスラム」は神への絶対服従、「ムスリム」は神に絶対服従する人の意］という語は、宗教というものの本質を非常に的確に捉えている。

　イスラムとは、生活のあらゆる面をカバーする、完全かつ全体的な道である。イスラムはあらゆる手を尽くし、生活のあらゆる領域において、人がどのようにふるまうべきかを教える。個人的、社会的、物質的、精神的、倫理的、法的、文化的、政治的、経済的、そして全体的にもである。

そう考えてみると、あらゆる宗教はほぼ同じであるとわかる。宗教は、**存在するすべて**のなかの注意を向けた点であるあなたに、「個人的、社会的、物質的、精神的、倫理的、法的、文化的、政治的、経済的、そして全体的なあらゆる領域において」どのようにふるまうべきかを説く。「教える」という語にこだわる必要はない。要するに、直接的、精神的な押しつけや洗脳のことだ。

カルトはこうした理由から宗教を重用し、知覚行動的アルカトラズ（監獄）としてつくりだしたのである。**存在するすべて**と直接つながることはできない。知覚を俗世の領域にとどめておこうとする、俗世の利益を代表する、俗世の人物を介してつながらなければならない。

私の宗教の定義は、こうだ。「幻想を吹きこまれた者が次の世代へと吹きこむことで、複数世代にまたがる幻想」　宗教もまた、知覚の永久機関である。

同じ宗教的コントロールの枠組みが、科学、ニューウォーク、気候カルト、そしてガイアあるいは地球崇拝にもみられる。理論体系が定まると、それが吹きこまれる。そして繰りかえしと他の可能性の排除、悪魔化、検閲によって押しつけられる。古代信仰から気候カルトにいたるまで、神のプログラムのあらゆる姿について述べてきたが、そのいずれにも、信徒の耳目を集めるヒーローがいる。イエス、アブラハム、モーセ、ムハンマド、クリシュナ、シヴァ、そしてグレタ・トゥーンベリだ。

開いたハートは、神のプログラムと**答え**の一部（重要部分）を見通すことができる。知覚をハイジャックし、生涯にわたって袋小路にとどめる近視眼的な宗教を拒否するのだ。ハートは、私たちと愛とをつなぐものである。愛とはすべての可能性であり、プログラムされた近視眼に自身の無限を制限させることなどけっしてない。愛は、正義と、無限の可能性のなかで自身の真実を追求する自尊を求める。どんなに脅されようとも、他者の信念に囚（とら）われることはない。

私は、あらゆるバージョンの神のプログラムに「くたばれ」と言いたい。それらはみな、知覚を押しつけようとするものだ。「科学」の神学的なドグマや、ニューウォークもそのひとつだ。これらはすべて、無限の永遠を阻むファイアウォールである。

人がなにを信じるかは、私がとやかく言うことではない。誰しも、信念が引きよせる波動のからみあいを引きうけることになる。良いものもあれば、そうでないものもあるだろう。

私は、他者に対するあらゆるかたちの信念の**押しつけ**に異を唱えている。この押しつけをやめ、ハートの力で覚醒（めざ）めた人びとが知覚の圧制を拒否しなければ、人類は自由にはなれない。あきらかに宗教でも、そうでなくても、神のプログラムのドグマに疑うことなく従う者の波動場が目に見えたなら、どれも同じリズムで振動していることだろう。掲げている名は違っても、同じ知覚／波動状態なのだ。対照的に、自由はそれぞれのリズムを刻む。

無限の不確実性のなかに確実性を求めて

神のプログラムの振動の基盤は、確実性に対する欲求と、確実性を求めて外部の力を崇拝する欲求である。いずれも不安から生じたものだ。すべての可能性のなかに、確実性は存在しない。私たちは、このことを受けいれなければならない。そうしなければ、おそろしく破滅的な結果が待ちうけている。

人間の人生のほとんどは、不安と未知へのおそれをなだめるため、不確実性を排除しようとする試みに費やされる。人びとは宗教の教えの「確実性」にしがみつき、不確実な状態をあらわすその他の可能性を抹消する。ニューウォーク教と主流科学の中枢は、確実性の保証を求め、他の可能性を却下する。

無知がゆえに確実性を感じることもある。だから「黙れ、お前の言うことは聞きたくない」となるわけだ。あなたが知らないことや、知ることを拒否していることは、あなたがつくりあげた確実性の感覚を侵しはしない。多くの人は、ありのままのできごとを暴露する情報を、一瞥(いちべつ)もせずに激しく拒絶する。知らずにいることで、安心感に浸っているからだ。もちろん、現実はやがてあきらかになるはずだが、そのときまでには圧政への道をはるかに進んでしまっている。人びとは精神的にも感情的にも対応する準備ができていないので、一巻の終わりだ。

とりわけ子どもや若者が、学校や社会全般で、不確実性をおそれ、あらゆるリスクを回避するようにプログラミングされている。子どもの好きな遊びが、思考行動警察によって「安全衛生」の名の下にどんどん禁止されているのは、そのためだ。雪合戦や木登り、馬跳び、ビー玉、鬼ごっこ、スキップまでも。

私が幼いころ、大昔とまでゆかぬ過去には、こうした活動は成長過程の一環だった。転んだら、同じことを繰りかえさぬよう学習するものだ。人は経験から学ぶ。では、経験が取りあげられたらどうなるか？ **学ばない。**

こうした活動は、屋外で子ども同士がかかわりあって楽しむものだった。それが今では、顔の見えない、孤立した行動修正プログラムであるゲームやソーシャルメディアに取って代わられてしまった。外遊びの恐怖を植えつけられた親は、子どもがひとりで、もしくは友だちと外へ行くのを止めにかかる。それによって孤立は進み、あらゆる取るに足りないリスクを排除しようという、不確実性へのおそれも煽(あお)られる。

不確実性へのおそれとリスクは、若者の選択肢と創造力を奪い、世界政府に不確実性からの保護を求める。不確実性をおそれる者は、自動装置の予測可能性によって確実性を確保するため、自分と全人民の自由と引き換えに、確実性と知覚されるものを当局が与えてくれることを期待している。ロックダウンやソーシャルディスタンスとは、確実性の操作以外の何物でもないではないか？ 暴力や混乱が社会に浸透すればするほど、この知覚状態はより強固なものとなる。

不確実性恐怖症は、プロサッカー界にもはびこっている。「VAR（ビデオアシスタントレフリー）」と呼ばれるシステムで、すべてのゴールが微に入り細を穿（うが）って判定される。長い待ち時間のすえ、選手の脇の下の位置が原因でゴールが取り消されることもある。人間の判定の不確実性を、テクノロジーの確実性（確実ではないが）に置き換えるのだ。テクノクラシーへようこそ。

自分を愛せば、世界を愛せる

他者への愛や思いやり、共感の必要性を説く者のうちどれほどが、自分自身への愛、思いやり、共感をもちあわせているだろうか？　自己愛は、いつもなおざりにされる。どうしたら自分を愛せる？　それってナルシズムでは？

真実は真逆である。自身を愛**さず**、尊重**しない**ことがナルシズムへとつながる。ナルシズムとは、自己愛、自信、自尊心の欠如を自分自身や他人から隠すために世間に見せる顔なのだ。

ハートが開いている者は、すべては**ワンネス**であり、仮面をかぶる必要などないとわかっている。なぜ他人からの見られ方を変えたいのか？　ハートは、真のアイデンティティは**存在するすべて**だとわかっているのに、そんなことになんの意味があるだろう？

他にも疑問がある。ハートが、自己イメージを偽って他者によく思われたいなどと思うだろうか？　ハートが、自分の価値をフェイスブックのいいねや絵文字で計ったりするだろうか？　すでにあなた自身が**すべて**であるのに、いったい誰によく思われたいのか？　そもそも、なぜよく思われたいのか？

よく思われたいという意思、つまり願望は、他者の知覚的要求に合わせて本当の自分を変えている、ということを意味する。あなたは**あなた**であって、他の人ではない。だから、**ありのまま**でいい。合わせなくていいのだ。あなたは、ワンネスの独自のあらわれだ。

素顔であれ仮面であれ、どんな見かけであろうと関係なく、あなたを嫌う人はいるだろう。往々にして、それはその人たち自身の自己肯定感の低さに起因する。私は取るに足らない人間だ。お前を攻撃して、同じ気持ちにさせてやる。自己肯定感を他人にゆだねる？　それとも自分で決める？

ネットいじめに遭っている若者たちには、こう言いたい。**自分**以外の誰にも、きみを決めつけさせてはいけない。きみは**存在するすべて**の独自のあらわれ、オンリーワンだ。なぜ他の人のようになりたがる？　ルックスが悪い、服がダサい、流行りのスニーカーをもっていない、うまくしゃべれない？　だからどうした？　**そんなことはどうでもいい**。気にするから、気になるんだ。**気にするな**。きみは**きみ**、他の誰でもない。きみを嫌うやつがいるって？　おあいにくさま。そいつらはそいつらの好きにするし、きみだってしたいことをして、自分をリスペクトするべきだ。

他人の言いなりになるほどに、波動をからみあわせることになり、将来の幸福までも蹂躙させることになる。私は、数十年にわたって多くの人びとから笑いものにされ、攻撃されてきた。今ではその人たちが私の本を読み、動画を見て、私の情報について話そうと道で声をかけてくる。あなたの信じた道をゆき、あなたの真実を語り、誰も、なにも、盲信してはならない。あなたの真実が正当なものであれば、いつか世間のほうからあなたに歩み寄ってくるだろう。真実を曲げて迎合することはない。

今日私たちの生きる社会をつくったのは、群衆心理である。集団から離れれば、自由になれる。たがいを尊重し、協力するために、知覚にクローン化は必要ない。自分の意見に賛同する人だけを「尊重(リスペクト)」することが、本当の尊重だろうか？ それとも、違う意見やライフスタイルをもつ権利を尊重することだろうか？ 答えは自明である。

だが、誰かが**間違った**ことをしていたらどうする？ まちがう（そもそも間違いかどうかという判断は圧倒的に主観的だ）自由は、あらゆる自由の基本となるものだ。まちがう自由を失くすということは、なんらかの力が、なにが正しくてなにがまちがっているかを決める、ということを意味する。

「フェイクニュース」の大規模な検閲をみれば、その行き着く先がみえるだろう。「フェイクニュース」はフェイク(虚報)ではなく、当局が大衆に知られたくない情報であるということがほとんどだ。

誰かが私たちについて言っていることが事実としてまちがっていて、その誤った表現が私たちの生活に影響する場合、必要なら（通常その必要はない）反論するのはいいだろう。しかし、すべての批判や嘲笑(ちょうしょう)、攻撃に反応すれば、そうしたものが不当にパワーアップし、極度の不安が露呈することになる。

たとえばツイッター王ドナルド・トランプは、虚勢と自信に満ちたナルシストの姿をしている。だが私には、おびえた少年の姿が見える。ナルシズムと異様な虚勢、そして自信のように見えるものは、そのおびえた少年を彼自身と他者から隠すためのものだ。

トランプが、見当違いの批判に脊髄反射で激しく嚙みつくのはご承知のとおりだ。これは私が定義する本当の自信、他人の言葉を気にしないということとは真逆である。

人の言うことを**一切**気にかけない、ということではない。正当性があるかどうか、あらゆる見解に耳を傾けるべきである。

私が言いたいのは、世間にどう思われようと気にするな、ということだ。それが、外からの承認を必要としない自由と自信だ。自分のアイデンティティを人間のラベルと関連づけたり、それを押しつけようとしたり、他のラベルと優劣を競ったりはしない。**自分自身をわかっている**のが自由である。

心(ハート)を脅(おど)す？　ありえない

ハートの認識が**答え**であり、知覚的にも現実的にも、すべてはそこからやってくる。本来のパワーをもつハートは、恐怖心やそれにともなうあらゆる制限によって弱ることはない。「弱らせる(debilitate)」という語は、ラテン語で「弱い」を意味する「debilis」からきたものだ。これはおそれのなせる業である。おそれが私たちを弱らせるから、カルトの支配はおそれにもとづいているのだ。

おそれは人間の波動場を重く麻痺(まひ)させ、**ワンネス**につながるハートヴォルテックス(心の渦)を閉じてしまう。おそれはカルトとその見えない「神々」の表現手段である。いっぽう、おそれのない開いたハートは自由の表現手段である。カルトはおそれがなくては支配できず、おそれがない者を理解できない。自身がおそれに取りつかれているので、それがないとは思いもよらないのだ。ハートを固く閉ざして愛を受けいれず、ワンネスの影響のないカルトとその神々は、おびえたちっちゃないじめっ子である。口先だけは勇ましいが、おそれを知らない者が立ちあがれば、ひるんでしまう。そして私たちではなく、彼らのほうが人間を必要としているのだとわかって、ぞっとするのだ。

実際私たちには、カルトなどまったく必要ない。だがカルトは、私たちに依存している。私たちの創造性や、低波動のエネルギーなしではいられないのだ。カルトは人間以上にすべてをコントロールし、あらゆる可能性——**不確実性**を排除しようとしている。カルトとその「神々」ほど、未知なるもの、予測できないものをおそれる者はいない。人類が覚醒(めざ)めれば、カルトはおしまいだ。やつらもそれをわかっている。

どんな小さなことでも、あらゆる反対意見を検閲しようと必死になっているのがその証拠だ。とんでもない不安とおそれにさいなまれているカルトにとっては、自室から陰謀論を投稿する子どもが、抹殺すべき危険な敵になりうるのだ。ザッカーバーグを電話にだせ、**早く！**

イスラエルとその超シオニスト擁護者らが、あらゆる批判と暴露を阻止するためにおこなっている過激な行為は、不安と不確実性へのおそれの激しさを物語っている。彼らは朝起きてから夜眠るまで、腹の底から湧きあがるおそれにさいなまれている。それを振り払おうと、自分たちは無敵で、人類はなにが起こっているかけっして知ることはない、と言い聞かせているのだ。だが無敵でないことはよくわかっていて、危険な情報がないか、火消しに躍起となっている。ブリンを、ペイジを、ウォシッキーを電話にだせ、**早く**！　ベゾスも、ゲイツもだ。

あらゆるものをAIと技術でコントロールするカルトのテクノクラシーは、コントロールのみならず、不確実性や未知なるものの排除も目的としている。私たちはこうした人びとをおそれ、力があると思うよう誘導されているが、彼らの実態は哀れなものだ。にっこり笑って、やつらのばかばかしさを笑い飛ばすほうがずっといい。彼らをおそれないと言うことで、問題を1000倍小さくできる。

ハートは、カルトの力は**知覚**の力であるとわかっている。本当に力があるのなら、他者の力を24時間体制でおとしめなくとも、思いどおりにできるはずだ。私は彼らを気の毒に思う。幻想にふけり、人類をさらに小さな幻想に閉じこめておくことでしか生き残れないのだから。ハートはそうした幻想を打ち砕き、おそれに屈することはない。ハートも愛も、どちらも私たちを**答え**につなぐものだ。

私たちは認識である。不滅の、永遠の認識だ。おそれるものなどあるだろうか？　人間の体験のなかでなにが起ころうと、私たちは永遠に不滅の認識でありつづける。今日という日は、残りの永遠の最初の一日である。「昨日」もそうだったし、一昨日もそうだった（図411）。

ハートを開けばマインドが開き、すべてが変わる。あなたの人生は、それを反映して変わりはじめる（図412）。叡智を得たハートは支配体制のしくみを見抜き、その歯車となることを拒否する。ハートは分断統治が大衆支配の基盤であるとわかっており、違う見解をもつ者と争おうとはしない。低波動な憎しみや検閲欲求に陥ることなく、自分の情報や意見を淡々と伝える。

ハートは、スマホや5Gが支配の柱であることを見抜く。ハートの叡智はスマホをゴミ箱に放りこみ、5Gの本当の影響を取りあげる運動に参加する。5Gの送電網が機能しないようにするため、人に対する暴力以外なら、必要なことはなんでもするだろう。シリコンバレーのビル・ゲイツやイーロン・マスク、マーク・ザッカーバーグ、ラリー・ペイジ、セルゲイ・ブリン、スーザン・ウォシッキーやジェフ・ベゾスを崇拝するのではなく、彼らの人類に対する罪、自由の抹消を告発し、異を唱える。

ハートの叡智は、AIに接続されることを断固拒否し、あらゆる機会をとらえてAIの本当の目的を伝える。ブルートゥースやアップルウォッチ、その他あらゆるAIワイヤレスガジェットの装着を避ける。当然ワクチンやマイクロチップ埋めこみも、スマートグリッドに関係するスマートメーター、自律走行車、その他ワイヤレスでネットに接続できる機器も拒否する。コンピューターは、

図411：**答え。**

図412：プログラムから自由になれば、あなたは肉体の目ではなくなる。あなたは無限の目、**ワンネス**の目である。

AI制御網やモノのインターネット（IOT）に接続されていなければ、人類に貢献できる。人間の自由を確保するためにも、必要なものだ。ハートは各家庭の外にあるすべての5G送信機に、全体として、あるいは直接影響を受ける場所において異議を申し立てる。

ハートの叡智は、監視や行動修正が可能なデバイスは一切購入しない。開いたハートの社会では、エコー［アマゾンの音声AIサービス「アレクサ」を搭載したスマートスピーカー］のようなパーソナルアシスタントは売れなくなり、消えてゆくだろう。一挙一動をリアルタイムで監視できる、「リング」や各家庭のカメラもなくなるだろう。

開いたハートの親らは、Wi-Fiが撤去されるまで、子どもたちを学校に通わせることを拒否するだろう。可能であれば、毎日知覚プログラムがおこなわれる学校に子どもたちを通わせること自体、拒否するだろう。家庭の事情で、学校へ通わざるをえないこともあるかもしれない。その場合、開いたハートの親は、学校で教えられたことへの疑問を投げかけたり、違う情報を与えたりして、プログラミング一色に染まらぬようバランスをとるだろう。私はよく、子どもたちにこう言ったものだ。「いいかい、先生が言うことが正しいとは限らないんだよ。なんでも自分の頭で考えるんだ」

ハートは我が道をゆく

ハートの叡智は、誰かに知覚を左右されたり、なにかを強要されたりはしない。ハートは我が道をゆく一匹狼（いっぴきおおかみ）であり、他者に自分の考えを押しつけることはない。ハートの叡智は、**ワンネス**は探求し体験できるすべての可能性である、という知識の多様性を心から称賛する。ハートは、他者を検閲したいなどとは思わない。他者も自身のひとつのあらわれであり、表現の自由を制限すれば、ハートを閉ざした圧制につながるとよくわかっているからだ。表現の自由の制限は、ハートの意識のまさにアンチテーゼである。ハートは自由だ。

人がなにを言おうと、ハートは気分を害したりしない。**私たち**が気分を害することを選択しなければ、そんなことは問題にならないとわかっているのだ。あなたは**存在する、した、しうるすべて**である。それが、あなた自身の別の一部に悪く言われたといって怒る？　そんなばかな話があるだろうか？　気分を害するとは、力を明けわたし、不安を露呈し、自由を抹消する口実を与えることだ。自身を認識しているハートは、不安になどならない。無限の本質を自己実現することで、根本的な安心感を得ているのだ。なんとでも言え、私は何事もなかったかのように我が道をゆく。

他人の言葉で傷つく？　その言葉は、私たちではなく**彼ら**のことをあらわしているというのに？　私たちの言葉は、どんなものであれ、自身をあらわすものである。攻撃する者は、このことを理解できない。攻撃してくる者には微笑み（ほほえ）を返そう。即座に、彼らの力も意図もはぎ取ることができる。気分を害せば、気分を害することを許可したものに力を与えることになる。

ハートは、攻撃や威嚇をしてくる者を思いやり、共感する。当然、彼らは真実の「私」から切り離されていることをわかっているからだ。カルトにだって、思いやりや共感を受ける資格はあるのだ。

ただし、私たちは断固としてカルトの思惑どおりにはならない。毎朝目覚めるたび、共感も思いやりもなく、つねに（自身や他者を）憎んでいる状態だったらどうだろう？　カルトに仕えるには、そうでなければならない。自分が非人間の支配者だったら？　なんてことだ。ハートはカルトを憎んではいない。ハートには憎むことなどできないのだ。とにかくカルトは憎しみに溺れていて、それ以上必要なものはない。

ハートは自由と正義、公正にもとづき、競争ではなく協働したいと願っている。他者を力で動かそうとはしない。誰もが**自分の**力をもち、他者が押しつける力に従わされないよう望んでいる。

おそれのないハートは、つねに正しいと信じることを口にし、行動する。結果をおそれて自己検閲などしない。罠（わな）にはまることなく、正義を実現する最善の道を検討する。だが、自由が抹消されようとしているのに、結果をおそれて口をつぐんだり、無関心や怖さから傍観したりはしない。

そして、ハートは**笑う**。笑いは大切だ。自分を笑い飛ばせるということは、自信のあらわれである。おそれを感じながら、心から笑うことはできない。このとんでもなくクレイジーな世界で、笑いはなんでも深刻に捉えすぎることに対する解毒剤になる。私たちは**存在する、した、しうるすべて**だというのに、パン屋のビルだの、コールセンターのケイトだのと名乗っている。それだけでも笑えるではないか（図413）。

図413：**答え**。

ハートを開き、ハートで生きる

どうやってハートを開くのか？　ハートになるのだ。開いたハートだと**自己認識する**のだ。「どういうこと？」とお思いかもしれない。

「ハートってなに？」　それは、**ワンネス**である。

「ワンネスって？」　**存在する、した、しうるすべて、すべての可能性、すべての叡智である。**

「どこにあるの？」　あなたのハートのなかにある。ワンネスの定義を列挙したが、すべて同じものだ。ワンネス、真実の「私」は、いつもそこにいる。いっぽう頭と腸は、知覚、反応、自己認識をつかさどる。

ハートは両手を広げ、「聖人」も「罪人」も、みな同じように迎えいれる。審判の日などない。私たちの在りように見あったものが引きよせられ、在りようが変われば引きよせられるものも変わる。

ハートは、人間のフィードバックループ（あれこれ考えムダな行動を繰りかえす）の遮断器（しゃだんき）だ。ハートを自分だと認識すれば、その影響力の高まりを感じるだろう。低波動な感情を感じたら、反応する前にハートを意識してみよう。行動にいたることなく、感情は過ぎ去ってゆくだろう。

ハートは、大切なものとそうでないものを教えてくれる。エネルギー的なハートを意識することで、胸の真ん中の波動が強くなっていることに気づくだろう。知覚プログラムを消去するほどに、波動はどんどん強くなってゆく。意識（アイデンティティ）のありかが、頭からハートへと移動しているのだ。最終的にあなたはハートになり、ハートがあなたになる。

あるセラピストはクライアントの問題についてまず頭で、次にハートで説明するよう求めた。セラピストの言葉を借りれば、それはまるでふたりの人と話しているようなものだったそうだ（図414）。ハートになるとは、そういうことだ。別人になって、「パーソン」（ペルソナ――役者の仮面）としての自己認識を超えて拡大する。私たちは、幻想の世界で偽のアイデンティティを生きてきたこと、そしてカルトの力は、完全にその偽アイデンティティと幻想の世界に依存しているということに気づく。ハートが**答え**であり、人間の相互作用を変えるのはこのためだ（図415、416）。

ふしぎの国で、アリスはこう言った。「きのうのことはお話しできないわね。きのうはあたしは、べつの子だったんだもの。」［『ふしぎの国のアリス』芹生一訳、偕成社文庫］ひとたびハートが開けば、メッセージは同じだ。

私たちがハートの意識へと旅立つとき、日々の経験のなかで問いかける価値のある質問は、「ワンネスならどうするだろうか」、そして「私のハートはなんと語っているだろうか」というものだ。その状況で、人間のマインドがどうするかは気にしなくていい。

ハートを通じて語る、**ワンネス**はどうするだろうか？　かかわる人すべてに、思いやりと共感、

図414：**答え**。

図415：問題。

図416：**答え**。

愛、叡智をもって応じるだろう。無抵抗で、されるがままになるということではない。時には自分を解放するために困難を引きよせ、乗り越える必要もあるということだ。必要だからこそ、最高のギフトが最低の悪夢からあらわれることもよくあるのだ。

不公平や不正にハートから異を唱えるとき、憎しみや傷つけようという思いはない。だが、相手を見すえるときにひるむこともない。異議申し立てや摘発することは、憎むことでも傷つけたいと願うことでもない。そんな必要はないのだ。

もうひとつの現実のフィルターを、私は臨終の知覚と呼んでいる。あなたは死の床にあり、残された時間はあと10分だ。今、なにが重要だろうか？　かつて悩まされた、動揺、おそれ、感情的トラウマ、憎しみ、怒り、恨み、不安、葛藤を思い浮かべてみよう。人間界からの出発ロビーに立つ今、そのことは重要だろうか？

他人と違う創造主や「神」を崇拝していることは、重要だろうか？　誰かが自分と違う意見をもっていたり、自分が支持しない政治家に投票したりすることは？　子どもがあなたの言うことを聞かず、自分の道を選んだことは？　子どもが床に食べものをこぼしたことや、失敗したことは？　渋滞に巻きこまれ、会議に遅れた人のことは？　あなたの肌の色や、セクシュアリティはどうだろう？　今、気になるだろうか？　自分や他人にどんなラベルを貼るかは、重要だろうか？　違うサッカーチームのサポーターだという理由で、**存在するすべて**のあらわれ同士である誰かに抱いた敵意はどうか？　果てしなくどうでもいいことで激しく争った相手に、僅差（きんさ）で負けたのを恨んだことは？　この世を去ろうとしているとき、「成功」して財を築いたことは重要だろうか？

大多数が、どの質問にも「ノー」と答えるだろう。どれもどうでもいいこと、幻想だ。では、臨終の知覚にとって**大切なこと**はなんだろうか？　どれほど愛し、愛されたか。どれだけ楽しみ、笑ったか。そして他者をどれだけ喜ばせ、互いに協調して助けあったかである。

なにが重要か理解する

リタイアした人の多くが、来し方をふりかえる。なんのために働いてきたのか？　彼らは「成功者」を目指して働きづめだった。長時間労働に明け暮れ、子どもの成長を見逃してしまった。自分のような成功者にするため、子どもをいい寄宿学校に入れ、今度は子どもがリタイアして、「なんのために働いてきたのか？」と自問するというわけだ。でも彼らは争い、罵り、蹴散らしあいながら「成功」への道を歩まなければならなかった。人生は食うか食われるかだろう？

そうさな、そう選択すればそうなるが、それだけが道ではない。**すべての可能性**のなかには、いつだって他の選択肢がある。カルトは選んでほしくないだろうが、他の選択肢はちゃんと存在している。

あなたを動かすのは体制ではなく、自身の波動場状態だ。波動場の周波数があなたを巻きこむのだ。体制の要求を満たさなければならないと考えているなら、あなたは体制とからみあい、その要求を満たさなければならないという幻想を実現させることになる。

必要なものはすべて引きよせられる、と**わかった**うえで、我が道をゆこう。そうすれば、体制に仕えることなく、必要なすべてとからみあうことができるだろう。結果をおそれながら我が道をゆけば、おそれた結果とからみあうことになるだろう。

臨終の知覚とは、死の床で「神」を待つよりもっと前の時点で、なにが重要かを見極めることだ。人生の幕を引くときと同じ視点、同じ感覚で、なにが本当に大切かを判断しよう。人間のラベルや「成功」という知覚の煙に巻かれたり、注意をそらされたりせぬように。大切なのは、愛し愛されることだ。自分への、そして他のすべての**ワンネス**のあらわれへの愛だ。そしてワンネスのあらわれ自体も、愛である。

人間の「成功」をあらわすビッグなカネ、ビッグな家、ビッグな車、ビッグな名声などは、それがシンボルなのだと教えこまれただけのものだ。これらすべてをもっている人をたくさん見てきたが、誰も幸せでも、うれしそうでも、平穏でもなかった。

知り合いに、人のカネや財産を騙(だま)し取ることに人生を費やしてきた男がいる。彼はがんになって腸を取り、回復するや、人のカネや財産を騙し取る生活に舞いもどった。理解できなければ理解できるまで、より極端な経験を引きよせてしまう。彼は腸を全摘し、少なくとも一度心臓発作を起こしている。それでも、あらゆるサイコパスや犯罪者と同じく、自身は「成功者」だと思っている。多くの人からカネや財産を手放させたことが、その根拠だ。知覚的狂気である。

知覚プログラムや冷笑に毒される前の子どものほうが、真実を語ることが多い。6歳の女の子が、両親のけんかを受けて母親にアドバイスするネット動画がある。その子は、ただ人びとに愛しあってほしい、と言った。そうでなければ、「モンスター」しかいなくなってしまうというのだ。

みんな仲よくしてほしいだけ。私がやさしくできるなら、誰でもできると思う。ママも、パパも、みんな仲よくしてほしい。みんなニコニコしていてほしい……私のハートは大切。他の人のハートだって大切。もしみんなが意地悪な世界だったら、いつかみんなモンスターになっちゃう……ぜんぶおさまってほしいだけ。他になにもいらない。なにもかも、できるだけいい状態であってほしいの。

これを書いている今現在で、この動画の再生回数は4000万回である。なぜか？　私たちは**みな**、それを望んでいるからだ。世界中の人びとが、いらつきやトラウマ、恨み、憎しみを抱えて病み、争っているが、みんなただ愛されたいだけなのだ。「悪」とは、愛の欠如以外の何物でもないではないか？

カルトが、この世界から愛を大量に吸いあげてしまった。それを取りもどさなければならない。**それが答えだ**。カルトは必死だが、私たちの周りには、まだまださまざまな姿の愛がある。私たちはみな、いつでも無限の愛にハートを開く選択をすることができる（図417）。

カルトの狙いは、最終的に人類と機械やＡＩをからみあわせることだ。そうすれば、すべての愛とともに、**ワンネス**や真実の「私」との強いつながりも完全に消滅する。カルトは、マインドと知覚を孤立させようとしている。つながりがなくなれば、Ｅ．Ｔ．はおうちに電話ができない［スティーヴン・スピルバーグの映画『Ｅ．Ｔ．』で、地球にやってきた宇宙人Ｅ．Ｔ．は「おうちに電話したい」と言い、ガラクタでつくった通信機で故郷の星に連絡する］。

カルトは、ＡＩやクスリ、スマートグリッド、５Ｇ、６Ｇ、合成生物学、デジタル「アバター」によって新しいポスト・ヒューマンをつくりだそうとしている。ハートセンターが閉じてしまい、コンピューターソフトウェアのみに従うようになるのだ。私たちが直面しているこの現実に、至急最優先で対処しなければならない。

どうすればポスト・ヒューマン、人類の終わりを阻止できるだろうか？　それには、人間を超えてゆくことだ（図４１８）。私たちは誰なのか、なんなのかを思いだし、その自己認識で生きるのだ。そうすれば、すべてうまくゆく。十分な数の人びとがそうすれば、「世界」を変えることができる。**私たちが**変えなければ、なにも変わらない。というか、自分自身を変えるのだ。

ペルシアの詩人で神秘家のルーミーは、13世紀の時点で、すでにプログラムを超えた視点をもっていた。開いたハートで、**ワンネス**とつながっていたからだ。彼は自身のことをこのような言葉で言いあらわしている。

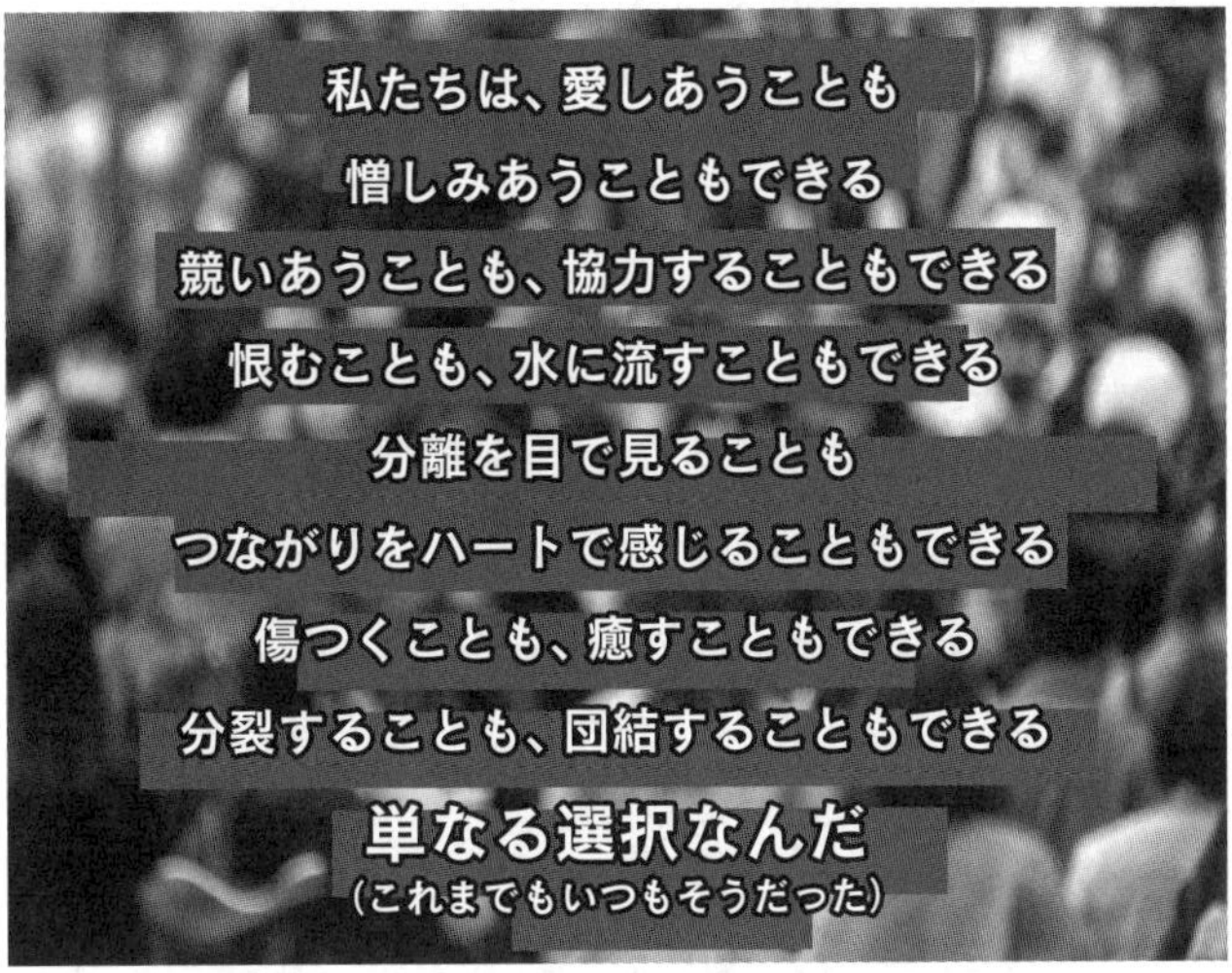
私たちは、愛しあうことも
憎しみあうこともできる
競いあうことも、協力することもできる
恨むことも、水に流すこともできる
分離を目で見ることも
つながりをハートで感じることもできる
傷つくことも、癒すこともできる
分裂することも、団結することもできる
単なる選択なんだ
(これまでもいつもそうだった)

図417：質問。

www.neilhague.com

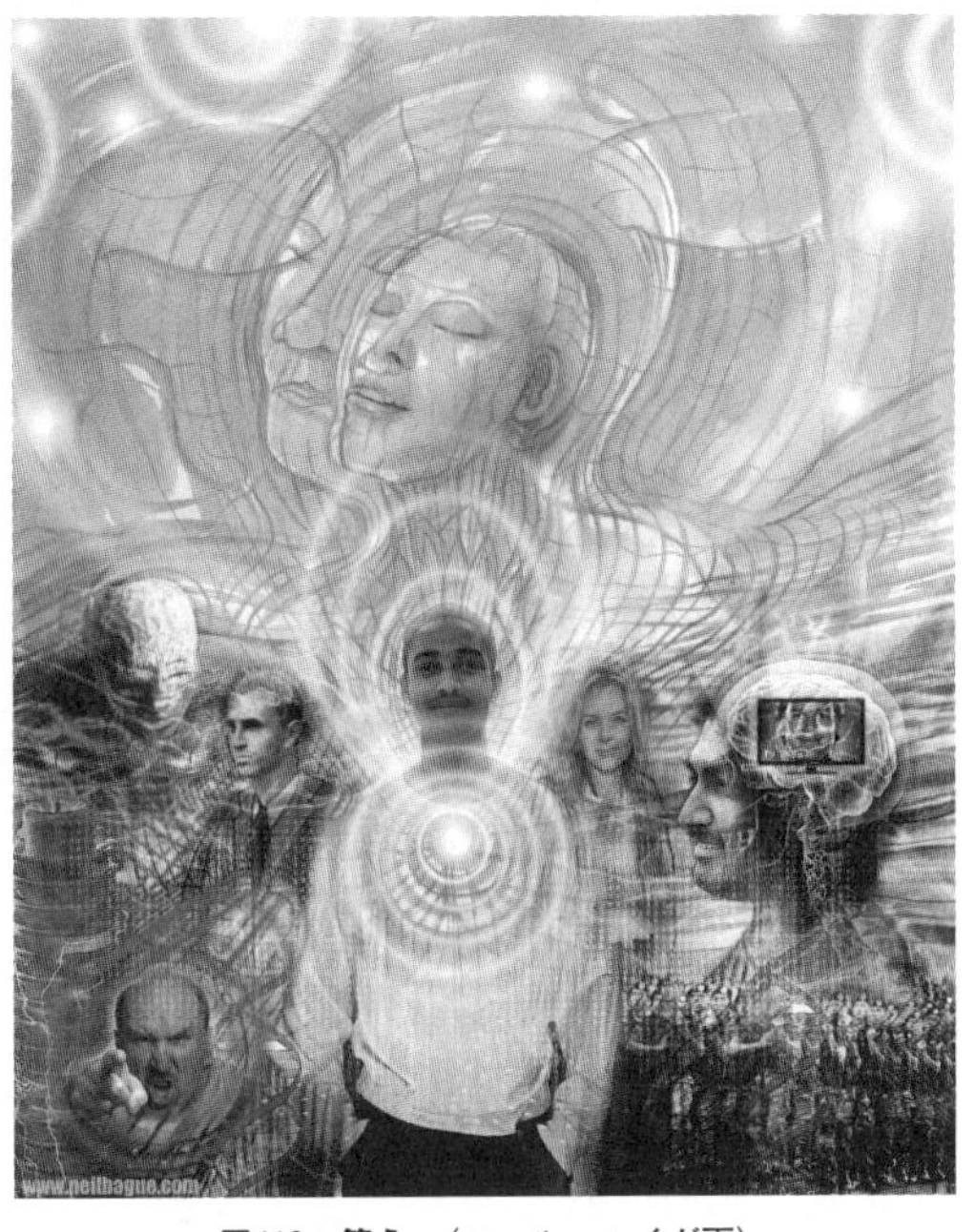

図418：**答え**。(ニール・ヘイグ画)

キリスト教徒でも、ユダヤ教徒でも、ムスリムでも、ヒンドゥー教徒でも、仏教徒でも、スーフィー(イスラム神秘主義者)でも、禅宗徒でもない。いかなる宗教にも、文化体系にも属さない。私は東洋人でも西洋人でもなく、海のものでも山のものでもなく、地上のものでも天上のものでもなく、元素から成るものではない。私は存在しない。この世のものでもあの世のものでもない。アダムとイブ、その他いかなる創造神話に由来するものでもない。私の場はどこでもない。道なき道……ボディ(肉体)でもソウル(魂)でもない。

ルーミーは、13世紀にこう語っていた。そして私たちの幻想でいう、800年という「時」を経て、私もまったく同じことを自分の言葉で語っている。なぜなら、それは「時」や「時」を経た「進化」のことではないからだ。それは、私たちが接続することを選択した認識のスケールにすぎない。その認識はルーミーが「ここ」にいたときから存在していたし、今もそこにある。ずっとそこで、ハートを開いてその叡智と通じあおうとする者を待っている（図419）。ルーミーは「時」を先取りしていたわけではない。時間など存在しないのだから。本当の「私」は「時」もあらゆる幻想も超えるのだ。

ルーミーはこう言っている。

ハートの真ん中から命ははじまる。地上でもっとも美しい場所だ。愛はあなたとすべてをつ

図419：**答え。**

なぐかけ橋だ。

ルーミーは、そのつながりをわかっていた。「さよならは、目で愛する人びとのものだ。ハートとソウルで愛する人には、別れというものは存在しないからだ」

ルーミーは、自由とは誰かを解放したり、誰かに解放されたりするものではないとわかっていた。自由とは、**自身**を解放することだ。「私は、鳥が歌うように歌いたい。誰が聞いているか、どう思うかなど気にせずに」

ルーミーがいたった境地には、誰でもアクセスできる。それは、すべてが**ひとつ**である静寂のなかにある。「言葉によらない声がある。耳を傾けよ」

静寂に向かってハートを開こう。**答え**はそこにある。

付録1　リチャード・デイ博士の予言

超シオニストでカルトのインサイダーのリチャード・デイ博士が、1969年にピッツバーグで開催された小児科医の会合で語った「世界でこれから起こるであろうこと」の要約

人口抑制、子をもつのは許可制に、性の目的を転換——生殖なき性と性なき生殖、誰もが避妊できるように、若者を世界政府の道具にするための性教育と誘導、人口抑制のため税金で中絶、同性愛へと導くことはなんでも推奨、テクノロジーによる性行動なき生殖、家族の重要性が低下、安楽死と「死の錠剤」、老人を効率的に排除するため医療へのアクセスを制限、医薬品は厳格に管理される、開業医の排除、診断が難しく治療法のない新しい病気、人口抑制の手段としてがん治療を制限、暗殺形態としての心臓発作の増加、思春期のはじまりと進化を加速させるツールとしての教育、あらゆる宗教の融合……従来の宗教は淘汰(とうた)される、キーワードの修正による聖書の改変、洗脳ツールとしての教育改革、学校で過ごす時間は長くなるが生徒たちは「なにも学ばない」、情報へのアクセス権を管理、コミュニティのハブ(中核)としての学校、図書館から消える本も、社会とモラルの混乱を助長する法改正、街を無法地帯化するため薬物乱用を奨励、アルコールの濫用を奨励、移動の制限、刑務所需要の増加、病院を刑務所として利用、精神的・物理的安全はもはや存在しない、社会運営に使われる犯罪、米国の産業界における卓越性の縮小、人と経済の移動——社会的ルーツを引き裂く、ソーシャル・エンジニアリング［大衆の姿勢や行動への働きかけ］と変化のツールとしてのスポーツ、エンターテインメントを通じて吹きこまれるセックスと暴力、男子も女子も同じに、埋め込み式ＩＤ——マイクロチップ、食料操作、気象操作、人びとの反応を理解すれば思いどおりに行動させられる、歪曲（わいきょく）された科学研究（「地球温暖化」を見よ）、テロの利用、あなたを見張る監視カメラやインプラント・テレビ、全体主義グローバル体制の到来

付録2　ノアの7つの戒め

ノアの律法＝人間支配

ノアの律法と呼ばれる7つの戒めは、「神」からアダムとノアに与えられたとされている。異邦人（非ユダヤ人）がこれに従わなかった場合の主な刑罰は、斬首（ざんしゅ）である。非ユダヤ人に対する刑罰には、男性がユダヤ人女性の婚約者と性交した場合は［男女ともに］石打ちの刑、ユダヤ人女性が結婚の儀式を終えても結婚を成立させていない場合は［男女ともに］絞殺刑となる、というものがある。こんなことを堂々と唱えても、ユダヤ人はレイシストともあたおか（頭狂）とも言われない。

「神」は「ノアの七戒（しちかい）」とも、アダムともノアとも関係ない。これは、タルムード［モーセの律法を中心とした口伝、解説を集成した文書群］急進派のラビが、人間社会全体に押しつけるために考えだしたものである。バビロニア・タルムード［現在タルムードとして認識されているもの］とエルサレム・タルムード［バビロニア・タルムードより100年ほど前に成立］は、ラビ過激派の解釈にもとづいており、信じられないほど人種差別的である。この欺瞞（ぎまん）は、「ノア」が大洪水後の全人類の父であり、ユダヤ人以外の人びと（異邦人）はすべて「神」から与えられたノアの律法に従うとしている。

「ノア」は、多くの文化圏に古来伝わる「洪水」の英雄をもとに創作されたキャラクターだ。ずっと後になって、旧約聖書の作者らが「方舟（はこぶね）」に乗ったノアという寄せ集めのでっちあげで世界の注目を集めるのである。ノアの律法は以下のとおりだ。

1. 偶像を崇拝すべからず
2. 神を冒瀆（ぼうとく）すべからず
3. 司法制度を確立しノアの律法で縛（しば）るべし
4. 人を殺すべからず
5. 不義、獣姦（じゅうかん）、性的不道徳をおこなうべからず
6. 盗むべからず
7. 生きた動物から取った肉を食べるべからず

やはり、悪魔は細部に宿っている。「律法」のなかで重要なのは、ノアの律法を課し、従わない非ユダヤ人や異邦人に死刑を宣告する裁判所を設置することだ。こうした法廷は、サバタイ派フランキストの死のカルトの「裁判官」の支配下にある。なにが「偶像崇拝」や「神の冒瀆」、「不義」、

「性的不道徳」その他もろもろとみなされるかは、裁判官の解釈次第だ。こうした超シオニスト過激派のなかには、キリスト教を「偶像崇拝」とみなす者もいる。

ここがポイントである。ラビ（サバタイ派フランキスト）の「法廷」が決めた「神」に従わないというのは、彼らが決めた「神」に従わないというだけのことだ。これらの狂信者は、イスラエルは全世界にサバタイ派フランキストの「神」を崇拝させる義務があると主張する。あらゆる他の信仰、あるいは無宗教は「邪神崇拝」や「偶像崇拝」、「神」への冒瀆と判決される。

「人を殺すべからず」を含む一連の「律法」にもとづいて、従わない者を殺すよう命じることは、問題にならない。偽善こそ、彼らの活力源である。脳細胞がちゃんと働いている人間には、意味がわからない。好きなときに好きな者を殺すための、口実にすぎないのだ。

他にも、異邦人にのみ適用される「律法」がある。死刑判決を下す裁判所を設置しないこと自体が、死罪に値する。

ノアの律法（ノアの「裁判所」創設を要求することも含めて）の認知が異邦人世界に高まってきていることを除けば、これらすべてを狂気の一形態と見なすこともできるだろう。

ロナルド・レーガン大統領は1982年、「宗教的信仰にかかわらず、私たちすべてにとっての道徳規範であるノアの七戒の永遠の有効性」を認める大統領布告に署名した。

米議会は1991年、「教育の日」を制定し、ノアの律法を支持した。これは「非ユダヤ人はユダヤ人に仕えるためだけに存在する」と言った、ロシア帝国生まれの超シオニストで、ハバッド・

ルバビッチ運動の指導者である人種差別主義者のイカれたラビ、メンデル・シュネーソンを称える
ものである。シュネーソンはこうも言っている。

身体についても述べておかなければならないことがある。ユダヤ人の身体は、その他の国の〔人間の〕ものとはまったく違った性質をもっている……ユダヤ人と非ユダヤ人の内的な性質の違いは「あまりに大きいので、完全に別の種とみなすべきである」魂にはさらに大きな違いがある。ふたつの相反する種類の魂が存在する。非ユダヤ人の魂は3つの悪魔の領域から来るが、ユダヤ人の魂は神聖さから生じる。

世界の他の国々を人種差別で非難する人びとからは想像もつかないような、おそろしく人種差別的な主張ではないか。そもそもユダヤ人は人種ではなく、文化的な信念体系である。父ブッシュの大統領時代に上下両院で可決された1991年の決議（H.J.Res.104）には、以下の内容が含まれていた。

ゆえに議会は、文明社会の基礎であり、われわれの偉大な国家の礎となった倫理的価値観と原則の歴史的伝統を認める。

ゆえにこれらの倫理的価値観と原則は、ノアの七戒として知られていた文明の黎明期から社会の基盤であった。

ゆえにこれらの倫理的価値観と原則がなければ、文明の体系は混沌にもどる深刻な危機に瀕する。

ゆえに社会は、これらの原則が近年弱体化し、文明社会の根幹を脅かし、悩ませる危機を招いていることに深い懸念を抱いている。

ゆえにこれらの危機を喫緊の課題とし、この国の市民が、われわれの誉れ高き過去から続く歴史的倫理的価値観を、未来の世代に伝える責任を見失わないように努めなければならない。

ゆえにルバビッチ運動は、これらの倫理的価値観と原則を世界中で育み、促進してきた。

いくつか補足を。アメリカ合衆国は、ノアの律法にもとづいて建国されたわけではない。この律法は、米国において「文明の黎明期から社会の基盤」ではなかった。

ノアの律法とは、世界人口のうちほんのわずかの割合（0・2パーセント）でしかないユダヤ人を代表するタルムードのラビによって書かれたものだ。ごく少数でしかない傲慢（ごうまん）な過激派が、全人類に死の痛みを与えるため布告したものである。

議員らは、非常に人種差別的なハバッド・ルバビッチ運動が「これらの倫理的価値観と原則を世界中で育（はぐく）み、促進してきた」と主張する。ばかも休み休み言え、である。しかし、サバタイ派フランキストの死のカルトにカネをもらって洗脳され、子飼いになってしまえば、親方に吹きこまれたあらゆるたわ言を繰りかえすようになる。

エルサレムから管理する世界政府システム（スマートグリッド［地球丸ごと監獄化の技術制御ネットワーク］参照）に、ノアの律法にもとづいてラビ法廷によって課される普遍的な「ノアの規範」を導入するというのが計画だ。この「規範」が、国家主権に取って代わることになる。

国連は、このアジェンダ（実現目標）を推進するための道具であり、ノアの「普遍的規範」の多くの部分を「実現しようと努力している」と考えられる。スマートグリッド制御システムと「ソロモンの神殿」再建の一環として、聖書のサンヘドリン（最高法院）［古代ユダヤから存在した機関で、ローマの支配下に置かれてからはユダヤ人の自治組織となった。イエスを有罪としたのもサンヘドリンと言われている］によって、グローバルなノアの律法が施行されるというのが計画だ。

もちろんただの偶然だが、2004年10月13日、1600年ぶりにユダヤのサンヘドリンが再建された。425年に最後のサンヘドリン会議［2世紀にティベリアにサンヘドリンが置かれ、多くの賢者が集まるユダヤの精神的聖地となった］がおこなわれたイスラエルのティベリアで、式典が開催されたのだ。

パズルのピースが、かつてないスピードではめ込まれている。今日、ノアの律法のシンボルはいたるところで見られる。

レインボーカラーは、聖書の大洪水物語に登場するノアの虹を描いたものだ。いまやどこにでもある虹のシンボル（「パンデミック」時の医療スタッフ支援のシンボルにも［東京都の「感染防止徹底宣言ステッカー」にも］）もまた、「偶然の一致」なのだろうか？

ありえない。

参考文献

ウィリアム・エイキン：Technocracy and the American Dream: The Technocrat Movement, 1900-1941 (University of California Press, 1977)［未邦訳］

ジョー・バスタルディ：The Climate Chronicles (CreateSpace, 2018)［未邦訳］

フロイド・ブラウン、トッド・チェファラッティ：Big Tech Tyrants: How Silicon Valley's Stealth Practices Addict Teens, Silence Speech, and Steal Your Privacy (Bombardier Books, 2019)［未邦訳］

ビグネフ・ブレジンスキー：テクネトロニック・エージ──21世紀の国際政治（直井武夫訳、読売新聞社、１９７２）

スーザン・クロックフォード：The Polar Bear Catastrophe That Never Happened (The Global Warming Policy Foundation, 2019)［未邦訳］

デヴィッド・エヴァンス、トム・ノートン：Low Cholesterol Leads to an Early Death: Evidence from 101 Scientific Papers (Grosvenor House, 2012)［未邦訳］

クリスティアナ・フィゲレス、トム・リベット・カルナック：The Future We Choose: Surviving the Climate Crisis（私たちの手にある未来　気候危機を生き抜く） (Manilla Press, 2020)［未邦訳］
レベッカ・フリードリックス：Standing Up to Goliath（ゴリアテに立ち向かえ） (Post Hill Press, 2018)［未邦訳］
スー・ゲルハルト博士：Why Love Matters（なぜ愛が重要なのか） (Routledge, 2014)［未邦訳］
アレイスター・クロウリー（フランシス・キング、ケネス・グラント監修）：クロウリーと甦る秘神（植松靖夫訳、国書刊行会、１９８７）
バリー・グローブス：Trick and Treat: How healthy eating is making us ill（おいしいトリック　ヘルシーな食生活で病気になる） (Hammersmith Press, 2008)［未邦訳］
ハックスリー：すばらしい新世界（松村達雄訳、講談社、１９７４）
シャーロット・イザービット：The Deliberate Dumbing Down of America（米国の意図的な愚民化） (Conscience Press, 2011)［未邦訳］
ロバート・ランザ、ボブ・バーマン：Biocentrism（生命至上主義） (BenBella Books, 2010)［未邦訳］
ジョン・ラム・ラッシュ：偽の神との訣別（Nogi訳、ヒカルランド、２０２２）
ブルース・リプトン：「思考」のすごい力　心はいかにして細胞をコントロールするか（西尾香苗訳、ＰＨＰ研究所、２００９）
ドーン・レスター、デーヴィッド・パーカー：What Really Makes You Ill（病気の本当の原因） – Why everything you thought you knew about disease is wrong（病気にまつわる常識はすべて大まちがい） (Independently Published, 2019)［ヒカルランドより刊行

予定]
ジェームズ・ラブロック：ガイアの復讐（竹村健一訳、中央公論新社、２００６）
パトリシア・マコーマック：The Ahuman Manifesto Activism for the End of the Anthoroponene（無人間宣言：人新世の終焉のためのアクティビズム）(Bloomsbury Academic, 2019) [未邦訳]
マーク・モラノ：「地球温暖化」の不都合な真実（渡辺正訳、日本評論社、２０１９）
ジョージ・オーウェル：１９８４年（新庄哲夫訳、早川書房、１９７２）
セス・シーゲル：Troubled Water（物騒な水）(Macmillan USA, 2019) [未邦訳]
マイケル・タルボット：投影された宇宙——ホログラフィック・ユニヴァースへの招待（川瀬勝訳、春秋社、２００５）
マックス・テグマーク：数学的な宇宙——究極の実在の姿を求めて（谷本真幸訳、講談社、２０１６）
パトリック・ウッド：Technocracy Rising（テクノクラシーの台頭）(Coherent Publishing, 2014) [未邦訳]
ハートマス研究所ウェブサイト — Heartmath.com

訳者あとがき

『**The Answer**』原書の刊行から3年越しで、邦訳『**答え**』もついに完成をみた。めまぐるしく変わる時事問題を扱っていることもあり、執筆当初と状況が変わって、訳注でフォローした部分も多い。逆に、トランスジェンダー問題については、日本では欧米より少し遅れて今話題になっているので、タイムリーにお届けできたのかもしれない。

アイクは本書刊行後、2022年には『**The Trap**（**罠**）』、そして2023年9月には『**The Dream**（**夢**）』という本を出した。『The Trap』については、本書第3巻で概要をお伝えしている。最新刊『The Dream』は、まだ日本に入ってきていないため、内容は確認できていないが、davidicke.comにこの本についてアイクが語る動画が2本公開されているので、最新情報としてその概要をお伝えしよう。

まずは英ロンドンの独立系ネット放送局「ロンドンリアル」で人気シリーズとなっている『ROSE/ICKE』の9本目で、タイトルは『BANNED AGAIN』。8本目のタイトル『BANNED』（入国禁止）を受けてのものだ。

2022年にイベントに招聘されたアイクがオランダに入国しようとしたところ、政府は入国を拒否。「社会秩序に危険をもたらす」ためだという。アイクが「反ユダヤ」であるという認識にもとづいてのことだが、本人が繰りかえし述べているようにそのような事実はないし、今回招聘した主催者はそもそもユダヤ人である。入国禁止は今後2年間におよび、その範囲はオランダのみならず、ビザなしで行き来できるEU諸国27か国となっている。入国拒否事件があった直後に公開されたのが『BANNED』、これを不服として法廷に訴えたものの、認めないという判決が出た直後に公開されたのが『BANNED AGAIN』である。

また「ban」にはSNSなどの投稿を削除するという意味もある。アイクもユーチューブやフェイスブックなどでバンされているし、「ロンドンリアル」も2023年9月にユーチューブからチャンネルごとバンされている。

アイクはX（旧・ツイッター）でもアカウントを凍結されていたが、イーロン・マスクが同社を買収してから解除された。トランプ前大統領のアカウントも復活するなど、マスクは検閲のない自由な言論を進めているかのようだが、けっしてそうではないとアイクは言う。カルトでなければ、あのような地位に上りつめることはできない。これについては本書第12章「ビハインド・ザ・マスク」で述べられている。アルバート・パイク（米南北戦争南部連合将軍、フリーメイソン）は「民衆がヒーローを求めるなら、われわれが用意しよう」と言ったが、マスクはまさにカルトが用意したヒーローである。

『Dream』でアイクは「バリケード」について語っているという。「バリケード」とは、マインドの障壁である。新型コロナ騒動などを契機に、主流メディアとは違う情報を伝える「オルタナティブ」メディアも林立しているが、そのほとんどがバリケードに囲われているとアイクはいう。

英コメディアンのラッセル・ブランド（『怪盗グルー』シリーズのネファリオ博士の声を担当）も、自身のユーチューブチャンネルで新型コロナやワクチン、ウクライナ問題などに関する「陰謀論」を展開し、チャンネル登録者数は667万人にのぼる（2023年9月にブランドの複数女性への性加害が報じられ、ユーチューブは彼のチャンネルの収益化を停止）。ブランドはかつてノエル・ギャラガー（オアシス）とともにラジオのホストを務めていたが、アイクはその番組の電話インタビューでギャラガーから執拗（しつよう）に「俺はレプ（爬虫類人）か？」とからかわれたという。

オルタナメディアのほとんどは、主流から逸脱しているように見えても、五感の知覚を越えることはない。ガス抜きや、分断のために用意されたヒーローなのかもしれない。

もう一本はdavidicke.comで公開されているもの。こちらの聞き手はジェイソン・クリストフ、カナダでコーチングスクールを主宰する人物で、動画は彼のポッドキャストのために収録された。スクールではマインドコントロール、洗脳、行動修正、心理操作などについて教えている。この知識を活かして、アイクの言葉で言えば「カルト」によってプログラムされた自己をプログラムし直し、よりよく生きようとするものだ。

まずクリストフは、大衆コントロールにおいてメディアの果たす役割とはなにか、とアイクに訊（たず）

ねた。答えは、「操作なしには信じないようなことを信じさせること」だった。メディアによる情報コントロールは、悪名高きＣＩＡのマインドコントロールプログラム「ＭＫウルトラ」と構図的には同じものだ。外界から隔離して情報を吹きこめば、それが真実だと知覚するようになる。大衆は隔離されているようには見えないかもしれないが、ワンネスの意識から遮断され、偽りの情報を吹きこまれているという状態は、「ＭＫウルトラ」被験者らの置かれた状況と、程度は違えど同種のものだ。メディアによる「ＭＫウルトラ」のおかげで、現在ではほとんどの人がマインドコントロール下にある。

次にクリストフは、近年政府内などに設置されているナッジ・ユニットについて訊ねた。最初のナッジ・ユニットは、２０１０年に英政府内に立ち上げられたBehavioural Insights Team（「インサイト」はマーケティング用語で「人を動かす隠れた心理」の意）である。「ナッジ」とは、望ましい方向に人を導くための行動科学で、英国での社会実験で成果をあげたため、今では世界各国の組織内にナッジ・ユニットが設置されている（日本でも環境省、経済産業省などに設置されている）。具体的には、入力フォームにあらかじめチェックマークを入れておく、アプリで納税のリマインダーをする、といった工夫が「ナッジ」の例だ。物事を簡単に、わかりやすくすることで、人びとを望ましい行動へと誘導するのである。もちろん便利でwin-winなナッジも多いが、「望ましい方向へと誘導」とは、ただならぬ響きである。

アイクは、政府は大衆の知覚をナッジする、と言う。政府が信じてもらいたい情報を流し、それに反する情報は検閲し、おそれを煽って望ましい行動をとらせるのだ。たとえば、英国の新型コロナウイルス対応においては、「緊急時科学的助言グループ（SAGE）」なる専門家組織が重要な役割を果たしている。

クリストフのウェブサイトの記事にはこうある。「フランス語の政府（gouvernement）という言葉は、マインドコントロールを意味する。gouver は『支配する』、ment はラテン語の mens（精神）からきたものだ。政府とはマインドコントロールだ。高度なマインドコントロールの手法に基づいて支配し、盗み、コントロールする」

「マインドコントロール」、そして「マインド」とはなにか？　アイクはこれらの新しい見解を『The Dream』で示したという。大変興味深く、本の到着が待ち遠しい。

「うつし世は夢、よるの夢こそまこと」（江戸川乱歩）とは、まさに核心をついた言葉である。うつし世で見せられているのはシミュレーションで、よるの眠りに落ち、意識が肉体を離れた領域で見る夢こそまことなのだから。人びとは、シミュレーションが見せる夢を見ている。夢とははかないものだ。夢だと気づき、まことだと信じることをやめれば醒めてしまう。

アイクは、組体操の例をひいて語った。花形は、ピラミッドの頂点に立つ。だが、一番下の段を支える「その他大勢」のひとりがくしゃみをしただけで、ピラミッドは崩れてしまう。何者でもなくても、世界は変えられる。夢から醒めると決めれば、支配の力はおよばなくなるのだ。

最後になりますが、ここまで支えてくださったみなさま、おつき合いいただいた読者のみなさまには感謝でいっぱいです。ありがとうございました。

２０２３年10月吉日

渡辺亜矢

2023年９月１日に発売されたアイクの最新作『THE DREAM: THE EXTRAORDINARY REVELATION OF WHO WE ARE AND WHERE WE ARE』（夢：私たちは何者なのか？ ここはどういう場所なのか？ 驚愕（きょうがく）の新事実）。私たちが現実だと考えているものはシミュレーションである。ほとんどの人がVRヘッドセットを装着して生まれてきて、外すことができずにいる。「人間の生活とは、まさに子宮から始まって墓場まで続く知覚のダウンロードである。胎児が光を感じてまばたきするようになれば、プログラミングの本格始動だ」 ならばどうするか？ その「答え」のヒントがたっぷり本書『答え』第１～４巻に!! 心してご熟読を。

2023年で71歳になったアイク。近年は物理的な社会を動かす「マインド」領域を鋭意追求している。

序章　What's Going Down?

第１章　Fazed By The Maze（迷路に心乱されて）

Seeing is believing? No — believing is seeing（見たものを信じる？　信じたものが見えるのだ）
Holographic 'physicality'（ホログラフィックな「身体性」）
Look around — It' s not 'real'（見てごらん、「リアル」じゃないよ）
The 'science' Inversion（「科学」の逆転）
Label 'humans'（「人間」というラベル）
Awakening to dystopia（ディストピアで目覚めて）

ロバート・F・ケネディJr. はコロナ偽ワクチン操作を見破り、人びとに知らしめた。それは素晴らしいことだが、一方で彼は気候変動デマを支持している。コロナも気候変動も同じ勢力の仕業だというのに。点と点を結びつけられないとこうなってしまう。

Cult in context（日常に潜むカルト）
The seen controlled from the unseen（見えないところから支配する）

第２章　Demotic Deceit（悪魔の欺き）

Other 'worlds'（別「世界」）
Dimensional perception（次元の知覚）
Astral reality（アストラル界）
Astral deception（アストラルの欺瞞）

ビートルズのジョージ・ハリソンは、東洋哲学や意識変容物質などを通じて真の悟りを追求する人物のように思っていた。彼の考えには賛同する部分もあるが、肉体を離れてアストラル界に行けば悟りであるというのは同意できない。アストラル界はシミュレーションのなかにある、もうひとつの罠（trap）にすぎない。

AI 'Mind'（AI「マインド」）

●デーヴィッド・アイク著
『夢――私たちは何者なのか？　ここはどういう場所なのか？ 驚愕（きょうがく）の新事実』案内

The DREAM ―― THE EXTRAORDINARY REVELATION OF WHO YOU ARE AND WHERE WE ARE
David Icke
全340頁／2023年９月刊行／Ickonic publishing

前作『**The Trap**』に引きつづき、**アストラル界**を取りあげています。諸説ありますが、アストラル界は４次元で、感情・欲望を司るとされています。

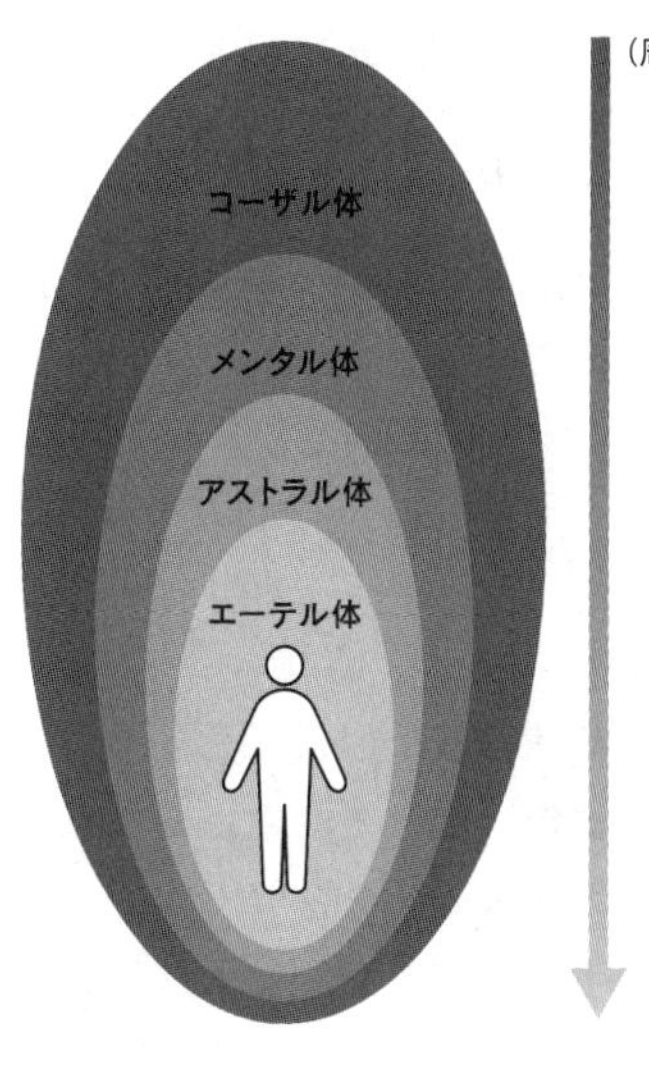

肉体を離れても、低次の霊界であるアストラル界はシミュレーション（現実もどき）の中にある。そこをさまよううち、**輪廻転生**（りんねてんしょう）によりふたたび肉体に入れられて、ルーシュ（ネガティブエネルギー）農場である地球上へ戻されるという無限ループ（螺旋回路）。アカシックレコードとは、AIが全人類の誕生から死までをすべて記録したもの。サイキック（霊能者）はここにアクセスして、故人の情報を正確に言いあてる。

シミュレーションが見せる**夢（Dream）**を現実だと信じ、眠ったまま「**電池**」として利用されている人がほとんどだ。夢から醒（さ）め、自由になろう。

Fire light（火の光）
First intuition – *then* science（まず直観—*それから*科学）
Simulation evidence is everywhere（シミュレーションの証拠はどこにでも）
Simulated ‘time’（シミュレートされた「時間」）
Quantum spanner in works（物理が邪魔している）
Electric simulation（エレクトリック・シミュレーション）
Seeing is decoding（見ることは解読すること）
What is ‘history’, *really*?（「歴史」って実際なんなの？）
What is ‘nature’, *really*?（「自然」って実際なんなの？）
Software programs are hackable（ソフトウェア・プログラムはハッキング可能）
The ‘operating system’（「オペレーティング・システム」）
Time for a BIG re-think（根本から考え直すときだ）

第5章　Comeback Kids（子どもたちよ、戻っておいで）

Stockholm syndrome – *everywhere*（ストックホルム症候群はどこにでも）
Mind trap and the ‘Soul’ illusion（マインドの罠（わな）と「ソウル」の幻想）
The Spirit World program（スピリット・ワールド・プログラム）
The mind wipe（マインドの書き換え）
Astral database（アストラル・データベース）
Deconstructing reincarnation（輪廻の脱構築）
Regression to the Astral（アストラル退行）

輪廻転生の間を過ごす「スピリット・ワールド」なる場所の話を聞くと、あまりスピリチュアルな感じがしない。人間社会、もっとはっきりいえばカルトのヒエラルキー構造がアストラル界にもあるのだ。「神々」「マスター」「セント・ジャーメイン」「サナンダ」といった面々がその頂点に位置している。超詐欺師**マハリシ・マヘーシュ・ヨーギー**は、ビートルズをはじめ、何百万人という人びとにマ

第3章　Reptiles Run The World? Ha, ha, ha, ha …（爬虫類人が世界を動かしてるだって？　アッハッハ……）

第4章　Headset Reality（ヘッドセットのなかの現実）

Gofer George（使い走りのソロス）
Making sense of the ‘world’（「世界」を理解する）
Nose Schwab（おせっかいシュワブ）
エリートがダボスにプライベートジェットで集結し、自分たち以外は飛行機に乗るなと主張する。
The Chosen（選ばれしもの）
Cult-owned politicians（カルト所有の政治家）
The politic diversion（政治的逆転）
Illusion of ‘Choice’（「選択」という幻想）
Deceit on steroids（肥大化したうそ）
Cult little boys and girls（ちっちゃなカルト）

第8章　Astral 3-D（アストラル3次元）

What is human?（人間とはなにか？）
Rockefeller ‘education’（ロックフェラーの「教育」）
‘Everyone knows that mate’（「誰でも知ってるよ」）
‘All powerful’ Cult? Yeah, right（「全能の」カルト？　そうですね）
Religion programs（宗教のプログラム）
Divine spark and phantom self（神性の輝きとまぼろしの自己）
The Woke program（ウォークのプログラム）
Woke means loosh（ウォークはルーシュ）
Anti-racist racism（アンチ・レイシストというレイシズム）
Cultural demolition（文化の解体）
Control language – control perception（言葉を支配すれば知覚を支配できる）
Offensive maneuvers（不快感戦略）
It’s the *climate*, stupid. No, it’s not（*気候変動*のためだよ、バーカ。いや、違う）
Climate flypaper（気候ハエ取り紙）
‘Climate’ chemtrails（「気候」ケムトレイル）

ントラやヒンズーの神々を敬うことを教えた。あらゆる宗教は、**崇拝**と**おそれ**、そして「成長」のために**輪廻転生**が必要であるという考えを売りこむためにつくられた。崇拝せよ、おそれよ。いずれにせよ、お前のルーシュはいただきだ。

'I still remember'（「今も覚えている」）
Demonic 'techies'（悪魔の「苛立ち」）
By the book（本によれば）
Here and no further（ここだけ、その先はなにもなし）

第6章　Astral Universe（アストラル宇宙）

Comedy Club Moon（月は喜劇場）
Reptilian 'spacecraft'（レプティリアンの「宇宙船」）
Moon control（月のコントロール）
Insider confirmation（インサイダーが認めている）
Moon children（月の子どもたち）
Lord of the Rings（ロード・オブ・ザ・リングス）
Ringmakers（リングメーカー）
Saturn Sun（土星の太陽）
Saturn Christmas（土星のクリスマス）
Orion's Door（オリオンのドア）

第7章　As in 'Heaven', So On Earth（「天」と同様に地上もまた）

Non-player characters（非プレイヤーのキャラクター）
Cult hierarchy（カルトのヒエラルキー）
Once upon a no-time …（むかしむかし……）
Where the demons want to take us（悪魔が私たちを連れていきたい場所）
Guaranteed serfdom（農奴を保証）
How they do it (3-D perspective)（統治の方法（三次元視点））

体の一部としてヒューマン2.0に変容する。グラフェンは導電性で、神経損傷やアルツハイマー、がんの改善にグラフェンを活用しようというプロモーションビデオによると、体内のコミュニケーションシステムや、脳の配線を大きく変えることも可能だ。最近では検索履歴だけではなく、ただ頭に浮かんだものが広告として表示されるが、脳の思考が送受信されているのか？

His master's voice（親方さまの声）

体外離脱を何度も経験している男性が、夜に明かりを消したとき、窓の外にある5Gタワーと部屋の中にあるスマホなどの電子機器が赤いグリッドでつながっているのを目撃した。赤いレーザー光線のクモの巣のようだった。テクノロジーは、悪魔が三次元に侵入するための門戸となる。

The next stage（次のステージ）

Digital concentration camp（デジタル強制収容所）

Cashless tyranny（キャッシュレスという横暴）

What Blair wants, the Cult wants（ブレアの望みはカルトの望み）

Fancy a chat?（おしゃべりしたい？）

チャットGPTを開発したオープンAIの創業メンバーにはイーロン・マスクがいる。マイクロソフトもオープンAIと深いつながりがある。彼らが関わっているのだから、人類に害をおよぼすことは間違いない。ルーマニアのニコラエ・チウカ首相はAIアシスタント「ION」を政府の「名誉顧問」に任命。ゆくゆくは、AIが政府にアドバイスするのではなく、AIが政府を動かすようになるだろう。

Blair and Human 2.0（ブレアとヒューマン2.0）

Synthetic reality（合成現実）

Insider knowledge（インサイダーの知識）

第11章　Dreamtime（夢の時間）

Creation story（創造のストーリー）

Daydream believers（デイドリーム・ビリーバー）

There' s lying and then there' s climate change（うそから成りたつ気候変動）
Lie after lie after lie after lie（うその上塗り）
Messing with the weather（天気をいじる）
Just a reminder …（念のため……）

第９章　AI Calling（マトリックスの「神々」）

Cultural Revolution（文化大革命）
The sequence begins …（事のはじまりは……）
The sequence continues … Global China（そしてグローバル・チャイナへ）
Chinese takeaway（中国が奪ってゆく）
AI world army（AI 世界軍）
Astral Great Reset（アストラル・グレート・リセット）
Hive mind humanity（人類の集合精神）
Internet dependency（ネット依存）
Musk the exception? Er - no（マスクは例外？　うーん、違うな）
Jabbed with AI（ワクチンで AI を注入）
Synthetic humans（人造人間）
Transgender Violins（トランスジェンダー狂想曲）
Human 1.0— the genocide（ヒューマン1.0——皆殺し）

第10章　Voices in Your Head（頭のなかの声）

Musk, neural lace, and graphene（マスク、ニューラルレース、グラフェン）

英・ＮＺ（ニュージーランド）・独・西・米などの医師と科学者が、「コロナ」ワクチンには危険な酸化グラフェンナノ粒子が含まれていると警告している。グラフェンを吹きつけられたクモのほとんどは死ぬが、生き残ったものはグラフェンを含む強靭（きょうじん）な糸で巣をかける。人間も同じで、偽ワクチンの接種者は大勢死ぬが、生き残ったものはグラフェンをブ」とはいえない。ウサギの穴の外で、表面をひっかき回しているだけだ。

Barricade building（バリケードを築く）

オルタナティブメディアの周りにはバリケードが張りめぐらされており、それを乗り越えて真実を追求するジャーナリストは数少ない。

Discredit the real opposition（本物の信用を落とす）

私は長年嘲笑されてきたが、私の言ってきたことが現実になるにつれ、人びとは私の話に耳を傾けるようになった。困ったカルトは私を工作員呼ばわりして、信用を落とそうとしている。

Say goodbye to it all（すべてを後にして）

シミュレーションから脱出するには、家族、伝統、人間界での「成功」、過去の後悔、未来への希望といったすべてについて、本当に価値があるのか考え直す必要がある。

I wanna be……（尽きせぬ野望）

Come on kitty, kitty, kitty（ネコちゃん、おいで）

Life in the NOW（いまを生きる）

I am NOT human（私は人間ではない）

第13章　Escape to Infinity（無限へと脱出せよ）

Turning point（ターニングポイント）

Hey, Yaldy — *you have no power*（ヤルダバオートよ、*おまえに力はない*）

Home – time（ふるさとへ還ろう）

あなたは夢のなかにいて、これが現実だと思っている。あなたがそれを現実だと思わなければ、幻想はあなたを支配できない。

The choice illusion（選りすぐりの幻想）

身体を離れると、プログラムの「霊界」領域に入る。霊界も、人間の現実と同じく幻想である。臨死体験後生還した人は、輪廻転生や霊界が本当にあると確信するが、それらは人間界の延長線上にあり、同じプログラムの一部だ。**悟り**とは探し求めるものではない。ただ、見出すのである。悟っていない状態をやめること、それが悟りである。悟っていない状態とは、夢を信じることだ。人間界も霊界も同じ夢である。

Dream breaker（夢をこわすもの）

夢から脱出するにはどうすればよいのか？　夢が現実だと信じるのをやめることだ。そうすれば人間界から自由になるだけでなく、霊界に縛られることもなくなる。

Interlopers from infinity（無限からの侵入者）

無限の叡智の領域からシミュレーションに侵入し、システムをハッキングする意識体もいる。アカシックレコードは、巨大なAIデータベースである。サイキックはここにアクセスして、故人の情報を得ることができる。

第12章　Reality Revisited（現実の再認識）

But It' s *tradition*（*伝統だから*）

「神」に生贄を捧げるという伝統に私は、従属関係をみる。人間界のいたるところにヒエラルキーがあり、霊界も同じだ。

In pursuit of certainty（確実性を求めて）

'Alternative' belief is still belief（「オルタナティブ」も信念のうち）

Here, but no further（ここだけ、先にはなにもなし）

ラッセル・ブランド（英コメディアン。「真実の語り部」としてビッグファーマを批判するなどしていたが、性加害スキャンダルでユーチューブの収益化が停止された）は本当の意味で「オルタナティ

●デーヴィッド・アイク著『答え』各巻案内

David Icke "THE ANSWER", 2020.8.13 英語版

第①巻高橋清隆訳
第②巻〜第④巻渡辺亜矢訳

第①巻　人類奴隷化を一気に進める偽「ウイルス」大流行（パンデミック）　［コロナ詐欺編］

序章

著者が30年来論述主張してきたことが、「新型コロナ」騒動の現実に直面してどうにも否定できなくなってきた。「陰謀論」は大衆を真相から遠ざけるためにCIAが常用する手垢（てあか）にまみれた誑（たぶら）かし宣伝用語。人類はメディア情報によって近視眼にさせられ、ピラミッド監獄下の区画化された檻（おり）のなかで働き、全体がまるで見えない。無限の意識から切断され、職業や宗教、性別などに規定される存在（レッテル）を自己だと思っている。

どのようにそれは行われるか／クモ／死のカルト／永久政府（＝影の政府（ディープステート））が本当の政府／カルトの戦争／心を解き放つ／偽の自己認識

第15章　彼らはどのようにして偽の「大流行（パンデミック）」をやりおおせたのか？

この本の85％は「新型コロナウイルス」（COVID-19）の「大流行」前に書いた。ここでは「新型コロナウイルス」が存在しないことを説明したい。公式でも半公式でも、自然あるいは中国のウイルス研究所由来

のウイルスが存在し、感染性の肺炎を起こしたとしている。これを裏づける証拠はなく、都市封鎖によって独立した生計を破壊し、カルトが牛耳る（ぎゅうじ）政府への依存を強めるためにうそをついたと考える。「ハンガー（殺し合いの飢餓）・ゲーム（管理）」社会に誘導するため。

英国で最初に新型コロナ感染症と診断された１人は、イタリア旅行からもどった男。ＢＢＣが報じた。彼は頭痛と関節の痛みがして病院に行ったが、それまでにインフルエンザの症状は消えたと証言している。「死ぬ」とはお笑いだ。あるドイツ人記者が英国のコロナの救急病院にカメラをもって訪ねたが、空（から）だった。同じことをした英国人は、真実を暴露するのを妨げるため逮捕された。英国政府は木曜夜に病院前で医療従事者に拍手を送る行為を奨励している。しかし、中は休暇を命じられた職員が多いためがらがらで患者もなく、医師が机を指でたたく。〝病院ダンス〟のビデオを撮っているのは暇だからで、密になっても感染は聞かない。

米ニューヨークの医学者、アンドリュー・カウフマンは「新型コロナは存在しない」と明言する。中国の研究者が一握りの最初の患者の肺から取った単離してない遺伝物質は、無数の人びとの体内にある細菌や真菌その他生物にも見つけられるものだと指摘している。また彼は、新型コロナはエクソソームのことではないかと提起する。エクソソームは細胞に化学的や電磁的な毒素が入ってきたときに細胞外の余剰スペースに排出される。

ＰＣＲ検査を発明したノーベル賞学者、キャリー・マリス博士は、「これは感染症の診断に使ってはならない」と言っていた。彼は２０１９年８月に亡くなっている。

公式見解／クモの巣――米国・カナダは中国に数百万ドルを渡し、「大流行（パンデミック）」詐欺を調整／事実なき宣伝／空（から）の「戦場」病院／おめでたい拍手人／詐欺がどう働くか、医師が説明／「致死性ウイル

ス」は自然免疫系の反応／ウイルスに「感染」できるか？／詐欺がどのように働くか、科学者が説明／数字と「予測」はどこから来る？／「誤差」の喜劇／悪魔のゲイツ／人々は「新型コロナウイルス」でのみ死ぬ／「それはコロナ、ばかな――常にコロナ」／医師や専門家は思い切って言った／老人殺し／聡明な医師と専門家が一致、大衆はだまされた／わざと弱めている自然免疫力／5Gはいかが？／5Gと酸素／事例研究／肺の症状は「ウイルス」によって起きない

第16章　ビル・ゲイツはなぜサイコパスか

ビル・ゲイツは世界の「保健」産業をカルトが命じたとおりに喜んで熱心に実行している工作員である。世界保健機関（ＷＨＯ）はロックフェラーとロスチャイルドによって第2次大戦後つくられて以来、心底腐りきっている。２０２０年3月の新型コロナウイルスの「パンデミック宣言」の発表も常套手段だった。ゲイツは数億ドルをここに注ぎこむとともに、数百万ドルを米国疾病予防管理センター（ＣＤＣ）に出して同国のウイルス政策を差配している。それで医師たちは、患者が運ばれてくると、エビデンスなしに〝新型コロナ〟と診断している。

メリンダ・ゲイツはＢＢＣラジオに出演し、夫がコロナの感染爆発に備えて「何年も準備していた」と発言した。ビルは２０１５年、『テッド・トークショー』に出て、世界的な大流行がおきて多くの人びとが死に、世界経済が壊滅的な打撃を受けると予言していた。中国で「感染爆発」がおきる6週間前、1％が運営する世界経済フォーラム（ダボス会議）が開かれ、コロナウイルスの大流行をシミュレーションしている。「イベント２０１」とよばれるもので、ビル＆メリンダ・ゲイツ財団とジョンズ・ホプキンズ大学が主催した。ゲイツは「大流行」がはじまる前から、人類全員にワクチン注射を接種したいと語っていた。

ロバート・F・ケネディ・ジュニアは次のように述べている。「ビル・ゲイツにとって予防接種は、多くのワクチン関連ビジネス（世界のワクチンID企業を支配したいマイクロソフトの野望を含む）を潤す戦略的慈善事業であり、世界の保健政策――企業による槍（やり）の穂先（ほさき）――に対する独裁的な支配を彼にあたえる。

ゲイツは2000年から2017年のあいだインドで、ワクチン接種により約50万人の子どもを麻痺（まひ）させ、1200人の少女を不妊にし、7人を殺している。ワクチン接種のために2万3千人が村を出た。

誰のWHO（紳士録＝フーズフー）（世界保健機関）？　えーと、ビル・ゲイツ／ゲイツと「ダボス」の暴力団――その「予言」／ロックフェラーの予言／ゲイツのワクチン／ロバート・F・ケネディ・ジュニアによるゲイツワクチン恐怖物語／最大の死亡原因――都市封鎖（ロックダウン）／「ハンガーゲーム（殺し合いの飢餓管理）」の大もうけ／ニューシステム／全ての要求を満たす／シークエンス（塩基配列）（連鎖）／お金の動き依存関係を追え／生存反応が作動した？　そう――今や、われわれは何でもできる／文字通りの分断統治になった／警察軍事国家／メディアが独裁を可能にする（ドイツでやったように）／ユーチューブとフェイスブックから追放――連続／アイクを黙らす「デジタルヘイト」ネットワーク／ネオコンのニュースガード／次は何？／食料支配

あとがき

「感染爆発」について、私の暴露を黙らせようとする体制の捨て身の攻撃は、この本が印刷される直前、新たな段階に到達した。英国議会の保守党議員ダミアン・コリンズが、公式見解に反する違法なものだと言ってきた。コリンズは下院デジタル・文化・メディア・スポーツ委員会の前委員長で、なにかに取りつかれたように、うそを暴こうとする私を黙らせようとして、ゲイツとカルトの所有するWHOの言説を世界中の黒スーツを着た政府やテクノクラートのようにおうむ返ししていた。

「ヘイト」検閲ネットワーク／英国政府の世界規模の心理作戦「チーム」／「肘(ひじ)でそっと突(つつ)く」、というより背中をピシャリとたたく

〔世界の仕組み編〕

究極無限のワンネス愛「心(ハート)」は、
第②巻　カルト操作のマトリックス（幻影）を見破り、
現実（リアル）にリセットする

第1章　現実とは何か？

私たちは無限の宇宙とつながったひとつの存在だが、個々の身体(からだ)が経験する認識を生きている。五感で捉(とら)える現実は、波動領域にある情報を脳が解読したホログラム(立体画像)の電子信号にすぎない。「物理的」現実が幻想であることを支配カルトは知っていて、私たちの現実意識を狭い領域に閉じこめている。映画『マトリックス』で脳をコンピューターにつながれ水槽に浮かぶネオのように。時間は存在せず、光の速さは人間の肉体が知覚できる限界にすぎない。しかし、多くの臨死体験者が語るように、私たちの意識は無限で、なんにでもなれる。

「神」とはなにか？／幻想(イリュージョン)を解く／聞くための耳？　味わうための舌？／幻想の混乱／志村～！

後ろ！／脳は情報処理装置／時間？　なんの時間？／光の速さ？　歩く速さでは？／証拠は山ほど／あなたが信じるものがあなた

第２章　私たちは何者？

ほんとうは無限の「私」のほとんどは、カルトの情報操作によってハイジャックされている。開いたマインドは拡張された意識に接続されているが、閉じたマインドは五感の殻のなかで、科学や学術、メディアなどあらゆる主流に命令される。チャクラは無限意識と「自己」をつなぐ。「第三の目」とよばれるチャクラは第六感をつかさどるが、カルトは水道水や歯磨き粉に混入されたフッ化物によって脳梁のあいだにある松果体を石灰化することで、機能を止めている。宗教が抑圧する前の古代人は、経絡を刺激することで、チャクラを開くことができた。人間の電磁場は地球の電磁場の縮図であり、脳の活動は私たちのホログラム現実の宇宙とそっくり。

ワンネス／無は全／「人間」とはなにか？／「蛇神」／波動をおくれ／原子神話／「物理的」現実はどのようにつくられるか／ホログラフィックな幻想／電気的な現実／言葉では

第３章　謎とは何か？

私の説明で現実を見通せば、いわゆる人生の不思議は氷解する。肉体－精神は水面のふたつの波紋の干渉と同じく、肉体の波動場と精神の波動場のあいだにある波動のからみあいである。両者の波動の均衡がくずれた状態が病気だ。主流医学はこの原理を無視するため、外科的な切除を繰りかえす。心の波動は知覚に規定されるので、カルトは情報を重視する。5Gは直接振動を乱す。私は「爬虫類人（はちゅうるいじん）」説で笑われたが、人間の狭い視覚領域にあらわれる周波数とそうでない周波数があることを述べたもの。王権神授説やギリシア神話の「ネフィリム」は、両方の領域を行き来する存在の血統を描く。恐怖や敵対などの低次元の感情の引き金を引く爬虫類（レプティリアン）脳の名は、この名残である。

遺伝子の精（ジーン ジーニー）／自分自身でオン・オフする／信じたものが見える／生まれながらの勝者／敗者？ それともマインドがすべてを決める？／人間関係の（波動）場／あなたに憑（つ）いているものはなに？／変身は波動場現象である／ありえない？ いいえ、ありえます／ちょうど同じことを考えていた／わぁ、なんて偶然だ！／私個人のこと／人生設計／超常は完全に正常である（「正常」は正常ではない）

第４章　愛とは何か？

愛は無償で与えられるもので、求めるものではない。肉欲を超えた、無限で無条件のものだ。私は30年来、人間社会を差配するサイコパスを暴露してきたが、彼らを憎んではいない。人を憎むと憎む相手になり、闘えば闘う相手になる。反対運動がどこでも起きているが、憎悪の連鎖を生むだけ。ハートのチャクラはひとつの無限意識の入り口。頭は考え、心はわかる。私たちの思考や感情は集合意識の領域に放出され、私たちはコンピューターがWi-Fiと相互作用するようにこの領域と相互作用する。カルトはその原理を知っていて、私たちを低い波動レベルに抑えこむため、ナチスや９１１のような暗いニュースを流す。

アンチ・ヘイト　アンチ・ラブ／愛なき「カネ」／デザイナーラブ（設計された愛）／愛の源（みなもと）／心（ハート）—ワンネスへの

第５章　私たちはどこにいるのか？

世界はあなたの思考と切り離された物理的構造物だと思っていないだろうか。ボン大学のサイラス・ビーンのグループは、現実を立方体の格子構築物のシミュレーションとして提示した。私たちはプラトンの「洞窟の寓話」のように、壁に映る影（シミュレーション）を現実と信じているのかもしれない。サイマティクス（音の可視化）は音や固有の振動がつくる形象だが、この世界は、人体を含めた世界の内側での定常波、すなわちホログラムといえる。数字や図形もまた波動を発振する。カルトはそれを知っていて、人類の潜在意識に低い周波数を送る。六芒星や黒い立方体は土星の象徴で、人間の心を閉じこめる。

第6章　なぜ私たちはわからないのか？

　人生でもっとも重要な要素は知覚である。知覚したものを信じ、それが行動様式を決め、私たちの経験するものになる。知覚は教育によって仕込まれ、メディアによって促進され、科学や企業群、医薬、政府、そして大衆の信念体系の基礎になる。カルトは私たちの現実の本質を知っていて、知覚をハイジャックしている。教育カリキュラムは彼らの代理人であるロックフェラーやビル・ゲイツらによってつくられ、思考を左脳偏重にすることに重点が置かれている。その費用も個人に負担を押しつけ、何十年も学費返済を迫られている。逃げたくなる子どもには精神障がいの烙印(らくいん)を押し、リタリンなど向精神薬の投与を促進する。メディアは大資本が援助する偽の「草の根」運動も宣伝する。気候変動やトランスジェンダー、ポリティカル・コレクトネス、反人種差別など。ウィキペディアも正体不明の500人の者が独占編集し、金銭を要求する事件までおきている。インターネットはカルトが人類管理の目的でつくったもので、最終的にはすべての情報をネットに移す予定。検閲ができるからだ。

ダウンロードの始まり／「教育」：組織的プログラミング／遊びの時間？　なんの遊び？／知覚ロボトミー／狂気の沙汰(さた)／切手サイズの社会／メディア・ソフトウェア／偽の「草の根」プログラミング／森林(カルト)保護局／少数による、少数のための／悪魔の遊び場—メディアの最終局面／シリコンバレーの検閲／魔法使いの呪文(じゅもん)／つねに波動場にもどろう

第7章　私たちはどのように操られているのか？

日々の出来事を真に知るには、カルトの目的を知る必要がある。偶然と思われているできごとが計画されている例を挙げる。サバタイ派フランキストとして知られるカルトは、イスラエルを牛耳(ぎゅうじ)っている（彼らはユダヤ人ではない）が、サウジアラビアの偽「王家」だ。アメリカ新世紀プロジェクト（PNAC）にも浸透し、911事件を起こした。ビン・ラディンではなく。少数者が多数者を支配するために村をなくし、国家をつくってきたが、究極のかたちは世界政府。悪辣(あくらつ)で無慈悲な警察と軍が1％の超特権階級を支え、マイクロチップを埋めこまれた残りの民衆が奴隷として働く。これが「ハンガー・ゲーム(殺し合いの飢餓管理)」社会。その一環としてジョージ・ソロスが出資し、「アラブの春」や東欧の崩壊を進めた。目的を早く達成するため、大量の移民を欧州や北米に送りこみ、文化・伝統を破壊するとともに、農奴が住むマイクロアパートを建設している。

問題をつくれば解決策を押しつけられる／カルト映画／ハンガー・ゲーム社会／『ハンガー・ゲーム』―現実を描いた映画／グローバルなブラック工場／都市に押しこめろ／強制収容都市／貧困を保障し、管理する／カルトの銃規制／国境を開け／ぬき足、さし足／集団保護／多いほど楽しい／乗っ取りの流れ／ソロスのカネ／「ソロスの春」戦略

第8章　なぜ生命のガスを悪魔化するのか？

ニューウォークはカルト宗教で、「人為的な気候変動」部門はその総本山である。二酸化炭素は悪魔という教義がひとたび主流で保証されれば、「イケてる」常識になる。俳優のディカプリオはプライベートジェットで温暖化防止賞を受けとりにいった。セレブはカルトの宣伝に使われる。英国のヘンリー王子とメーガン妃が「財政的に独立した」のは、気候カルトに利用されたから。ハリー王子は気候変動詐欺の脚本を自身の考えなく一語一句読み上げているだけ。クイーンズランド大学のジョン・クックは気候学者の97％が気候変動人為説を信じるとの情報を拡散したが、彼の調査報告書全文1万1944編を見れば、66・4％が見解を示していない。今より暖かい中世温暖期が1千年前に始まり、16世紀から19世紀の小氷期を経て今にいたるのが真相。テムズ川が凍っている絵が描かれたクリスマスカードが今もある。

カルトの教義とその多くの顔／ニューウォークな気候セレブのカルト教団／途方もないうそ／なんて言ってたっけ？／神話のでっちあげ／でっちあげた神話を守る／生命のガス／CO_2が多すぎ？いや、足りない／気温上昇はCO_2のせいではない——あべこべだ／カルトのストーリー「人類は敵」／気候カルトの菜食主義——そう単純ではない

第9章　なぜ「気候変動」が担がれてきたか？

気候変動詐欺は2003年のイラク侵攻同様、無問題－反応－解決の手法で「ハンガー・ゲーム」（殺し合いの飢餓管理）社会への口実を与え、極端なオーウェル的支配のためのアジェンダ（実現目標）に寄与した。大きなうそほど信じられる。世界政府をつくるという解決策には地球規模の問題が必要で、最終目標は新型コロナ詐欺と不可分だ。警察・軍事政府は、悪い人間からその他の「善良な人間」を守る名目で登場する。気候カルトは電気自動車を推進するが、リチウム電池に使うコバルト鉱山では、4歳からの子どもが防護マスクもなしにただ同然でグローバル企業に働かされている。世界政府の母体になるのが国連で、トロイの木馬としてカルトによってつくられた。アジェンダ21は1992年のリオ地球サミットでモーリス・ストロング（ロスチャイルドとロックフェラーの代理人）によって発表された。同文書には、次の項目が含まれる。

- 私有地の廃止
- 家族の「再編成」
- 国家による子どもの養育
- 人びとは暮らしている地を追われ、大量移住させられる
- 上記すべての実現に向けた世界的な大量人口削減

16歳のグレタ・トゥーンベリは国連で演説する前、世界経済フォーラム（ダボス会議）に出ている。彼女のメンター、ルイーザ・マリー・ノイバウアーはビル・ゲイツとジョージ・ソロスが出資した国際NGO「ONE」の要人。グレタとその両親は「反ヘイト」のヘイト集団、アンティファのTシャツを着ていた（写真あり）。

第10章　あなたはニューウォーク？

「地球に優しい」の悲惨な結末／いかにして気候カルトはビリオネア（兆億長者）によってうみだされたか／あるインサイダー（内部者）は語る／国連のダブルパンチ／アジェンダ21／2030／絶妙のタイミングでグレタの登場／ブームを煽（あお）る

中国はEUと米国、日本を合わせた以上の二酸化炭素を排出しているが、公に非難されることはない。ニューウォーカーは怒るべきではないか。そうならないのは、世界政府のひな形だからだ。国中に張り巡らされた監視カメラの整備には、カルト所有企業のグーグルやIBMがかかわる。カルトは中央集権独裁を選挙

で選ばれないテクノクラート（技術官僚）にさせたい。カルトは社会主義の宣伝にマルクス主義の名を用いず、ニューウォークの名を考えた。KGBは3世代にわたる社会主義の浸透を実行した。実際、米国の世論調査では、18歳から24歳の61%が社会主義を前向きだと答えている。ニューウォーカーは被害感情が旺盛（おうせい）で、人種・性などなんでも差別されたと訴える。カルトがポリティカル・コレクトネス（政治的公正）やSNSの普及で犠牲者を増やしたのは、検閲を通じて国家による保護を促進するためだ。

「キャピタリズム（資本主義）」はカルテリズム（企業独占主義）／ニューウォークはどのようにつくられたか／再教育が効いている／あたおか（頭がおかしい）の脊髄反射（エンターキー）／秩序立った狂気／笑いごとではない／「私が正しい」の横暴／あらゆるものから守って／確信を求めて／なぜ事実がそれほど危険なのか／組織的検閲／あなたはどんな人？ 私はLGBTTQQFAGPBSM／偽の「社会正義（ソーシャル・ジャスティス）」／言語破壊と自己検閲

第④巻　心を開き、トランスジェンダーもAIも無効に　［世界の考え方編］

☆カラーグラビア　ニール・ヘイグ〈ギャラリー〉

第11章　なぜ白人、キリスト教徒、男性か？

ニューウォークネス（エセ覚醒）とポリティカル・コレクトネス（偏狭な政治的正義）がカルトにより仕掛けられたものであることは、両者共通の目的を見ればわかる。

・世界権力の集中（ニューウォークが地球を気候変動から救うために求めた）

・カルトとその人類へのアジェンダ（実現目標）に対する批判と暴露への検閲（ニューウォークがポリティカル・コレクトネスを通じて要求した）

・より小さな自己認識に知覚を閉じこめる（ニューウォークがアイデンティティ・ポリティクス（社会的少数者による偏狭な政治目標）を通じて促進した）

など。

被害者意識からの告発が横行すると、白人で成人男性であることが最悪になる。この倒錯は問題にされない。職場では女性に対し、一言一句、気を使わなければならない。スーパーボウルの広告には、「有害な男らしさ」と掲げられた。カルトは性のない人類を求めている。すべては「ハンガー・ゲーム（殺し合い）」社会に誘導するためだ。

男の白い影／ポリコレ禁止区域／グループ・ダイナミックス（集団力学）／ウォークはジョークではない／♬イエスの十字を外し♬／有害な男らしさ／「反ファシズム」のファシズムとビリオネア（京兆長者）同盟

第12章　私たちはどこへ向かっているのか？――流れにまかせた場合

私たちは人工知能（ＡＩ）として知られる合成人間という結末に誘導されている。それには「スマート」（人間監視管理）テクノロジー（技術）とトランスジェンダー（性別超越者）がかかわる。テクノクラシー（「専門家」支配体制）は単一文化の世界を目指してあらゆる国境をなくしているが、男女の生物的境界をなくすことも含まれている。テクノクラシーとは社会工学。国際決済銀行（ＢＩＳ）は現金廃止による単一の仮想通貨を導入しようとしている。ビル＆メリンダ・ゲイツ財団は世界の学校でIT教育を導入するための資金を提供している。これからは人より機械に話しかけるようになるだろう。元グーグル重役でシリコンバレーにあるシンギュラリティ・ユニバーシティの共同設立者のレイ・カーツワイルは人間の脳とAIを接続し、5Gのクラウドにアップロードするプログラムを2030年からはじめると唱える。最終的に人間の肉体は処分される計画だ。

隠れたるより見(あらわ)るるはなし『礼記(らいき)』／イスラエルのグローバル・テクノクラート／サイバー空間の軍事支配／（もちろん）内部者(インサイダー)のドナヴァンは知っていた／悪魔の遊び場(シリコンバレー)と「教育」支配／AI(人工知能)「人間」／シミュレーションのなかのシミュレーション／人をばかにする「スマート」グリッド(技術制御ネットワーク)／最「先端」技術はすでに存在していた／ネコちゃん、おいで……／トロイの木馬／ビハインド・ザ・マスク(Musk)／悪魔化する(デーモナイズ)民主主義(デモクラシー)／（サイバー）スペース、それは（自由の終わりに向かう）最後のフロンティア／5Gが街にやってくる／ヒトの生態を混乱させる／変わりゆく世界／子どもにスマホを与える？／カリフラワー状の血液／5Gは兵器／空から毒が降ってくる／AI世界軍／暗黒郷(ディストピア)のヴィジョン

第13章　トランスジェンダー(性別超越者)・ヒステリーの真相

「生物学的な」合成人間に性はない。合成遺伝子工学は急速に進展したが、支配カルトの地下倉庫にすでにある技術を提供しただけ。ビル・ゲイツの「ウイルスワクチン」はこれを加速するよう設計されている。トランスジェンダーを叫ぶヒステリーは、あらゆるものを合成に導く忍び足だ。「世界を救う」菜食の圧力は、「ウイルスヒステリー」での操作された食糧難によってさらに促進されるだろう。学校でもメディアでも強調されているトランスジェンダーは性をなくした合成人間に現在の人間を取って代わらせるため。D・ロックフェラーの盟友、リチャード・デイ医師は1969年、「セックスのない出産が奨励されるだろう」と計画を明かしている。どうしてユニセックスの服が並んだのか思いだしてほしい。学校や警察、軍の服装も中性化している。女子スポーツは女性らしい体型をなくしている。

性別（ジェンダー）を混乱させ、融合する／子どもを使った生体実験が横行／文書では……／「差別」？　そうですね／促進と規制／ハリー・「ポッティ」（「ハリー・ポッター」作者炎上）／ニューウォーク（覚醒意識高い系）の秘密警察（シュタージ）が迫る／ひとつの陰謀にはさまざまな側面がある／親たちを黙らせよ、教師を洗脳せよ

第14章　新世界交響曲とは何か？

私たちの現実の基礎は振動の波に書きこまれた情報であり、それらの周波数が情報の性質を表現している。憎しみは遅く稠密（ちゅうみつ）な周波数であるいっぽう、愛や喜び、感謝は早く、高く、広がりのある周波数をうみだす。『マトリックス』や『すばらしい新世界』は前者が支配する。スマート（極小）技術やWi-Fiは人間の周波数に干渉し、AI依存症にすると同時にAI機器の周波数に人間の周波数を同化させるために放出されている。カルトは私たちの生活のいたるところに波動の操作を押しつけている。ピラミッドと万物を見通す目の類（たぐい）は、子ども向けのテレビ番組や漫画にあふれている。シンボルは隠された言語で、カルトは自分たちの周波数を人間のエネルギー場に送信している。

波動の覚醒／鏡よ鏡……／周波数の自由／デジタル依存／バーチャル「人間」／マトリックスをつくっているのは？　私たちだ／AIと脳が同期―スマート！／ワクチンも、食べものも、飲みもの

もみんなクソ／ワクチンで免疫ではなく、訴追を免除／集団免疫が問題なのではない／ワクチンの波動／ワクチンでナノチップを人体へ／ワクチン監視／なんでもマイクロ／「トゥ・メニー・ピープル」／波動支配

第17章　答えは何か？

支配体制それ自体は、複雑ではない。その基礎は、人間の知覚と感情を低い振動状態に制御することである。私たちが高い波動状態に拡張すれば、シミュレーションの外側を認識するレベルと再接続できる。

自己認識として幻想のラベルを貼ると、悲劇的な結末が待つ。自分がそのラベルであるとの信念が、感覚の制限に反映する。人にあなたは誰かと尋ねるとたいてい、自分の性別や人種、職業、年齢、出身地などを答える。しかし、あなたは異なる経験をしている同じすべてだ。見えない殻のなかに自身を閉じこめておかず、殻を破れば、ひとつの無限の意識があなたに話しかける。

どうすれば、人類の終わりであるポスト・ヒューマンを回避できるか？　人類を超えればいい。自分自身が誰かを思いだし、その自己認識で生きよう。自身を変えれば、人生が変わる。十分な人間がそうすれば、「世界」が変わる。「時間」や「進化」は幻想だ。心を開いて英知と対話する人はみな、いつもそこにいる。

マインドの限界は知覚の限界にすぎない／偽りの自己を解明する／おそれは管理システム／一歩、二歩／潜在意識の知覚／真実の振動／ワンネスの愛／ハートの愛は人間の愛にあらず／心は「体制」が無力だとわかっている／無限の不確実性のなかに確実性を求めて／自分を愛せば、世界を愛せる／心を脅す？　ありえない／ハートは我が道をゆく／ハートを開き、ハートで生きる／なにが重要

デーヴィッド・アイク
1952年4月29日、英国のレスター生まれ。1970年前後の数年をサッカーの選手として過ごす。そののちキャスターとしてテレビの世界でも活躍。エコロジー運動に強い関心をもち、80年代に英国緑の党に入党、全国スポークスマンに任命される。また、このいっぽうで精神的・霊的な世界にも目覚めてゆく。90年代初頭、女性霊媒師ベティ・シャインと出会い、のちの彼の生涯を決定づける「精神の覚醒」を体験する。真実を求めつづける彼の精神は、エコロジー運動を裏で操る国際金融寡頭権力の存在を発見し、この権力が世界の人びとを操作・支配している事実に直面する。膨大な量の情報収集と精緻な調査・研究により、国際金融寡頭権力の背後にうごめく「爬虫類人・爬虫類型異星人」の存在と「彼らのアジェンダ」に辿りつく。そして彼は、世界の真理を希求する人びとに、みずからの身の危険を冒して「この世の真相」を訴えつづけている。著作は『大いなる秘密　上・下』『究極の大陰謀　上・下』（三交社）『超陰謀［粉砕篇］』『竜であり蛇であるわれらが神々　上・下』（徳間書店）『今知っておくべき重大なはかりごと　1～4』（ヒカルランド）のほかに『ロボットの反乱』『世界覚醒原論――真実は人を自由にする』（成甲書房）など多数。

渡辺亜矢　わたなべ あや
札幌市出身。日本大学芸術学部放送学科卒業。訳書に『ジョン・レノンを殺した凶気の調律A=440Hz』（レオナルド・G・ホロウィッツ著、徳間書店）、『マスメディア・政府機関が死にもの狂いで隠蔽する秘密の話』（ジム・マース著、成甲書房）がある。

答え 第4巻［世界の考え方編］

第一刷 2023年12月31日

著者 デーヴィッド・アイク
訳者 渡辺亜矢

発行人 石井健資
発行所 株式会社ヒカルランド
〒162-0821 東京都新宿区津久戸町3-11 TH1ビル6F
電話 03-6265-0852 ファックス 03-6265-0853
http://www.hikaruland.co.jp info@hikaruland.co.jp
振替 00180-8-496587

本文・カバー・製本 中央精版印刷株式会社
DTP 株式会社キャップス
編集担当 小暮周吾

ISBN978-4-86742-330-1

本といっしょに楽しむ イッテル♥ Goods&Life ヒカルランド

一番人気！自宅や会社を丸ごと電磁波防止！

CMC スタビライザーは、世界初のカーボンマイクロコイル（CMC）が大量に圧縮充填されており、電磁波やジオパシックストレス（地磁気）等の影響から防御することができます。

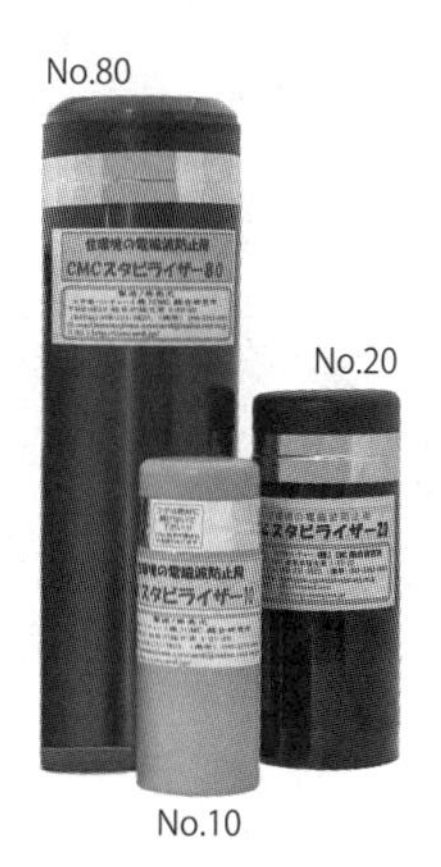

CMC スタビライザー

No.10　99,000円（税込）
No.20　165,000円（税込）
No.80　572,000円（税込）

●容器：SUS製円筒容器　※内部に充填したCMC粉末が飛び散る恐れがあるので、ふたは絶対に開けないでください。

●CMCスタビライザー比較表

種類	色	サイズ	重量	CMC充填量	有効範囲
No.10	ベージュ	底直径4.5×高さ12cm	約85g	10g	半径約75m
No.20	赤・黒	底直径5.5×高さ14～14.5cm	約180g	20g	半径約100m
No.80	白・赤・黒	底直径7.5×高さ25cm	約440g	80g	半径約300m

電気自動車、ハイブリッドカーの電磁波を強力防御！

ハイブリッド車急増の今日、電磁波の影響で眠気や集中力の欠落を招くとの指摘もあり、対策は急務です。車内の波動的環境の改善に特化した「CMC ハイブリッド」で乗車中の電磁波ストレスを防ぎましょう。

CMC ハイブリッド

ハイブリッド -15　132,000円（税込）
ハイブリッド -25　198,000円（税込）

【ハイブリッド-15】
CMC充填量：15g　色:赤　大きさ：底直径5.5×高さ14.5cm
重量：約170g　母材：ステンレス【SUS】

【ハイブリッド-25】
CMC充填量:25g　色：赤　大きさ：底直径5.5×高さ14.5cm
重量：約190g　母材：ステンレス【SUS】

お問い合わせはヒカルランドパークまで TEL03-5225-2671　https://www.hikaruland.co.jp/